LLYFRYDDIAETH LLENYDDIAETH GYMRAEG

LLYFRYDDIAETH
LLENYDDIAETH
GYMRAEG

Cyfrol 2
1976-1986

gan

Gareth O. Watts

Gwasg Prifysgol Cymru
Llyfrgell Genedlaethol Cymru
1993

ISBN 0−7083−1161−X

Mae cofnod catalogio'r gyfrol hon ar gael gan y Llyfrgell Brydeinig.

Diolchir i Fwrdd Gwybodau Celtaidd Prifysgol Cymru am gyfrannu tuag at gostau'r gyfrol hon.

Cysodwyd ac argraffwyd yng Nghymru gan Lyfrgell Genedlaethol Cymru.

RHAGAIR

Bu i Mr Gareth Watts o Adran Lyfrau Printiedig Llyfrgell Genedlaethol Cymru ran allweddol ym mharatoi *Llyfryddiaeth Llenyddiaeth Gymraeg*, a olygwyd gan Syr Thomas Parry a Mr Merfyn Morgan ac a gyhoeddwyd gan Wasg Prifysgol Cymru yn 1976, fel y gwneir yn eglur yn Rhagair yr Athro T. J. Morgan i'r gyfrol honno. Wedi iddi ymddangos, ymddiriedwyd i Mr Watts yn ogystal y gorchwyl o baratoi atodiadau i'r gyfrol, ac ymddangosodd y cyntaf ohonynt ym *Mwletin y Bwrdd Gwybodau Celtaidd*, XXX (1983), 56–121: cynhwysa'r atodiad hwn yr astudiaethau yn y maes a gyhoeddwyd rhwng 1976 a 1980. Pan aeth Mr Watts ati i baratoi ail atodiad, y tro hwn o astudiaethau a ymddangosodd rhwng 1980 a 1986, penderfynwyd y byddai'n hwylustod cyfuno'r ddau atodiad yn un gyfrol, sef *Llyfryddiaeth Llenyddiaeth Gymraeg*, Cyfrol 2: a dyna yw'r gyfrol hon. Y mae Mr Watts eisoes wedi cwblhau casglu'r deunydd ar gyfer trydedd gyfrol, sy'n croniclo'r astudiaethau a ymddangosodd rhwng 1987 a 1991, a gobeithir cyhoeddi hon cyn hir yn *Llyfryddiaeth Llenyddiaeth Gymraeg*, Cyfrol 3.

Y mae ar Fwrdd Gwybodau Celtaidd Prifysgol Cymru, a byd ysgolheictod Cymraeg yn gyffredinol, ddyled enfawr i Mr Watts am ei lafur manwl a diflino mewn maes a eill ymddangos yn ddiramant ond sydd bron mor angenrheidiol i ysgolheictod iach ag yw dŵr glân i'r corff dynol. (Ac nac anghofier hefyd ei gyfraniadau llyfryddol swmpus ar hyd y blynyddoedd i un arall o gylchgronau'r Bwrdd, sef *Studia Celtica*.) Ond wrth ddiolch i Mr Watts y mae'n weddus hefyd diolch i Lyfrgell Genedlaethol Cymru a Phennaeth Adran y Llyfrau Printiedig am roi iddo eu cefnogaeth lwyraf wrth iddo fynd ynglŷn â'r gorchwylion hyn. Y mae dyled y Bwrdd i'r Llyfrgell yn fwy fyth am fod y gyfrol hon yn cael ei chydgyhoeddi gan Wasg y Brifysgol a Gwasg y Llyfrgell, ac wedi cael ei chynhyrchu gan grefftwyr gwiw Isadran Argraffu'r Llyfrgell; yn y cyswllt hwn rhaid enwi Susan Jenkins o Wasg y Brifysgol a Huw Ceiriog o'r Llyfrgell Genedlaethol am sicrhau drwy eu medr a'u gofal fod diwyg y gyfrol yn adlewyrchu'n deg bwysigrwydd ei chynnwys.

R. GERAINT GRUFFYDD

Cadeirydd Bwrdd Gwybodau Celtaidd Prifysgol Cymru

v

Cymar i'r gyfrol gyntaf o *Lyfryddiaeth Llenyddiaeth Gymraeg* (1976) yw'r gyfrol bresennol. Er ei bod yn dilyn patrwm sylfaenol y gyfrol gyntaf achubwyd y cyfle i wneud rhai diwygiadau a fydd o gymorth i ddarllenwyr fel yr eglurir gan y Golygydd yn ei Ragymadrodd.

Ffrwyth llafur Mr Gareth Watts, a gyflawnodd tra oedd yn bennaeth isadran lyfryddol Adran Llyfrau Printiedig Llyfrgell Genedlaethol Cymru, a welir yn y gyfrol hon. Pleser yw cael diolch iddo am ei waith gofalus a thrylwyr tros y blynyddoedd ac am ei ddiddordeb brwd yn y cyhoeddiad hwn. Bu Uned Argraffu'r Llyfrgell Genedlaethol mor grefftus ag erioed wrth gynhyrchu'r gyfrol a chydweithio â'r golygydd. Hyfrydwch yw gweld Bwrdd Gwybodau Celtaidd Prifysgol Cymru a Llyfrgell Genedlaethol Cymru yn cydgyhoeddi'r *Llyfryddiaeth* hon. Hoffwn ddiolch i swyddogion y Bwrdd ac i olygyddion Gwasg Prifysgol Cymru am eu cydweithrediad hynaws.

Llyfrgellydd   BRYNLEY F. ROBERTS

RHAGYMADRODD

Wrth lunio'r gyfrol hon o *Lyfryddiaeth Llenyddiaeth Gymraeg* dilynwyd, bron yn ddieithriad, ddosbarthiad a rhifau'r gyfrol a olygwyd gan Thomas Parry a Merfyn Morgan (Caerdydd, 1976). Ychwanegwyd rhai isadrannau newydd pan farnwyd bod y deunydd yn cyfiawnhau hynny. O ddilyn trefn y gyfrol flaenorol, ymddengys rhai cofnodion yn y gyfrol bresennol fel pe baent wedi eu camleoli. Er enghraifft, cofnodwyd yr unig astudiaeth o waith John Jones (Jac Glan-y-gors), sy'n ymdrin â'i farddoniaeth, o dan y pennawd 'Rhyddiaith wleidyddol', am mai yn yr adran honno y rhestrwyd y trafodaethau ar farddoniaeth John Jones, yn ogystal â'i ryddiaith, yn y gyfrol gyntaf. Yr yr un modd gyda Thomas Jones o Ddinbych (rhifau 1763, 1764) ac eraill.

Cofnodwyd yr astudiaethau a gyhoeddwyd rhwng 1976 a 1986, gan ychwanegu rhai eitemau a gyhoeddwyd yn 1975 nas cynhwyswyd yn y gyfrol gyntaf, ac ambell ymdriniaeth o gyfnod cynharach. Er mai llyfryddiaeth llenyddiaeth Gymraeg yw'r gyfrol hon, barnwyd y byddai'n fuddiol cynnwys llyfryddiaethau ac astudiaethau cyffredinol yn ymwneud â llenyddiaeth Wyddeleg a Gaeleg yr Alban a allai oleuo peth ar ein dealltwriaeth o lenyddiaeth Gymraeg. Cofnodwyd hefyd nifer o erthyglau a llyfrau ar hanes Cymru, yn arbennig yr astudiaethau sy'n defnyddio'n llenyddiaeth i oleuo darn neu agwedd ar gyfnod o hanes. Rhestrwyd yn y mynegai testunol enwau'r awduron hynny, beirdd gan mwyaf, y dyfynnir o'u gweithiau yn yr astudiaethau hyn. Yn ystod y degawd diwethaf ailgyhoeddwyd yn gyfrolau hwylus astudiaethau ar wahanol bynciau gan ysgolheigion fel Hugh Bevan, John Gwilym Jones, Saunders Lewis a Stephen J. Williams. Wrth restru'r cyfrolau hyn ni chofnodwyd eu cynnwys yn y prif gofnod, ond rhestrwyd pob un o'r trafodaethau yn yr adran berthnasol a'u dwyn ynghyd o dan enw'r awdur yn Mynegai I. Deliwyd â phob cyfrol arall o astudiaethau amrywiol yn yr un ffordd. Y mae'r adran ar y Celtiaid wedi ei chyfyngu i'r llyfrau a dderbyniwyd gan y Llyfrgell Genedlaethol.

Un waith yn unig y cofnodwyd pob astudiaeth ac eithrio'r trafodaethau ar hanes y wasg, y cofnodion anodiadol a'r astudiaethau cyffredinol sy'n ymwneud â mwy nag un cyfnod neu ganrif.

Ceir dau atodiad ar ddiwedd y llyfryddiaeth. Rhestrwyd yn y naill astudiaethau ar draddodiad llenyddol nifer o ardaloedd arbennig, ac yn y llall adolygiadau ar y gweithiau creadigol, yn rhyddiaith ac yn farddoniaeth, a gyhoeddwyd rhwng 1975 a 1986. Y mae'r adolygiadau yn amrywio'n fawr o ran eu gwerth, ond gyda'i gilydd hyderwn y byddant yn gymorth i'r rhai a fydd yn astudio'r gweithiau hyn mewn ysgol a choleg a dosbarthiadau nos neu yn eu cartrefi.

Y mae Mynegai I yn cynnwys yr awduron, y golygyddion a'r adolygwyr a restrwyd yn y llyfryddiaeth ac Atodiad I yn unig. Wrth lunio'r mynegai testunol anelwyd at gyfeirio'r darllenydd nid yn unig at ymdriniaethau penodol ar unigolion a thestunau arbennig, ond at drafodaethau cyffredinol eu natur, yn ogystal, sy'n cyfeirio'n gyson at awduron a thestunau unigol. Er enghraifft, cyfeirir y sawl sy'n ymddiddori yng ngwaith Dafydd ap Gwilym at yr ymdriniaethau penodol a restrwyd o dan ei enw (rhifau 1197-1256), ac fe'i cyfeirir hefyd at yr astudiaethau cyffredinol ar Feirdd yr Uchelwyr a'u noddwyr sy'n cyfeirio'n aml at Ddafydd ap Gwilym ac yn dyfynnu o'i waith. Hon yw'r egwyddor sy'n sail i'r mynegai testunol. Hyderwn y bydd y mynegai hwn a'r croesgyfeiriadau yn y llyfryddiaeth yn hwyluso gwaith yr ymchwilydd.

Y mae arnaf ddyled i'r rhai a fu mor garedig ag anfon ataf fanylion am nifer o'r astudiaethau a gofnodwyd ac eraill a roes imi wahanlithiau o'u hymdriniaethau a gyhoeddwyd mewn cylchgronau a llyfrau nad ydynt yn cyrraedd y Llyfrgell Genedlaethol drwy'r sianelau arferol. Wedi i'r gyfrol hon fynd i'r wasg nodwyd rhai trafodaethau y dylid fod wedi eu cynnwys. Cofnodir y rheini yn y drydedd gyfrol o *Lyfryddiaeth Llenyddiaeth Gymraeg.*

Gareth O. Watts

CYNNWYS

BYRFODDAU

Add.	Additional
AL	*Arthurian Literature*, edited by Richard Barber. Woodbridge: D. S. Brewer.
AP	*Armes Prydein o Lyfr Taliesin*, gyda rhagymadrodd a nodiadau gan Ifor Williams. Caerdydd, 1955. Adargraffiad 1979.
ArchA	Archaeologia Aeliana
ArchC	Archaeologia Cambrensis
arg.	argraffiad
AWR	Anglo-Welsh Review
BBC	*The Black Book of Carmarthen*, reproduced and edited by J. Gwenogvryn Evans. Pwllheli, 1906.
BBCS	Bulletin of the Board of Celtic Studies (University of Wales)
BBIAS	Bibliographical Bulletin of the International Arthurian Society
BBN	British Book News
BCEC	Bwletin Cymdeithas Emynau Cymru
BD	*Buchedd Dewi o lawysgrif Llanstephan 27*, gyda rhagymadrodd a nodiadau gan D. Simon Evans. Caerdydd, 1959.
BDiw	Bwletin Diwinyddol
BLR	Bodleian Library Record
BM	British Museum
BT	*Facsimile and text of the Book of Taliesin*, edited by J. Gwenogvryn Evans. Llanbedrog, 1910.
BU	*Barddoniaeth yr Uchelwyr: detholiad*, golygwyd gan D. J. Bowen. Caerdydd, 1957.
CA	*Canu Aneirin*, gyda rhagymadrodd a nodiadau gan Ifor Williams. Caerdydd, 1978. (Arg. cyntaf, 1938).
CAntiq	The Carmarthenshire Antiquary (The Transactions of the Carmarthenshire Antiquarian Society)
CArch	Cornish Archaeology
CCHChSF	Cylchgrawn Cymdeithas Hanes a Chofnodion Sir Feirionnydd
CCHMC	Cylchgrawn Cymdeithas Hanes y Methodistiaid Calfinaidd
CCN	Celtic Cultures Newsletter
CEf	Y Cylchgrawn Efengylaidd
CG	Canu Gwerin. Folk Song. (Cylchgrawn Cymdeithas Alawon Gwerin Cymru. Journal of the Welsh Folk-Song Society)
CH	The Carmarthenshire Historian
CHC	Cylchgrawn Hanes Cymru (Welsh History Review)
CH(MC)	Cylchgrawn Hanes (Cymdeithas Hanes y Methodistiaid Calfinaidd). Cyfres newydd, 1977—
CL	Collection Latomus

CL*l*GC	Cylchgrawn Llyfrgell Genedlaethol Cymru (The National Library of Wales Journal)
CLlH	*Canu Llywarch Hen*, gyda rhagymadrodd a nodiadau gan Ifor Williams. Caerdydd, 1978. (Arg. cyntaf, 1935).
CLlLl	*Cyfranc Lludd a Llefelys*, edited by Brynley F. Roberts. Dublin, 1975.
CMCS	Cambridge Medieval Celtic Studies
CT	*Canu Taliesin*, gyda rhagymadrodd a nodiadau gan Ifor Williams. Caerdydd, 1977. (Arg. cyntaf, 1960).
EA	Efrydiau Athronyddol
EC	Études Celtiques
Ed(s)	Editor(s)
ed.	edition
EI	Éire-Ireland
EMW	Evangelical Magazine of Wales
FL	Folk Life
GDG	*Gwaith Dafydd ap Gwilym*, golygwyd gan Thomas Parry. Caerdydd, 1979. (Arg. cyntaf, 1952).
GGGl	*Gwaith Guto'r Glyn*, casglwyd gan John Llywelyn Williams, golygwyd gan Ifor Williams. Caerdydd, 1939. Ail arg., 1961.
GGR	Gwreiddiau Gwynedd / Gwynedd Roots
GLH	Gwent Local History
GLM	*Gwaith Lewys Môn*, casglwyd a golygwyd gan Eurys I. Rowlands. Caerdydd, 1975.
Gol.	Golygydd / Golygyddion
Gw.	gweler
HA	Hel Achau (Journal of the Clwyd Family History Society. Cylchgrawn Cymdeithas Hanes Teuluoedd Clwyd)
HG	Yr Haul a'r Gangell
HGC	*Hen gerddi crefyddol*, golygwyd gan Henry Lewis. Caerdydd, 1931.
IGE[2]	*Cywyddau Iolo Goch ac eraill*, golygwyd gan Henry Lewis, Thomas Roberts, Ifor Williams. *Argraffiad newydd*. Caerdydd, 1937.
JCS	Journal of Celtic Studies
JEH	Journal of Ecclesiastical History
JES	Journal of European Studies
JFHS	Journal of the Flintshire Historical Society
JIES	Journal of Indo-European Studies
JTS	Journal of Theological Studies
JWBS	Journal of the Welsh Bibliographical Society
JWEH	Journal of Welsh Ecclesiastical History
LHR	Legal History Review
LSE	Leeds Studies in English

LlC	Llên Cymru
LlGC	Llyfrgell Genedlaethol Cymru
LlH	*Llawysgrif Hendregadredd*, copïwyd gan Rhiannon Morris-Jones. Golygwyd gan John Morris-Jones a T. H. Parry Williams. Caerdydd, 1971. Adargraffiad, 1978.
LlLl	Llais Llyfrau (Book News from Wales)
LlLlG	*Llyfryddiaeth Llenyddiaeth Gymraeg*, golygwyd gan Thomas Parry a Merfyn Morgan. Caerdydd, 1976.
Llsgr.	Llawysgrif
M	Llawysgrifau Mostyn (LlGC)
MA	Medieval Archaeology
MAe	Medium Aevum
MC	Montgomeryshire Collections (Transactions of the Powysland Club)
MH	Medievalia et Humanistica
MP	Modern Philology
MS(S)	manuscript(s)
MW	Maritime Wales (Cymru a'r Môr)
N&Q	Notes and Queries
NH	Northern History
NIW	Nature in Wales
NLW	National Library of Wales
NMS	Nottingham Medieval Studies
OBWV	*The Oxford Book of Welsh verse*, edited by Thomas Parry. Oxford, 1962. Revised ed., 1987.
PArch	Popular Archaeology
PBA	Proceedings of the British Academy
PHCC	Proceedings of the Harvard Celtic Colloquium
PKM	*Pedeir Keinc y Mabinogi allan o Lyfr Gwyn Rhydderch*, gan Ifor Williams. Caerdydd, 1982. (Arg. cyntaf, 1930)
PL	The Private Library
PLL	Papers on Language and Literature
PT	*The poems of Taliesin*, edited and annotated by Sir Ifor Williams. English version by J. E. Caerwyn Williams. Dublin, 1968.
PW	Poetry Wales
PWHS	Proceedings of the Wesley Historical Society
RBH	*The poetry in the Red Book of Hergest*, reproduced and edited by J. Gwenogvryn Evans. Llanbedrog, 1911.
rev.	revised
RMS	Reading Medieval Studies
RPh	Romance Philology
SC	Studia Celtica

SG	Seren Gomer
SH	Studia Hibernica
SML	Studies in Mystical Literature
SPh	Studies in Philology
TCHBC	Trafodion Cymdeithas Hanes Bedyddwyr Cymru
TCHNM	Trafodion Cymdeithas Hynafiaethwyr a Naturiaethwyr Môn (Anglesey Antiquarian Society and Field Club Transactions)
TCHSDd	Trafodion Cymdeithas Hanes Sir Ddinbych (Denbighshire Historical Society Transactions)
TCHSG	Trafodion Cymdeithas Hanes Sir Gaernarfon (Caernarvonshire Historical Society Transactions)
TCWAS	Transactions of the Cumberland and Westmorland Antiquarian Society
THSC	Transactions of the Honourable Society of Cymmrodorion
TNAS	Transactions of the Neath Antiquarian Society
TPTHS	Transactions of the Port Talbot Historical Society
TRS	Transactions of the Radnorshire Society
TYP	*Trioedd Ynys Prydein. The Welsh triads,* edited with introduction, translation and commentary by Rachel Bromwich. *Second ed.* Cardiff, 1978.
WB	Weiren Bigog
WBW	Welsh Books and Writers
WM	Welsh Music. Cerddoriaeth Cymru. (The Journal of the Guild for the Promotion of Welsh Music. Cylchgrawn Cymdeithas Cerddoriaeth Cymru)
YB	*Ysgrifau Beirniadol,* golygydd J. E. Caerwyn Williams. Dinbych: Gwasg Gee.
ZCP	Zeitschrift für celtische Philologie

ADRAN A

I. GEIRIADURON BYWGRAFFYDDOL

1 DAVIES, TUDOR: Gwŷr mawr bro Eifionydd. *Yr Eurgrawn*, 167(1975), 56-64, 111-16, 187-92; 168(1976), 25-30, 82-7; 169(1977), 31-7, 133-9; 170(1978), 85-90, 178-82; 171(1979), 36-43, 86-90, 130-5, 171-5.

2 EVANS, EVAN WILLIAM: *Enwogion ymadawedig Penllyn [1800-1900]*. Y Bala: Llyfrau'r Faner, 1979. [5], 74tt.

3 EVANS, GWYNFOR: *Seiri cenedl y Cymry*. Llandysul: Gwasg Gomer, 1986. 316tt.

4 JONES, BEDWYR L. (GOL.): *Gwŷr Môn*. Y Bala: Gwasg y Sir ar ran Cyngor Gwlad Gwynedd, 1979. [10], 147tt. *Adol.*: Nia Powell, *TCHNM*, 1980, 139-42.

5 JONES, MORGAN D.: *Cymwynaswyr y Gymraeg*. Abertawe: Tŷ John Penry, 1978. 152tt.

6 LEWIS, BRENDA: *Enwogion Clwyd*. Llandysul: Gwasg Gomer, 1976. 75tt.

7 REES, D. BEN: *Cymry adnabyddus, 1952-1972*. Lerpwl: Cyhoeddiadau Modern Cymreig, 1978. 213tt. *Gw.* rhif 2175.

8 ——*Enwogion pedair canrif, 1400-1800*. Pontypridd: Cyhoeddiadau Modern Cymreig, 1976. 115tt.

9 WILLIAMS, ELLIS WYNNE: *Portreadau o enwogion, 1500-1800*. Llandysul: Gwasg Gomer, 1976. 96tt.

II. LLAWYSGRIFAU

(a) Catalogau llawysgrifau

10 HUGHES, A. LLOYD: Llawysgrifau Amgueddfa Werin Cymru. *Y Traethodydd*, 134(1979), 159-61.

11 ——The Welsh Folk Museum manuscripts. *FL*, 17(1979), 68-70.

12 LLYFRGELL GENEDLAETHOL CYMRU: *Handlist of manuscripts in the National Library of Wales . . . Part xxxi (13145 A-13172 B); Part xxxii (13173A-13236B); Part xxxiii (13237 E-13685 A); Part xxxiv (Index to Volume IV, Parts xxii-xxxiii)*. Aberystwyth, 1986.

(b) Llawysgrifau unigol

13 BURDETT-JONES, M. T.: 'Sacrafen Penyd'. *YB*, 13(1985), 227-31.
   Sacrafen Penyd, Llsgr. 80 o eiddo Thomas Lloyd y geiriadurwr = llawysgrif goll o waith Thomas Wiliems o Drefriw "y lhyuran or Sacrauen o Benyt"?

1

14 CHARLES-EDWARDS, GIFFORD: Hywel Vychan - Red Book and White Book. *CLIGC*, 21(1980), 427-8.

15 ——The scribes of the Red Book of Hergest. *CLIGC*, 21(1980), 246-56.

16 DOAN, JAMES E.: Mediterranean influences on insular manuscript illumination. *PHCC*, 2(1982), 31-8.
Yn cynnwys sylwadau ar 'Lyfr St. Chad'.

17 GRUFFYDD, R. GERAINT: Llawysgrif Heythrop a Brân Maenefa. *Y Faner*, 6.3.81, 8.

18 HARRIES, W. GERALLT: Un arall o lawysgrifau Dewi Fardd [BM Add. 10313 a 10314]. *BBCS*, 26(1975), 161-8.

19 HUWS, DANIEL: Leges Howelda at Canterbury [Peniarth MS. 28]. *CLIGC*, 19(1976), 340-4; 20(1977), 95.

20 ——Llawysgrif Hendregadredd [Llsgr. NLW 6680B]. *CLIGC*, 22(1981), 1-26.

21 ——A Welsh manuscript of Bede's *De natura rerum* [Peniarth MS. 540]. *BBCS*, 27(1978), 491-504.

22 IFANS, DAFYDD: Cog lawen Dafydd Siôn Siâms [Llsgr. LLGC 21671 B]. *CLIGC*, 21(1980), 431-3.

23 ——Llawysgrif barddoniaeth teulu Mostyn Talacre [Llsgr. LlGC 21582E]. *CLIGC*, 20(1977), 207-8.

24 ——Pedair llawysgrif Gymraeg o Fostyn. [Llsgr LlGC 21248D, 21249B, 21250B, a 21252B.]. *CLIGC*, 19(1975), 209-16.

25 ——Ychwanegiad at lawysgrif Llansteffan 6A. *CLIGC*, 20(1977), 96.

26 JARMAN, A.O.H. (GOL.): *Llyfr Du Caerfyrddin*, gyda rhagymadrodd, nodiadau testunol a geirfa . . . ac adran ar y llawysgrif gan E. D. Jones. Caerdydd: Gwasg Prifysgol Cymru, 1982. tt.xiii-xxiv.

27 KLAR, KATHRYN A. *et al.*: The components of Cardiff MS. Welsh I, *Llyfr Aneirin*. *BBCS*, 32(1985), 38-49.

28 LINNARD, WILLIAM: Mân-ddarlun yn Llsgr. Peniarth 28. *CLIGC*, 23(1984), 422-4.

29 MORGAN, PRYS: Glamorgan and the Red Book. *Morgannwg*, 22(1978), 42-60.

30 OATES, J.C.T.: Notes on the later history of the oldest manuscript of Welsh poetry: the Cambridge Juvencus [MS. Ff. 4. 42. Cambridge University Library]. *CMCS*, 3(1982), 81-7.

31 OWEN, MORFYDD E. a JENKINS, DAFYDD: Gwilym Was Da [Trinity College, Cambridge O. VII. I. MS]. *CLIGC*, 21(1980), 429-30.

32 PARRY, THOMAS: Llawysgrif Hendregadredd. *Y Casglwr*, 15 (1981), 5.

33 PEDEN, ALISON: Science and philosophy in Wales at the time of the Norman Conquest: a Macrobius manuscript from Llanbadarn [British Library, MS. Cotton Faustina C 1]. *CMCS*, 2(1981), 21-45 (+ vi plates).

34 ROWLAND, JENNY: The manuscript tradition of the Red Book *Englynion*. *SC*, 18/19 (1983/84), 79-95.

35 THOMSON, DAVID: Cistercians and schools in late medieval Wales. *CMCS*, 3 (1982), 76-80.
    Discusses two manuscripts: MS. Peniarth 356 and MS. NLW 423.

III. LLYFRYDDIAETHAU

36 BAUMGARTEN, ROLF: *Bibliography of Irish linguistics and literature, 1942-71.* Dublin: Dublin Institute for Advanced Studies, 1986. xxiii, 776pp.

37 BLACKWELL, HENRY: *A bibliography of Welsh Americana.* Second ed. Aberystwyth: National Library of Wales, 1977. x, 126pp.

38 CULE, JOHN: *Wales and medicine. A source-list for printed books and papers showing the history of medicine in relation to Wales and Welshmen.* Aberystwyth: National Library of Wales, 1980. xviii, 229pp.

39 DAVIES, ALUN EIRUG: Traethodau ymchwil ar astudiaethau Celtaidd (1972-1975). Theses and dissertations on Celtic studies (1972-1975). *SC*, 10/11(1975/76), 426-53; 12/13(1977/78), 430-60.

40 ——Traethodau ymchwil ar astudiaethau Cymreig (1976-1983). Theses and dissertations on Welsh studies (1976-1983). *SC*, 14/15 (1979/80), 404-30; 16/17(1981/82), 336-62; 18/19(1983/84), 348-77; 20/21(1985/86), 252-72.

41 EVANS, H. TURNER: *A bibliography of Welsh hymnology to 1960.* [s. l.]: Welsh Library Association, 1977. 206 pp. (FLA Thesis, 1964.)

42 FERGUSON, MARY and MATHESON, ANN: *Scottish Gaelic Union Catalogue: a list of books printed in Scottish Gaelic from 1567-1973.* Edinburgh: National Library of Scotland, 1984. 250pp.

43 HOWELLS, GLENYS: *Catalog dramâu Cymraeg 1950-1979.* Aberystwyth: Cyngor Llyfrau Cymraeg, 1980. x, 197tt.

44 JONES, DEWI O.: *Anglesey -a bibliography: Llyfryddiaeth Môn.* Caernarfon: Cyngor Sir Gwynedd, Gwasanaeth Llyfrgell, 1979. 657tt.

45 LLYFRGELL GENEDLAETHOL CYMRU: *Bibliotheca Celtica* . . . Aberystwyth, 1976—. Tair cyfrol: 1971-72(1976); 1973-76(1981); 1977-80(1985).

46 WATTS, GARETH O.: A list of books, articles, etc concerning various aspects of the Celtic languages received at the National Library of Wales during 1973-1986. *SC*, 10/11 (1975/76), 419-25; 12/13 (1977/78), 416-29; 14/15 (1979/80), 392-403; 16/17 (1981/82), 324-35; 18/19 (1983/84), 330-47; 20/21 (1985/86), 232-51.

47 ——*Studia Celtica:* an index to volumes i-xviii/xix (1966-1983/84). *SC*, 20/21(1985/86), 302-31.

IV. CYNNWYS RHAI LLYFRGELLOEDD A CHYNNYRCH RHAI GWASGAU

(a) Llyfrgelloedd

48 BOWEN, GERAINT: Llyfrgell Coleg Sant Ffrancis Xavier, Y Cwm, Llanrhyddol. *CLIGC*, 23 (1984), 428-9. [*Gw.* LlLlG, rhif 83.]

49 HOWELLS, WILLIAM H.: Anglican libraries in the diocese of St. David's in the eighteenth and nineteenth centuries. (M.Lib. Thesis). Aberystwyth, 1982.

50 —— Carmarthen Diocesan Library. *CAntiq*, 20(1984), 59-68.

51 JAMES, BRIAN LL. (ED.): *A catalogue of the tract collection of St. David's University College, Lampeter.* London: Mansell, 1975. xx, 316pp.

52 JENKINS, DAVID: A National Library for Wales — the prologue. *THSC*, 1982, 139-52.

53 JONES, J. BRYNMOR: Cefndir Llyfrgell Caerdydd. *Y Casglwr*, 9 (1979), 17-19.

54 —— Cefndir llyfrgell y brifddinas. *Y Casglwr*, 6 (1978), 3.

55 ROBERTS, BRYNLEY F.: Llyfrgell Gymraeg Abertawe. *JWBS*, 12(1983/84), 26-50.

56 THOMAS, GRAHAM: The Stradling Library at St. Donats, Glamorgan. *CLIGC*, 24(1986), 402-19.

57 WATTS, TREVOR: The Edmund Jones Library. *JWBS*, 11 (1975/76), 233-43.

(b) Gwasgau

58 DAVIES, J. IORWERTH: *Argraffwyr sir Drefaldwyn o 1789 ymlaen.* [s.l.]: Cymdeithas Bob Owen, 1981. 15tt. (Darlith flynyddol Cymdeithas Bob Owen; 1981).

59 DAVIES, J. IORWERTH: The history of printing in Montgomeryshire, 1789-1960. *MC*, 65 (1977), 57-66; 66 (1978), 7-28; 68 (1980), 67-85; 70 (1982), 71-98; 71 (1983), 48-60; 72 (1984), 37-44; 73 (1985), 38-53.

60 HABERLY, LOYD: *An American bookbinder in England and Wales: reminiscences of the Seven Acres and Gregynog Presses.* London: Bertram Rota, 1979. 125pp.

61 HARROP, DOROTHY A.: The Gregynog Press. [In] *Gregynog;* edited by Glyn Tegai Hughes, Prys Morgan and J. Gareth Thomas. Cardiff: University of Wales Press, 1977. pp. 95-118.

62 —— *A history of the Gregynog Press.* Pinner, Middlesex: Private Libraries Association, 1980. xv, 266pp., 16p. of plates. *Gw.* rhif 2211.

63 HINCKS, RHISIART: *E. Prosser Rhys, 1901-1945.* Llandysul: Gwasg Gomer, 1980. 201tt. *Gw.* rhif 2212.
   tt. 143-53 Gwasg Aberystwyth.

64 HUGHES, D. G. LLOYD: Printio Pwllheli cyn 1900. *Y Casglwr*, 10(1980), 14-16.

65 HUTCHINS, MICHAEL: *Printing at Gregynog: aspects of a great private press = Argraffu yng Ngregynog: agweddau ar wasg breifat fawr.* Welsh translation by David Jenkins. Cardiff: Welsh Arts Council, 1976. 39pp.

66 HUWS, RICHARD E.: Argraffwyr Tregaron. *Ceredigion*, 8 (1977), 204-9.

67 —— *A history of the House of Spurrell, Carmarthen, 1840-1969.* Ann Arbor, Michigan: University Microfilms International, 1985. 2v. (xlii, 352pp; 237pp.). (FLA Thesis, 1981).

68 —— John Lewis Brigstocke, 1805-1865. *Y Genhinen*, 26(1976), 18-24.

69 —— The Lawrence family of Carmarthen and their contribution to the book trade, 1796-1940. *JWBS*, 12(1983/84), 70-9.

70 JENKINS, GERAINT H.: *Thomas Jones yr almanaciwr, 1648-1713.* Caerdydd: Gwasg Prifysgol Cymru, 1980. ix, 162tt.
   tt. 72-106 Yr argraffwr.

71 JONES, BEDWYR L.: *Argraffu a chyhoeddi ym Môn.* Llangefni: Gwasanaeth Llyfrgell Gwynedd, Rhanbarth Môn, 1976. [2], 18tt. (Cyfres darlithoedd Môn; 1).

72 —— Awduron Amlwch hyd at 1900. Atodiad: Gweithiau a argraffwyd yn Amlwch gan David Jones. *TCHNM*, 1977/78, 115-34.

73 JONES, J. TYSUL: Gwasg Gomer — hanes y wasg. *LlLl*, Hydref (1977), 9-11.

74 ——J.D. Lewis (1859-1914) a hanes Gwasg Gomer. *Ceredigion*, 8 (1976), 26-49.

75 JONES, PHILIP HENRY: A nineteenth century Welsh publisher: Thomas Gee, 1815-1898. (FLA Thesis, 1977).

76 MORGAN, GERALD: *Y dyn a wnaeth argraff - bywyd a gwaith yr argraffydd hynod John Jones, Llanrwst.* Llanrwst: Gwasg Carreg Gwalch, 1982. 40tt. *Gw.* rhif 1873.

77 ROBERTS, BRYNLEY F.: Argraffu yn Aberdâr. *JWBS*, 11(1973/74), 1-53.

78 —— Printing at Aberdare, 1854-1974. *The Library*, 33(1978), 125-42. *Gw. hefyd: Old Aberdare, volume 3.* [s.l.] Cynon Valley History Society, 1984. pp. 57-83. (Cynon Valley History Society. Occasional publications; iii).

79 ROBERTS, D. HYWEL E.: The printing of Welsh books in the United States: an introductory survey. *JWBS*, 12(1983/84), 3-25.

80 THOMAS, RICHARD MALDWYN: Y wasg gyfnodol yn nhref Caernarfon hyd 1875, gyda sylw arbennig i argraffwyr a chyhoeddwyr. (Traethawd M.A.). Bangor, 1979.

81 WATERS, IVOR: *Chepstow printers and newspapers.* Revised ed. Chepstow: The Chepstow Society, 1977. iv, 40pp. (Chepstow Society pamphlet series; 9).

82 WICKLEN S. I.: The growth and development of printing in the Wrexham area. *TCHSDd*, 35(1986), 39-60.

83 —— *History of printers and printing in Llanrwst.* Conway: Cader Idris Books, 1986. 29pp. (Cyhoeddwyd gyntaf yn *TCHSDd*, 33(1984), 26-47.)

84 —— A history of printing in the Conway Valley up to 1914. (M.A. Thesis). Bangor, 1984.

85 WILIAM, DAFYD WYN: Yr inc yn Llannerch-y-medd. *Y Casglwr*, 19(1983), 15; 20(1983), 3; 21(1983), 13; 23(1984), 15.

V. YMDRINIAETHAU CYFFREDINOL

86 ALLCHIN, A.M.: *The dynamic of tradition.* London: Darton, Longman and Todd, 1981. viii, 151pp.
pp. 78-93, 134-5 'Welsh tradition'.

87 BEVAN, HUGH: *Beirniadaeth lenyddol: erthyglau* . . . wedi'u dethol a'u golygu gan Brynley F. Roberts. Caernarfon: Gwasg Pantycelyn, 1982. [vii], 222tt. *Adol.:* Derec Llwyd Morgan, *Barddas*, 71(1983), 1-2; John Rowlands, *LlLl*, Gwanwyn (1983), 10.
Yn cynnwys: Beirniadaeth lenyddol. (Cyhoeddwyd gyntaf yn 1962). Astudio arddull. (Cyhoeddwyd gyntaf yn *Yr Athro*, 1(1951/52). Rhestr o gyhoeddiadau Hugh Bevan. *Gw. hefyd* y 'Mynegai awduron'.

88 CAMPANILE, ENRICO: *Ricerche di cultura poetica indoeuropea*. Pisa: Giardini 1977. 116pp.

89 CARNEY, JAMES: Early Irish literature - the state of research. [In] *Proceedings of the Sixth International Congress of Celtic Studies* . . . pp. 113-30. *Gw.* rhif 190.

90 CONRAN, ANTHONY: The status of Welsh civilization. *AWR*, 58 (1977), 87-94.

91 CURTIS, KATHRYN *et al.*: Merched a llenyddiaeth. *Y Traethodydd*, 141(1986), 12-61.
   Yn cynnwys: Beirdd benywaidd yng Nghymru cyn 1800. Gwragedd a grym yn y ganrif ddiwethaf. Traddodiad unllygeidiog. Beirniadaeth lenyddol ffeminist.

92 DAVIES, PENNAR: *Cymru yn llenyddiaeth Cymru*. [Abertawe]: [Pwyllgor Llên Eisteddfod Genedlaethol Cymru, Abertawe a'r cylch], 1982. 31tt. (Y ddarlith lenyddol flynyddol; 1982).

93 EVANS, D. SIMON: *Llafar a llyfr yn yr hen gyfnod*. Caerdydd: Gwasg Prifysgol Cymru, 1982. 20tt. (Darlith goffa G. J. Williams; 1980).

94 GRUFFUDD, HEINI: Y werin a'i thir mewn llenyddiaethau cenedlaethol. *Y Traethodydd*, 130 (1975), 167-76.

95 GRUFFYDD, R. GERAINT (GOL.): *Bardos: penodau ar y traddodiad barddol Cymreig a Cheltaidd cyflwynedig i J.E. Caerwyn Williams*. Caerdydd: Gwasg Prifysgol Cymru, 1982. x, 235tt. *Adol.:* D. Ellis Evans, *LlLl*, Haf (1982), 19-20; D. Simon Evans, *SC*, 18/19 (1983/84), 394-6; *Y Traethodydd*, 139 (1984), 51-2; Derec Llwyd Morgan, *Taliesin*, 48 (1984), 82-3. *Rev.:* Marged Haycock, *ZCP*, 41 (1986), 294-7; Pádraig Ó Fiannachta, *Celtica*, 15 (1983), 184-7; Jenny Rowland, *CMCS*, 6(1983), 95-6; Glanmor Williams, *CHC*, 11 (1983), 553-4.

96 GWYNN AP GWILYM: Y traddodiad barddol yn Iwerddon a Chymru. *Gw.* rhif 2135, tt. 1-65.

97 HAMP, ERIC P.: The semantics of poetry in early Celtic. [In] *Papers from the Thirteenth Regional Meeting, Chicago Linguistic Society;* editors Woodford A. Beach *et al.* Chicago, 1977. pp. 147-51.

98 HENRY, P.L.: The Celtic literatures in the context of world literature. [In] *Geschichte und Kultur der Kelten* . . . pp. 145-53. *Gw.* rhif 211.

99 —— *Saoithiúlacht na Sean-Ghaeilge - bunú an traidisiúin*. Baile Átha Cliath: Oifig an tSoláthair, 1978. xvi, 243pp. *Rev.:* E. Bachellery, *EC*, 16(1979), 300-3; Máire Bhreathnach, *ZCP*, 39(1982), 304-8.

100 HEWITT, M. D.: Cultural contacts between Spain and Celtic Britain during the Middle Ages. (M.A. Thesis). Swansea, 1979.

101 HUMPHREYS, EMYR: *The Taliesin tradition - a quest for the Welsh identity*. London: Black Raven Press, 1983. ix, 245pp.

102 IFANS, RHIANNON: Canu gwaseila yn y Gymraeg. (Traethawd Ph. D.). Aberystwyth, 1980.

103 ——— *Sêrs a rybana. Astudiaeth o'r canu gwasael*. Llandysul: Gwasg Gomer, 1983. 256tt. *Adol.:* Meredydd Evans, *LlLl,* Hydref (1983), 10.

104 JARMAN, A.O.H. and HUGHES, GWILYM REES (EDS): *A guide to Welsh literature, volume i.* Swansea: Christopher Davies, 1976. 295pp. *Adol.:* Rachel Bromwich, *LIC,* 13(1980/81), 298-301. *Rev.:* Gareth A. Bevan, *AWR,* 58(1977), 176-8; Patrick K. Ford, *Speculum,* 54(1979), 812-17; Margaret Charlotte Ward, *MAe,* 47(1978), 333-7; Harri Webb, *PW,* 12/3(1977), 115-19.

105 ———*A guide to Welsh literature, volume ii.* Swansea: Christopher Davies, 1979. 400pp. *Adol.:* Glyn M. Ashton, *LIC,* 14(1983/84), 285-95. *Rev.:* Patrick K. Ford, *Speculum,* 57(1982), 137-40; Meirion Pennar, *PW,* 17/1(1981), 103-4.

106 JONES, BEDWYR L.: The Welsh bardic tradition. [In] *Proceedings of the Seventh International Congress of Celtic Studies . . . Oxford, 1983;* edited by D. Ellis Evans, John G. Griffith and E. M. Jope. Oxford, 1986. pp. 133-40.

107 JONES, BOBI: Gwrthryfel yn erbyn traddodiad. *Y Traethodydd,* 138(1983), 116-25.

108 JONES, BOBI and THOMAS, GWYN: *The dragon's pen—a brief history of Welsh literature.* Llandysul: Gwasg Gomer, 1986. 100pp.

109 JONES, DAFYDD GLYN: Golwg ar y mathau llenyddol. *EA,* 39(1976), 58-74.

110 ——— Golwg ar y meistri. *Taliesin,* 30(1975), 106-12. [*Ysgrif adolygiadol* ar SAUNDERS LEWIS: *Meistri'r canrifoedd . . . Gw.* LILIG, rhif 143.]

111 JONES, GARETH ELWYN: *Modern Wales — a concise history, c. 1485-1979.* Cambridge: Cambridge University Press, 1984. xii, 364 pp.

112 JONES, GLYN PENRHYN: The Welsh poet as a medical historian. [In] *Wales and medicine. An historical survey from papers given at the Ninth British Congress on the History of Medicine . . .* edited by John Cule. [s.l.]: The British Society for the History of Medicine, 1975. pp. 119-26.

113 JONES, JOHN GWILYM: *Swyddogaeth beirniadaeth ac ysgrifau eraill.* Dinbych: Gwasg Gee, 1977. 329tt. *Adol.:* Dafydd Glyn Jones, *Y Faner,* 2.9.77, 18-20; T. Emrys Parry, *LlLl,* Hydref(1977), 13-14.

114 JONES, R.M.: Diarhebion. *Y Traethodydd,* 131(1976), 218-30.

115 JONES, R.M.: Dullweddau ymadrodd (agwedd ar gerdd dafod). [Yn] *Bardos: penodau ar y traddodiad barddol Cymreig a Cheltaidd* . . . tt. 128-54. *Gw.* rhif 95.

116 —— Hanes llenyddiaeth. *YB*, 10(1977), 379-410.

117 —— *Llên Cymru a chrefydd: diben y llenor.* Llandybïe: Christopher Davies, 1977. 610tt. *Adol.:* R. Tudur Jones, *BD*, 2(1978), 19-22. *Gw. hefyd* EUROS BOWEN, 'Beirniadaeth lenyddol homiletig', *Y Faner*, 4.8.78, 11-12; 11.8.78, 16-17 (sylwadau ar gyfrol R.M. Jones), ac ateb R.M. JONES 'Beirniadaeth lenyddol bolemig', *Y Faner*, 1.9.78, 7-8; 8.9.78, 15-17.

118 —— Mesurau cerdd dafod. *BBCS*, 27(1978), 533-51.

119 —— Mesurau'r canu rhydd cynnar. *BBCS*, 28(1979), 413-41.

120 —— Mydr y traddodiad. *YB*, 11(1979), 116-38.

121 —— *Seiliau beirniadaeth. Cyfrol 1. Rhagarweiniad.* Aberystwyth: Coleg Prifysgol Cymru, 1984. 67tt.

122 JONES, SARAH RHIANNON DAVIES: Dychan — y gwahanol agweddau gydag enghreifftiau o lenyddiaeth Gymraeg. (Traethawd M.A.). Aberystwyth, 1975.

123 LEWIS, HAYDN: Dwy ffurf ar farddoniaeth Gymraeg. *Y Faner*, 1.12.78, 9-11.

124 LEWIS, SAUNDERS: *Braslun o hanes llenyddiaeth Gymraeg.* Caerdydd: Gwasg Prifysgol Cymru, 1986. viii, 136tt. (Adargraffiad. Argraffiad cyntaf, 1932). *Gw. hefyd* Brynley F. Roberts, *Barn*, 286(1986), 394-6.

125 —— *Meistri a'u crefft: ysgrifau llenyddol;* golygwyd gan Gwynn ap Gwilym. Caerdydd: Gwasg Prifysgol Cymru ar ran yr Academi Gymreig, 1981. ix, 292tt. (Clasuron yr Academi; 2). *Adol.:* Rhisiart Hincks, *Y Traethodydd*, 137(1982), 47-8; D. Tecwyn Lloyd, *Y Faner*, 9.10.81, 12; Bedwyr L. Jones, *LILI*, Hydref(1981), 15; Thomas Parry, *Taliesin*, 43(1981), 9-17. *Rev.:* Gareth Miles, *PW*, 17/2(1981), 131-6.

126 LOESCH, KATHARINE T.: Welsh poetic syntax and the poetry of Dylan Thomas. *THSC*, 1979, 159-202.

127 MAC CANA, PROINSIAS: Early Irish ideology and the concept of unity. [In] *The Irish mind: exploring intellectual traditions;* edited by Richard Kearney. Dublin: Wolfhound Press, 1985. pp. 56-78.

128 —— *Regnum* and *Sacerdotium:* notes on Irish tradition. *PBA*, 65(1979) [1981], 443-79.

129 McCORMACK, W.J.: The question of Celticism: Ernest Renan and Matthew Arnold. [In] *Ascendancy and tradition in Anglo-Irish literary history from 1789-1939*. Oxford: Clarendon Press, 1985. pp.219-28.

130 MAC EOIN, GEARÓID: The dating of Middle Irish texts. *PBA*, 68(1982)[1983], 109-37.

131 MAC MATHÚNA, LIAM, 'The designation, functions and knowledge of the Irish poet: a preliminary semantic study'. Anzeiger der phil. hist. Klasse der Österreichischen Akademie der Wissenschaften, 119. Jahrgang 1982, pp. 225-38. (= Veröffentlichungen der Keltischen Kommission Nr. 2).

132 MEIRION PENNAR: Women in medieval literature: an examination of some literary attitudes before 1500. (D. Phil. Thesis). Oxford, 1975.

133 MOHR, M.K.: The development of style in traditional Gaelic narrative with special reference to 'run'. (Ph.D. Thesis). Edinburgh, 1978.

134 MOISL, HERMANN: Some aspects of the relationship between secular and ecclesiastical learning in Ireland and England in the early post-Conversion period. (D. Phil. Thesis). Oxford, 1979.

135 MORGAN, PRYS: Keeping the legends alive. [In] *Wales: the imagined nation - studies in cultural and national identity;* edited by Tony Curtis. Bridgend: Poetry Wales Press, 1986. pp. 17-41.

136 MORGAN, T.J.: Trosiad y golofn. *YB*, 10(1977), 94-105.

137 MORGAN, T.J. and MORGAN, PRYS: *Welsh surnames.* Cardiff: University of Wales Press, 1985. 211pp.

138 MORRIS-JONES, JOHN: *Cerdd dafod, sef celfyddyd barddoniaeth Gymraeg;* gyda mynegai gan Geraint Bowen. Caerdydd: Gwasg Prifysgol Cymru, 1980. xxviii, 403tt. (Arg. cyntaf, 1925. Adargraffwyd drwy lun yn Llyfrgell Genedlaethol Cymru.)

139 NICHOLAS, W. RHYS.: *The folk poets.* Cardiff: University of Wales Press on behalf of the Welsh Arts Council, 1978. [4], 80pp. (Writers of Wales.) *Adol.:* Alan Llwyd, *Barddas,* 31(1979), 4-5; Pennar Davies, *Y Genhinen,* 29(1979), 90-1; Gwynn ap Gwilym, *Barn,* 194(1979), 585-6; Thomas Parry, *Y Faner,* 26.1.79, 10-11. *Rev.:* E.G. Millward, *SC,* 14/15(1979/80), 449-50.

140 Ó CATHASAIGH, TOMÁS *The heroic biography of Cormac Mac Airt.* Dublin: Dublin Institute for Advanced Studies, 1977. xii, 138pp. *Rev.:* Pádraig Ó Riain, *Éigse,* 17(1978/79), 557-62; J. E. Caerwyn Williams, *SC,* 14/15(1979/80), 451-5.

141 Ó CATHASAIGH, TOMÁS Pagan survivals - the evidence of early Irish narrative. [In] *Irland und Europa: Die Kirche im Frühmittelalter* = *Ireland and Europe: The early church;* herausgegeben von Próinséas Ní Chatháin und Michael Richter. Stuttgart: Klett-Cotta, 1984. pp. 291-307.

142 POWELL, W. EIFION: Llenyddiaeth ddefosiynol Cymru. *Porfeydd,* 12(1980), 54-9; 13(1981), 16-22.

143 REES, BRINLEY: Rhai o drioedd yr henwyr. *BBCS,* 28(1980), 535-40.
Ymdriniaeth â rhai o 'drioedd' llenyddiaeth gynnar Wyddeleg, gyda chyfeiriadau at lenyddiaeth Gymraeg.

144 STEPHENS, MEIC (GOL.): *Cydymaith i lenyddiaeth Cymru.* Caerdydd: Gwasg Prifysgol Cymru, 1986. xiv, 662tt.

145 STEPHENS, MEIC (ED.): *The Oxford companion to the literature of Wales.* Oxford: Oxford University Press, 1986. xvi, 682pp.

146 STEPHENS, ROY: *Yr odliadur.* Llandysul: Gwasg Gomer, 1978. [30], 294tt. Ail arg., 1986.

147 THOMAS, GWYN: *Arwyr geiriau, arwyr lluniau.* [Y Rhyl]: Pwyllgor Llenyddiaeth Eisteddfod Genedlaethol Y Rhyl a'r cyffiniau, 1985. 23tt. (Y ddarlith lenyddol flynyddol; 1985).

148 —— Y gath yn y meddwl neu sylwadau ar ddelweddau. *YB,* 10(1977), 411-21.

149 —— *Llenyddiaeth y Cymry, cyflwyniad darluniadol. Cyfrol 1, o tua 500 i tua 1500.* Y Bontfaen: D. Brown, 1985. 100tt. (Golygydd y gyfres: Bedwyr L. Jones).

150 —— *Y traddodiad barddol.* Caerdydd: Gwasg Prifysgol Cymru, 1976. 240tt. Adargraffwyd 1986. *Adol.:* Alan Llwyd, *Barddas,* 13(1977), 7; Euros Bowen, *Y Faner,* 6.5.77, 19-20; D. Myrddin Lloyd, *Taliesin,* 34(1977), 140-2; Thomas Parry, *HG,* Gwanwyn (1977), 35-6. *Gw. hefyd* Marged Haycock, *Barddas,* 97(1985), 13-15.

151 —— Tu hwnt i'r llen. (Brasolwg ar lenyddiaeth a chrefydd). *YB,* 9(1976), 352-65.

152 TIJDSCHRIFT VOOR POEZIE (Poetry Review): European Association for the promotion of poetry in Leuven. A Welsh poetry issue. *Rev.:* Meirion Pennar, *PW,* 21/2(1985), 101-3.
Yn cynnwys rhagymadrodd i farddoniaeth Gymraeg gan Tony Bianchi.

153 TRISTRAM, HILDEGARD L.C.: *Tense and time in early Irish narrative.* Innsbruck: Institut für Sprachwissenschaft der Universität, 1983. 40pp. (Innsbrucker Beiträge zur Sprachwissenschaft, Vorträge und kleinere Schriften; 32).

154 VAUGHAN-THOMAS, WYNFORD: *Wales — a history.* London: Michael Joseph, 1985. 269pp.

155 WILLIAMS, GLANMOR: Education and culture down to the sixteenth century. [In] *The history of education in Wales. Vol. 1;* edited by Jac. L. Williams and Gwilym Rees Hughes. Swansea: Christopher Davies, 1978. pp. 9-27.

156 —— *Religion, language and nationality in Wales: historical essays.* Cardiff: University of Wales Press, 1979. xi, 252pp.

157 —— Wales - its history and culture. [In] *Geschichte und Kultur der Kelten* . . . pp. 187-200. *Gw.* rhif 211.

158 WILLIAMS, GRIFFITH JOHN: *Agweddau ar hanes dysg Gymraeg: detholiad o ddarlithiau* . . . golygwyd gan Aneirin Lewis. Ail arg. Caerdydd: Gwasg Prifysgol Cymru, 1985. ix, 300 tt. (Argraffiad cyntaf, 1969).

159 WILLIAMS, GWYN: *An introduction to Welsh literature.* Cardiff: University of Wales Press on behalf of the Welsh Arts Council, 1978. [4], 125pp. *Adol.:* Thomas Parry, *Y Faner,* 2.3.79, 14-15. *Rev.:* R.M. Jones, *SC,* 14/15(1979/80), 450-1.

160 —— The paganism of Welsh poetry. *A WR,* 75(1984), 70-80.

161 WILLIAMS, GWYN A.: *The Welsh in their history.* London: Croom Helm, 1982. 106pp.

162 —— *When was Wales?* London: Black Raven Press; Harmondsworth: Penguin, 1985. 327pp.

163 WILLIAMS, J.E.CAERWYN: Celtic literature. Origins. [In] *Geschichte und Kultur der Kelten* . . . pp. 123-44. *Gw.* rhif 211.

164 WILLIAMS, J.E. CAERWYN (GOL.): *Ysgrifau beirniadol, ix-xiii.* Dinbych: Gwasg Gee, 1976-1985.

165 WILLIAMS, J. E. CAERWYN *et al.:* Celtic literature. [In] *The New Encyclopaedia Britannica, vol. 15, (Macropaedia).* London: Encyclopaedia Britannica, 1985. pp. 624-33.

166 WILLIAMS, J. TREFOR: Gwerthfawrogi llenyddiaeth. *Lleufer,* 26/4(1977), 9-16; 27/1(1978), 4-11.

167 WILLIAMS, N.J.A.: Irish satire and its sources. *SC,* 12/13(1977/78), 217-46.

168 *The Year's Work in Modern Language Studies, vols 38-46;* edited by Glanville Price and David A. Wells. London: The Modern Humanities Research Association, 1977-1985.

Va. CYFIEITHIADAU

169 CONRAN, ANTHONY: *Welsh verse*. Second revised ed. Bridgend: Poetry Wales Press, 1986. 355pp. (pp. 23-110 Introduction).
First published in 1967 as *The Penguin Book of Welsh verse*. *(Gw.* LILIG, rhif 125).

170 JONES, GWYN: *The Oxford Book of Welsh verse in English;* chosen by Gwyn Jones. Oxford: Oxford University Press, 1977. xxxvii, 313pp. *Adol.:* Gwynn ap Gwilym, *Barddas*, 8(1977), 3-4; Derec Llwyd Morgan, *Barn*, 174/175(1977), 278-9. *Rev.:* Anthony Conran, *Planet*, 45/46(1978), 111-16; Gerald Morgan, *PW*, 13/1(1977), 68-73; Dafydd Owen, *AWR*, 60(1978), 124-7; J. E. Caerwyn Williams, *LlLl*, Haf(1977), 25-6.

171 WILLIAMS, GWYN: *To look for a word: collected translations from Welsh poetry*. Llandysul: Gwasg Gomer, 1976. xvi, 278pp. *Rev.:* Anthony Conran, *PW*, 14/1 (1978), 116-24.

VI. Y CEFNDIR CELTAIDD

(i) Cyffredinol

172 BIRKHAN, HELMUT: *Germanen und Kelten* . . . [*Gw.* LILIG, rhif 166]. *Rev.:* E. Bachellery, *EC*, 14(1975), 638-46.

173 CUNLIFFE, BARRY: *The Celtic world;* designed by Emil M. Buhrer. London: The Bodley Head, 1979. 224pp.

174 DANOV, CHR. M.: The Celtic invasion and rule in Thrace in the light of some new evidence. *SC*, 10/11(1975/76), 29-39.

175 DELANEY, FRANK: *The Celts*. London: BBC Publications/Hodder and Stoughton, 1986. 240pp.

176 DILLON, MYLES: *Celts and Aryans. Survivals of Indo-European speech and society*. Simla: Indian Institute of Advanced Study, 1975. xxvi, 153pp., 24 plates.

177 DOTTIN, GEORGES: *Les Celtes*. Genève: Éditions Minerva, 1977. 144pp.

178 ——[*Les Celtes*]. *Die Welt der Kelten*. Übersetzt aus dem Französischen von Peter Aschner. München - Berlin: F.A. Herbig, 1977. 144pp.

179 DUVAL, PAUL-MARIE: *Les Celtes*. Paris: Gallimard, 1977. [6], 324, [18]pp. *Gw. hefyd* Antonio Tovar, 'Celtes et Gaulois (à propos du livre . . . *Les Celtes'*). *EC*, 17(1980) 275-7.

180 —— [Les Celtes]. *Die Kelten*. Übersetzt aus dem Französischen von Dietz-Otto und Sibylle Edzard. München: C.H. Beck, 1978. [4], 350pp.

181 DUVAL, PAUL-MARIE and HAWKES, CHRISTOPHER (EDS): *Celtic art in ancient Europe, five protohistoric centuries* = *L'Art Celtique en Europe protohistorique: débuts, développements, styles, techniques. Proceedings of the colloquy held in 1972 at the Oxford Maison Française.* London: Seminar Press, 1976. xxi, 316pp.

182 ELLIS, PETER BERRESFORD: *Celtic inheritance;* illustrations by Gabriel Sempill. London: Frederick Muller, 1985. 168pp.

183 EVANS, D. ELLIS: Celts and Germans. *BBCS,* 29(1981), 230-55.

184 —— Dawn y Celt yn y Cymro. *Y Gwyddonydd,* 13/3-4(1975), 77-81.

185 —— *Gorchest y Celtiaid yn yr hen fyd.* Abertawe: Coleg y Brifysgol Abertawe, 1975. 37tt. (Darlith agoriadol Athro'r Gymraeg . . . 1975).

186 —— The labyrinth of Continental Celtic. *PBA,* 65(1979) [1981], 497-538. (Sir John Rhŷs memorial lecture, British Academy; 1977).

187 —— Language contact in pre-Roman and Roman Britain. [In] *Aufstieg und Niedergang der römischen Welt. Teil. 2. Principat, Band 29. 2 Sprache und Literatur;* hrsg. von Wolfgang Haase. Berlin: Walter de Gruyter, 1983. pp. 949-87.

188 FILIP, JAN: *Celtic civilization and its heritage.* Second revised ed. Wellingborough: Collets, 1977. 232pp.

189 ——Early history and evolution of the Celts: the archaeological evidence. [In] *The Celtic consciousness;* edited by Robert O'Driscoll. Portlaoise: The Dolmen Press; Edinburgh: Canongate Publishing, 1982. pp. 33-50.

190 GREENE, DAVID and Piggott, Stuart: The coming of the Celts to Britain and Ireland. 1. The linguistic viewpoint (David Greene). 2. The archaeological argument (Stuart Piggott). [In] *Proceedings of the Sixth International Congress of Celtic Studies, Galway, 1979;* edited by Gearóid Mac Eoin. Dublin: Dublin Institute for Advanced Studies, 1983. pp.131-48.

191 HATT, JEAN-JACQUES: *Kelten und Gallo - Romanen.* München: Wilhelm Heyne, 1979. 303pp. (First published, 1970).

192 HERM, GERHARD: *The Celts: the people who come out of the darkness.* London: Weidenfeld and Nicolson, 1976. [7], 312pp., [16] p. of plates. *Rev.:* Roland Mathias, *AWR,* 63(1978), 184-7.

193 *Die KELTEN in Baden-Württemberg;* herausgegeben von Kurt Bittel *et al.* Stuttgart: Konrad Theiss, 1981. 533pp.

194 Die KELTEN in Mitteleuropa: Kultur, Kunst, Wirtschaft. Salzburger Landesausstellung (1 Mai-30 Sept.) im Keltenmuseum, Hallein, Österreich. Salzburg: Amt der Salzburger Landesregierung, Kulturabteilung, 1980. 330pp.

195 KRUTA, VENCESLAS: Les Celtes. Paris: Presses Universitaires de France, 1976. 128pp. (Collection Que Sais-je?), Rev.: E. Bachellery, EC, 15/2(1978), 729-32.

196 —— Die Kelten: Entwicklung und Geschichte einer europäischen Kultur in Bildern, von Erich Lessing, mit Texten von Venceslas Kruta. Freiburg: Herder, 1979. 256pp.

197 KRUTA, VENCESLAS and FORMAN, WERNER: The Celts of the West. London: Orbis, 1985. 128pp.

198 KRUTA, VENCESLAS et SZABÓ, MIKLÓS: Les Celtes. Paris: Hatier, 1978. 255pp.

199 KULTUREN im Norden: die Welt der Germanen, Kelten und Slawen 400-1100 n. Chr . . . herausgegeben von David M. Wilson. München: C.H. Beck, 1980, 255pp.

200 LAING, LLOYD: The archaeology of late Celtic Britain and Ireland, c. 400-1200 A.D. London: Methuen, 1975. xxvii, 451pp., [32]p. of plates.

201 —— Celtic Britain. London: Granada, 1983. 254pp. (Britain before the conquest. A Paladin archaeological history of the British Isles).

202 LE ROUX, FRANÇOISE et GUYONVARC'H, CHRISTIAN-J.: La civilisation celtique. Rennes: Ogam-Celticum, 1979. 166pp. (Celticum, xxiv).

203 MARKALE, JEAN: Les Celtes et la civilisation celtique. Paris: Payot, 1976. 320pp.

204 ——[Les Celtes et la civilisation celtique]. Celtic civilization; translated by Christine Hauch. London: Gordon and Cremonesi, 1978. 320pp., [16]p. of plates.

205 —— La tradition celtique en Bretagne armoricaine. Paris: Payot, 1975. 332pp.

206 NASH, DAPHNE: Reconstructing Poseidonios' Celtic ethnography: some considerations. Britannia, 7(1976), 111-26.

207 O'RAHILLY, THOMAS F.: Early Irish history and mythology. Dublin: Dublin Institute for Advanced Studies, 1946. x, 568p. Second ed. 1976.

208 POWELL, T.G.E.: The Celts. New ed.; preface by Stuart Piggott. London: Thames and Hudson, 1980. 232pp. (Ancient peoples and places; 6). (First paperback ed., 1983. Reprinted 1985).

15

209 ROSS, ANNE: *The pagan Celts.* London: Batsford, 1986. 160pp.

First published as *Everyday life of the pagan Celts* (1970). Updated, expanded and reillustrated.

210 ROSS, ANNE and CYPRIEN, MICHAEL: *A traveller's guide to Celtic Britain.* London: Routledge and Kegan Paul, 1985. 128pp.

211 SCHMIDT, KARL HORST (ED.): *Geschichte und Kultur der Kelten* = History and culture of the Celts. Preparatory Conference . . . October 1982 in Bonn. Lectures. Edited by Karl Horst Schmidt with the collaboration of Rolf Ködderitzsch. Heidelberg: Carl Winter, 1986. 289pp.

Contents: Les Celtes des Gaules d'après l'archéologie (Venceslas Kruta). Archéologie des Celtes continentaux: contribution à une division dans le temps et dans l'espace (Miklós Szabó). The Celts in the Iberian Peninsula: archaeology, history, language (Antonio Tovar). The Celts in Britain (up to the formation of the Brittonic languages): history, culture, linguistic remains, substrata (D. Ellis Evans).

212 SIMS-WILLIAMS, PATRICK: The visionary Celt: the construction of an ethnic preconception. *CMCS,* 11(1986), 71-96.

213 THOMAS, CHARLES: *Celtic Britain.* London: Thames and Hudson, 1986. 200pp. (Ancient peoples and places; 103).

214 WAGNER, HEINRICH: Near Eastern and African connections with the Celtic world. [In] *The Celtic consciousness* . . . pp. 51-67. *Gw.* rhif 189.

215 WILLIAMS, J.E. CAERWYN: Posidonius's Celtic *parasites. SC,* 14/15(1979/80), 313-43.

(ii) Crefydd a Mytholeg

216 ANWYL, EDWARD: *Celtic religion in pre-Christian times.* New York: Gordon, 1977. 75pp. (First published, London, 1906).

217 BÉMONT, COLETTE: Observations sur quelques divinités gallo-romaines: les rapports entre la Bretagne et le continent. *EC,* 18(1981), 65-89.

218 BHREATHNACH, MÁIRE: The Sovereignty goddess as goddess of death? *ZCP,* 39(1982), 243-60.

219 BOON, GEORGE C.: The Shrine of the Head, Caerwent. [In] *Welsh antiquity, essays . . . presented to H. N. Savory;* edited by George C. Boon and J.M. Lewis. Cardiff: National Museum of Wales, 1976. pp. 163-75.

220 BREKILIEN, YANN: *La mythologie celtique.* Paris: Jean Picollec, 1981. 446pp.

221 BROWN, KERI: The horse in Celtic legend. *PArch,* 7/2 (1986), 10-14.

222 CAREY, JOHN: Coll son of Collfrewy. *SC,* 16/17(1981/82), 168-74.

223 —— The location of the Otherworld in Irish tradition. *Éigse*, 19/1(1982), 36-43.

224 —— The name 'Tuatha Dé Danann'. *Éigse*, 18/2(1981), 291-4.

225 —— Nodons in Britain and Ireland. *ZCP*, 40(1984), 1-22.

226 —— Notes on the Irish war-goddess. *Éigse*, 19/2(1983), 263-75.

227 Ceonen, Dorothea und Holzapfel, Otto: *Germanische und keltische Mythologie*. Herder Lexikon mit rund 1400 Stichwörtern sowie über 90 Abbildungen und Tabellen. Freiburg: Herder, 1982. 192pp.

228 De Vries, Jan: *La religion des Celtes*. Réimpression Payothèque. Paris: Payot, 1977. 276pp.

229 Duval, Paul-Marie: *Les dieux de la Gaule*. Nouvelle édition mise à jour et augmentée. Paris: Petite Bibliothèque Payot, 1976. 169pp.

230 Evans, Emrys: The Celts. [In] *Mythology: an illustrated encyclopedia;* edited by R. Cavendish. London: Orbis, 1980. pp.170-7.

231 Gray, Elizabeth A.: *Cath Maige Tuired* - myth and structure. *Éigse*, 18/2(1981), 183-209; 19/1(1982), 1-35; 19/2(1983), 230-62.

232 Green, Miranda J.: Celtic symbolism at Roman Caerleon. *BBCS*, 31(1984), 251-8.

233 —— *A corpus of religious material from the civilian areas of Roman Britain.* Oxford: B.A.R, 1976. 320pp. (British Archaeological Reports, 24).

234 —— *The gods of the Celts.* Gloucester: Alan Sutton Publishing, 1986. 257pp.

235 ——*The wheel as a cult-symbol in the Romano-Celtic world, with special reference to Gaul and Britain.* Bruxelles: Latomus, 1984. 408pp., 86p. of plates. (Collection Latomus; 183).

236 Grinsell, L.V.: *The Druids and Stonehenge: the story of a myth.* Guernsey: The Toucan Press, 1978. 29pp. (West Country folklore; 11).

237 Henig, Martin: *Religion in Roman Britain.* London: Batsford, 1984. 263pp.

238 Henig, Martin and King, Anthony (eds): *Pagan gods and shrines of the Roman Empire.* Oxford: Oxford University Committee for Archaeology, 1986. 265pp. (Monograph no. 8).
Includes: What the Britons required from the gods as seen through the pairing of Roman and Celtic deities and the character of votive offerings (Graham Webster). Jupiter, Taranis and the Solar Wheel (Miranda Green). The goddess Epona: concepts of sovereignty in a changing landscape (Laura S. Oaks).

239 LENGYEL, LANCELOT: [*Le secret des Celtes*] *Das geheime Wissen der Kelten - enträtselt aus druidisch - keltischer Mythik und Symbolik.* Freiburg: Bauer, 1985. 371, [12]pp.

240 LE ROUX, FRANÇOISE et GUYONVARC'H, CHRISTIAN - J.: *Les Druides.* Rennes: Ogam-Celticum, 1978. 421pp. (Celticum, 14).

241 —— *Mórrígan - Bodb - Macha. La Souveraineté guerrière de l'Irlande.* Rennes: Ogam-Celticum, 1983. 211pp. (Celticum 25).

242 LINDUFF, K: Epona - a Celt among the Romans. *CL*, 38/4(1979), 817-37.

243 LÖFFLER, CHRISTA MARIA: *The voyage to the Otherworld island in early Irish literature.* Salzburg: Institut für Anglistik und Amerikanistik, Universität Salzburg, 1983. 2 vols (377pp.; pp. 378-638). (Salzburg Studies in English Literature, Elizabethan and Renaissance Studies; 103).

244 LONIGAN, PAUL R.: Shamanism in the Old Irish tradition. *EI*, 20/3(1985), 109-29.

245 MAC CANA, PROINSIAS: *Celtic mythology.* New revised ed. Feltham: Newnes Books, 1983. 143pp. (Orig. published 1968).

246 —— The cult of heads. [In] *Louis le Brocquy and the Celtic head image: an exhibition, September - November, 1981;* introduction by Kevin M. Cahill; essays by Proinsias Mac Cana and Anne Crookshank. New York: New York State Museum, 1981. pp. 11-21.

247 ——Mythology in early Irish literature. [In] *The Celtic consciousness* . . . pp. 143-59. *Gw.* rhif 189.

248 MAC CANA, PROINSIAS et MESLIN, MICHEL (EDS): *Rencontres de religions. Actes du Colloque du Collège des Irlandais tenu sous les auspices de l'Académie Royale Irlandaise* (Juin 1981). Paris: Société d'Édition "Les Belles Lettres", 1986. 138pp.
Contents: Problèmes des rapports entre la religion gauloise et la religion romaine (Paul-Marie Duval). Christianisme et paganisme dans l'Irlande ancienne (Proinsias Mac Cana).

249 MCCANN, EDWARD W.J.: The Celtic sea - god: a study of the sources. (M.A. Thesis). Belfast, 1983.

250 MCCONE, KIM: *Aided Cheltchair maic Uthechair:* hounds, heroes and hospitallers in early Irish myth and story. *Ériu*, 35(1984), 1-30.

251 MAC NEILL, MÁIRE: *The festival of Lughnasa.* Dublin: Comhairle Bhéaloideas Éireann, 1982. xii, 707pp. (Folklore studies of Comhairle Bhéaloideas Éireann; 11.) (Photo lithographical facsimile of first edition (1962), with new foreward and "Additions and corrections".)

252 MARKALE, JEAN: *Le Druidisme - Traditions et dieux des Celtes*. Paris: Editions Payot, 1985. 290pp.

253 —— [*Le Druidisme-Traditions et dieux des Celtes*]. *Die Druiden, Gesellschaft und Götter der Kelten*; übersetzt von Béatrice Bludau und Wieland Grommes. München: Dianus-Trikont, 1985. 290pp.

254 —— [*La femme celte*]. *Die keltische Frau—Mythos, Geschichte, soziale Stellung*; übersetzt und herausgegeben von Wieland Grommes. München: Dianus-Trikont, 1984. 375pp.

255 —— [*La femme celte*]. *Women of the Celts*; translated by A. Mygind *et al.* London: Gordon and Cremonesi, 1975. 315pp. *Rev.:* Roland Mathias, *AWR*, 61(1978), 128-31.

256 —— *Petit dictionnaire de mythologie celtique*. Paris: Éditions Entente, 1986. 224pp.

257 NAGY, JOSEPH FALAKY: Close encounters of the traditional kind in medieval Irish literature. [In] *Celtic folklore and Christianity* . . . pp. 129-49. *Gw.* rhif 359.

258 —— Liminality and knowledge in Irish tradition. *SC*, 16/17(1981/82), 135-43.

259 ——Otter, salmon, and eel in traditional Gaelic narrative. *SC*, 20/21(1985/86), 123-44.

260 Ní CHATHAÍN, PRÓINSÉAS: Swineherds, seers, and Druids. *SC*, 14/15 (1979/80), 200-11.

261 Ó CATHASAIGH, TOMÁS: *Cath Maige Tuired* as exemplary myth. [In] *Folia Gadelica:* essays presented . . . to R.A. Breatnach . . . edited by Pádraig de Brún *et al.* Cork: Cork University Press, 1983. pp. 1-19.

262 —— The concept of the hero in Irish mythology. [In] *The Irish mind: exploring intellectual traditions*; edited by Richard Kearney. Dublin: Wolfhound Press, 1985. pp. 79-90. Published also in *The Crane Bag*, 2/1-2(1978).

263 Ó RIAIN, PÁDRAIG: Celtic mythology and religion. [In] *Geschichte und Kultur der Kelten* . . . pp.241-51. *Gw.* rhif 211.

264 OVAZZA, MAUD: D'Apollon—Maponos à Mabonagrain: les avatars d'un dieu celtique. [In] *Actes du 14ᵉ Congrés International Arthurien* . . . pp. 465-72. *Gw.* rhif 760.

265 PITMAN, SUSAN JANE: The phenomenon of the head in pagan Celtic culture. (Traethawd Ph.D). Llanbedr Pont Steffan, 1986.

266 PUHVEL, MARTIN: Snow and mist in *Sir Gawain and the Green Knight* - portents of the Otherworld? *Folklore*, 89(1978), 224-8.

267 REES, BRINLEY: Fintan mac Bóchra. *BBCS*, 28(1979), 248-52.

268 ROSS, ANNE: Chartres: the *Locus* of the Carnutes. *SC*, 14/15(1979/80), 260-9.

269 ——*Druids, gods and heroes from Celtic mythology.* Illustrations by Roger Garland. [s.l.]: Peter Lowe, 1986. 136pp. (World mythologies series).

270 ROSS, ANNE and FEACHEM, RICHARD: Heads baleful and benign. [In] *Between and beyond the Walls: essays on the prehistory and history of North Britain in honour of George Jobey;* edited by Roger Miket and Colin Burgess. Edinburgh: John Donald, 1984. pp. 338-52.

271 SJOESTEDT, MARIE-LOUISE: [*Dieux et héros des Celtes*]. *Gods and heroes of the Celts;* translated by Myles Dillon. Berkeley: Turtle Island Foundation, 1982. 131pp. (First published 1949).

272 SPAAN, DAVID BRUCE: *The Otherworld in early Irish literature.* Ann Arbor, Michigan: University Microfilms International, 1985. viii, 428pp. (The University of Michigan, Ph.D. Thesis, 1969).

273 STERCKX, CLAUDE: *Eléments de cosmogonie celtique.* Bruxelles: Editions de l'Université de Bruxelles, 1986. 127pp. (Faculté de Philosophie et Lettres, xcvii.). *Rev.:* Proinsias Mac Cana, *Celtica*, 18(1986), 217-19.

274 —— Survivances de la mythologie celtique dans quelques légendes bretonnes. *EC*, 22(1985), 295-308.

275 —— Les têtes coupées et la Graal. *SC*, 20/21(1985/86), 1-42.

276 TOVAR, ANTONIO: The God *Lugus* in Spain. *BBCS*, 29(1982), 591-9.

277 TYMOCZKO, MARIA: Animal imagery in *Loinges Mac nUislenn*. *SC*, 20/21(1985/86), 145-66.

278 WACHSLER, ARTHUR ALEXANDER: *The Celtic concept of the journey to the Otherworld and its relationship to Ulrich von Zatzikhoven's 'Lanzelet'— a structural approach to the study of Romance origins.* London: University Microfilms International, 1982. xix, 545pp. (University of California, Los Angeles, Ph.D. Thesis, 1972.)

279 WAGNER, HEINRICH: Origins of pagan Irish religion. *ZCP*, 38(1981), 1-28.

280 ——Studies in the origins of early Celtic traditions. *Ériu*, 26(1975), 1-26.

281 ——Zur Etymologie von keltisch *Nodons*, Ir. *Nuadu*, Kymr. *Nudd/Lludd*. *ZCP*, 41(1986), 180-7.

282 WATSON, ALDEN: The king, the poet and the sacred tree. *EC*, 18(1981), 165-80.

283 WEBSTER, GRAHAM: *The British Celts and their gods under Rome*. London: Batsford, 1986. 205 pp.

284 WILLIAMS, G.H. and DELANEY, C.J.: A Celtic head from Llandysul. *CAntiq*, 18(1982), 9-15.

(iii) Llên gwerin

285 JONES, T. GWYNN: *Welsh folklore and folk-custom*. Cambridge: D.S. Brewer, 1979. liv, 255pp. *Adol.:* Robin Gwyndaf, *Y Traethodydd*, 135(1980), 209-12. *Rev.:* Patrick K. Ford, *ZCP*, 40(1984), 296-8; Iorwerth C. Peate, *AWR*, 67(1980), 189-92; Robin Gwyndaf, *Folklore*, 92(1981), 190-5.
Facsimile reprint of 1st ed., London, 1930, with new introduction and bibliography by Arthur ap Gwynn.

286 ROBIN GWYNDAF: Y cwlwm sy'n creu - agweddau ar lên gwerin a chymdeithas a chynheiliaid traddodiad. (Traethawd M.A.). Bangor, 1986.

287 RHŶS, JOHN: *Celtic folklore, Welsh and Manx*. London: Wildwood House, 1980. 2v. xxx, 718pp. (First published, Oxford 1901).

288 THOMAS, JULIETTE M.: *Geographical themes in medieval Celtic and Italian folklore*. London: University Microfilms International, 1982. xlii, 471pp. (University of Pennsylvania, Ph. D. Thesis, 1975).

ADRAN B

Y CYFNOD CYNNAR

I. CYFFREDINOL

289 ARNOLD, MATTHEW: *On the study of Celtic literature and other essays.* London: Dent, [1977]. 181pp. (Cyhoeddwyd yn wreiddiol 1867.) *Rev.:* Jeremy Hooker, *AWR*, 60(1978), 121-3. *Gw. hefyd* Emyr Humphreys: Arnold yng ngwlad hud, *Taliesin*, 37(1978), 10-23.

290 BROMWICH, RACHEL a JONES, R. BRINLEY (GOL.): *Astudiaethau ar yr Hengerdd* = *Studies in Old Welsh poetry, cyflwynedig i Syr Idris Foster.* Caerdydd: Gwasg Prifysgol Cymru, 1978. xii, 390tt. *Revs.:* Marged Haycock, *ZCP*, 39(1982), 321-5; Nesta Lloyd, *CHC*, 10(1980), 240-2; Proinsias Mac Cana, *SC*, 14/15(1979/80), 434-9.

291 BROOKE, CHRISTOPHER N.L.: *The Church and the Welsh Border in the central Middle Ages;* edited by David N. Dumville and C.N.L. Brooke. Woodbridge: The Boydell Press, 1986. xiv, 127pp. (Studies in Celtic history; viii).
Revision of essays originally published separately. *Includes:* i. The Church and the Welsh Border in the tenth and eleventh centuries. ii. The Archbishops of St. Davids, Llandaff, and Caerleon-on-Usk.

292 CHADWICK, H.M. and CHADWICK, NORA K.: *The growth of literature. Vol. 1, The ancient literatures.* Cambridge: Cambridge University Press, 1986. 672 pp. (First published 1932.)

293 CHADWICK, NORA K.: *The British heroic age: the Welsh and the Men of the North.* Cardiff: University of Wales Press, 1976. xii, 125pp.

294 COPLESTONE-CROW, BRUCE: The dual nature of the Irish colonization of Dyfed in the Dark Ages. *SC*, 16/17(1981/82), 1-24.

295 DAVIES, WENDY: *Wales in the early Middle Ages.* Leicester: Leicester University Press, 1982. xii, 263pp. (Studies in the early history of Britain). *Rev.:* T.M. Charles-Edwards, *CMCS*, 7(1984), 122-4; G.R.J. Jones, *CHC*, 12(1984), 105-7; D.P. Kirby, *SC*, 18/19(1983/84), 387-9; Pádraig Ó Riain, *Peritia*, 3(1984), 567-9.

296 DILLON, MYLES: The Irish settlements in Wales. *Celtica*, 12(1977), 1-11.

297 DUMVILLE, DAVID N.: Palaeographical considerations in the dating of early Welsh verse. *BBCS*, 27(1977), 246-51.

298 —— Ystyriaethau palaeograffegol wrth ddyddio barddoniaeth Gymraeg gynnar. *YB*, 13(1985), 17-25.

299 HAYCOCK, MARGED: Early Welsh poetry. [In] *Memory and poetic structure. Papers of the Conference on Oral Literature and Literary Theory, held at Middlesex Polytechnic;* edited by Peter Ryan. [s.l.: s.n.], 1981. pp. 91-135.

300 HIGLEY, SARAH L.: Lamentable relationships? Non-sequitur in Old English and Middle Welsh elegy. [In] *Connections between Old English and medieval Celtic literature* . . . edited with an introduction and bibliography by Patrick K. Ford and Karen G. Borst. Berkeley: Department of English, University of California, 1983. (Old English Colloquium Series; no. 2, May, 1983). pp. 44—66.

301 —— *The natural analogy; image and connection in medieval English and Welsh poetry of lament.* Ann Arbor: University Microfilms International, 1986. xxxi, 598pp. (Ph.D. Thesis. University of California, Berkeley, 1984).

302 HIND, J.G.F.: *Elmet* and *Deira* - forest names in Yorkshire? *BBCS,* 28(1980), 541—52. *Gw. hefyd:* Eric P. Hamp, 'On notable trees [*Elmet, De(i)ri*]. *BBCS,* 30(1982), 42-4.

303 HUGHES, KATHLEEN: The Celtic Church: is this a valid concept? *CMCS,* 1(1981), 1-20.

304 JACOBS, NICOLAS: The Old English heroic tradition in the light of Welsh evidence. *CMCS,* 2(1981), 9-20.

305 —— Y traddodiad arwrol Hen Saesneg o'i gymharu â'r dystiolaeth Gymraeg. [Yn] *Astudiaethau ar yr Hengerdd* . . . tt. 165-78. *Gw.* rhif 290.

306 JARMAN, A.O.H.: *The Cynfeirdd—early Welsh poets and poetry.* Cardiff: University of Wales Press on behalf of the Welsh Arts Council, 1981. 135pp. (Writers of Wales). *Adol.:* Rachel Bromwich. *LIC,* 14(1984), 278-9. *Rev.:* Rachel Bromwich, *CMCS,* 6(1983), 106-8; Patrick Sims-Williams, *BBN,* May (1982), 322-3.

307 —— The heroic view of life in early Welsh verse. [In] *The Celtic consciousness* . . . pp.161-8. *Gw.* rhif 189.

308 —— The heroic view of life in early Welsh verse. *Planet,* 44(1978), 42-7.

309 —— The later Cynfeirdd. [In] *A guide to Welsh literature, volume i* . . . pp. 98-122. *Gw.* rhif 104.

310 ——*Llyfr Du Caerfyrddin:* The Black Book of Carmarthen. *PBA,* 71(1985)[1986], 333-56. *Gw. hefyd* rif 392.

311 JONES, G.R.J.: Early territorial organization in Gwynedd and Elmet. *NH,* 10(1975), 3-27.

312 JONES, MYFANWY LLOYD: *Society and settlement in Wales and the Marches 500 B.C. to A.D. 1110. Part ii.* Oxford: B.A.R., 1984. (BAR British Series 121(ii)). pp. 241-8 Principal literary sources for the history of post-Roman Wales.

313 JONES, WYNNE LLOYD, The historical background to the earliest Welsh poetry. (Traethawd M.A.). Aberystwyth, 1982.

314 KIRBY, D.P.: British dynastic history in the pre-Viking period. *BBCS*, 27(1976), 81-114.

315 —— Welsh bards and the Border. [In] *Merican studies;* edited by Ann Dornier. Leicester: Leicester University Press, 1977. pp.31-42.

316 KOCH, JOHN T.: When was Welsh literature first written down? *SC*, 20/21(1985/86), 43-66.

317 LEWIS, CERI W.: The historical background of early Welsh verse. [In] *A guide to Welsh literature, volume i* . . . pp. 11-50. *Gw.* rhif 104.

318 LOESCH, KATHARINE T.: Welsh bardic poetry and performance in the Middle Ages, [In] *Performance of literature in historical perspectives;* edited by David W. Thompson. Lanham; London: University Press of America, 1983. pp. 177-90.

319 LOVECY, I.C.: The end of Celtic Britain: a sixth-century battle near Lindisfarne. *ArchA*, 4(1976), 31-45.

320 MATONIS, A.T.E.: Traditions of panegyric in Welsh poetry: the heroic and the chivalric. *Speculum*, 53(1978), 667-87.

321 MILLER, MOLLY: The commanders at Arthuret. *TCWAS*, 75(1975), 96-118.

322 ——Eanfrith's Pictish son. *NH*, 14(1978), 47-66.

323 —— The foundation - legend of Gwynedd in the Latin texts. *BBCS*, 27(1978), 515-32.

324 ——Historicity and the pedigrees of the Northcountrymen. *BBCS*, 26(1975), 255-80.

325 MOISL, HERMANN: A sixth-century reference to the British *bardd*. *BBCS*, 29(1981), 269-73.
A reference by Venantius Fortunatus (*c.* 540—c. 600)

326 Ó CATHASAIGH, TOMÁS: The Déisi and Dyfed. *Éigse*, 20(1984), 1-33.

327 ROWLAND, JENNY: The manuscript traditions of the Red Book *Englynion*. *SC*, 18/19(1983/4), 19-95.

328 SIMS-WILLIAMS, PATRICK: The evidence for vernacular Irish literary influence on early mediaeval Welsh literature. [In] *Ireland in early mediaeval Europe: studies in memory of Kathleen Hughes;* edited by Dorothy Whitelock *et al.* Cambridge: Cambridge University Press, 1982. pp. 235-57. *Rev.:* R. Sharpe, *CMCS,* 6(1983), 102-6.

329 —— Gildas and vernacular poetry. [In] *Gildas: new approaches . . .* pp. 169-92. *Gw.* rhif 524.

330 —— 'Is it fog or smoke or warriors fighting?' - Irish and Welsh parallels to the *Finnsburg* fragment. *BBCS,* 27(1978), 505-14.
Cyfeirir at Ganu Llywarch Hen a Chanu Taliesin.

331 THOMAS, CHARLES: *Christianity in Roman Britain to AD 500.* London: Batsford, 1981. 408pp.

332 THOMAS, GWYN: *Y traddodiad barddol.* Caerdydd: Gwasg Prifysgol Cymru, 1976. 240tt. *Gw.* rhif 150.

333 WAGNER, HEINRICH: The archaic *Dind Rig* poem and related problems. *Ériu,* 28(1977), 1-16.

334 WHITE, RICHARD: New light on the origins of the Kingdom of Gwynedd. [In] *Astudiaethau ar yr Hengerdd . . .* pp. 350-5. *Gw.* rhif 290.

335 WILLIAMS, IFOR: *The beginnings of Welsh poetry: studies by Sir Ifor Williams;* edited by Rachel Bromwich. Second ed. Cardiff: University of Wales Press, 1980. xx, 200pp. (First edition, 1972).
Contents: i. When did British become Welsh? ii. The personal names in the early Anglesey inscriptions. iii. The Towyn inscribed stone. iv. The earliest poetry. v. The Gododdin poems. vi. Wales and the North. vii. The Juvencus poems. viii. The poems of Llywarch Hen. ix. Two poems from the *Book of Taliesin:* (a) The praise of Tenby; (b) An early Anglesey poem. x. An Old Welsh verse.

336 WILLIAMS, J.E. CAERWYN: Gildas, Maelgwn and the bards. [In] *Welsh society and nationhood . . .* pp. 19-34. *Gw.* rhif 2915.

337 WOOD, CAROL LLOYD: *Reciprocal views—the Welsh and Anglo-Saxons in pre-Norman conquest literature.* Ann Arbor, Michigan; London: University Microfilms International, 1982. 156pp. (University of Arkansas, Ph. D. Thesis, 1980).

338 WOOD, JULIETTE M.: Maelgwn Gwynedd - a forgotten Welsh hero. *Trivium,* 19(1984), 103-17.

II. PYNCIAU IAITH

339 JACKSON, KENNETH H.: The British languages and their evolution. [In] *Literature and Western civilization, Vol. II. The mediaeval world;* edited by David Daiches and A. Thorlby. London: Aldus Books, 1973. pp.113-26.

340 JACKSON, KENNETH H.: The date of the Old Welsh accent shift. *SC*, 10/11(1975/76), 40-53.

341 KOCH, JOHN T.: Linguistic preliminaries to the dating and analysis of archaic Welsh verse. (Ph.D. Thesis). Harvard, 1985.

342 —— The loss of final syllables and loss of declension in Brittonic. *BBCS*, 30(1983), 201-33. *See also PHCC*, 1(1981), 21-51.

343 —— The sentence in Gaulish. *PHCC*, 3(1983), 169-215.

344 ROWLAND, JENNY: An early Old Welsh orthographic feature. *BBCS*, 29(1981), 513-20.

345 THOMSON, R.L.: Amser ac agwedd yn y Cynfeirdd. [Yn] *Astudiaethau ar yr Hengerdd* . . . tt.179-207. *Gw.* rhif 290.

346 WHITE, FRANCES VIVIEN: Studies in the morphology of the verb in early Welsh. (D. Phil. Thesis). Oxford, 1985.

IV. PYNCIAU ARBENNIG

(i) Aneirin

(a) Testun

347 BOREHAM, JEREMY ac OWEN, MORFYDD E.: *Mynegair i Ganu Aneirin — Concordance of Canu Aneirin*. Caerdydd: Gwasg Prifysgol Cymru, 1980. (Microfiche).

348 WILLIAMS, IFOR (GOL.): *Canu Aneirin*; gyda rhagymadrodd a nodiadau. Caerdydd: Gwasg Prifysgol Cymru, 1978. xciii, 418tt. (Arg. cyntaf, 1938).

(c) Cyfieithiadau

349 CONRAN, ANTHONY: *Welsh verse*. Second revised ed . . . *Gw.* rhif 169.

350 FORD, PATRICK K.: *Sources and analogues of Old English poetry, II: The major Germanic and Celtic texts in translation*; translated by Daniel G. Caldo and Robert E. Bjork (Germanic texts), Patrick K. Ford (Welsh texts), Daniel F. Melia (Irish texts). Cambridge: D.S. Brewer, 1983. xxiv, 222pp.

351 JONES, GWYN: *The Oxford Book of Welsh verse in English* . . . *Gw.* rhif 170.

352 WILLIAMS, GWYN: *To look for a word: collected translations from Welsh poetry* . . . *Gw.* rhif 171.

(c) Astudiaethau

353 ALCOCK, LESLIE: Gwŷr y Gogledd: an archaeological appraisal. (Presidential address). *ArchC*, 13(1982) [1984], 1-18.

354 BROMWICH, RACHEL: Cynon fab Clydno. [Yn] *Astudiaethau ar yr Hengerdd* . . . tt.151-64. *Gw.* rhif 290.

355 CHARLES-EDWARDS, T.M.: The authenticity of the *Gododdin:* an historian's view. [In] *Astudiaethau ar yr Hengerdd* . . . tt. 44-71. *Gw.* rhif 290.

356 DONOVAN, P.J.: Mydryddiaeth Canu Aneirin a Chanu Taliesin. (Traethawd M.A.). Aberystwyth, 1975.

357 EVANS, D. ELLIS: Rhagarweiniad i astudiaeth o fydryddiaeth *Y Gododdin*. [Yn] *Astudiaethau ar yr Hengerdd* . . . tt. 89-122. *Gw.* rhif 290.

358 EVANS, D. SIMON: Aneirin —bardd Cristnogol? *YB,* 10(1977), 35-44.

359 HAMP, ERIC P.: Gwŷr a aeth . . . [In] *Celtic folklore and Christianity: studies in memory of William W. Heist;* edited by Patrick K. Ford. Santa Barbara: McNally and Loftin [for the] Center for the Study of Comparative Folklore and Mythology, University of California, Los Angeles, 1983. pp. 50-7.

360 HENRY, P.L.: *Saoithiúlacht na Sean-Ghaeilge - bunú an traidisiúin* . . . *Gw.* rhif 99.
Gweler yn arbennig tt. 169-90 'Friotal na filíochta eipiciúla.

361 JACKSON, KENNETH H.: Bede's *Urbs Giudi:* Stirling or Cramond? *CMCS,* 2(1981), 1-7.

362 JARMAN, A.O.H.: Aneirin—The Gododdin. [In] *A guide to Welsh literature, volume i* . . . pp. 68-80. *Gw.* rhif 104.

363 KLAR, KATHRYN A. *et al.:* The components of Cardiff MS. Welsh I, *Llyfr Aneirin. BBCS,* 32(1985), 38-49.

364 —— Welsh poetics in the Indo-European tradition—the case of the *Book of Aneirin. SC,* 18/19(1983/84), 30-51.

365 MEEK, DONALD: Y frwydr olaf yn nhraddodiad y "Fian". *YB,* 13(1985), 209-21.
Yn cynnig sylwadau ar ffurf a datblygiad *Y Gododdin.*

366 OWEN, MORFYDD E.: 'Hwn yw e Gododin. Aneirin ae cant.' [Yn] *Astudiaethau ar yr Hengerdd* . . . tt. 123-50. *Gw.* rhif 290.

367 RUTHERFORD, ANTHONY: *Giudi* revisited [CA ll. 1209-11]. *BBCS,* 26(1976), 440-4.

368 THOMAS, GWYN: Canu'r Hen Ogledd. [Yn] *Llenyddiaeth y Cymry, cyflwyniad darluniadol. Cyfrol 1* . . . tt. 12-20. *Gw.* rhif 149.

369 —— *Y traddodiad barddol* . . . tt. 19-28, 41-50. *Gw.* rhif 150. *Gw. hefyd* MARGED HAYCOCK, *Barddas*, 103(1985), 11-12.

(ch) Nodiadau testunol

370 EVANS, D. SIMON: Iaith *Y Gododdin.* [Yn] *Astudiaethau ar yr Hengerdd* . . . tt. 72-88. *Gw.* rhif 290.

371 FULK, R.D.: Two words in *Y Gododdin: aphan* (CA l.8), *ysgeth* (CA l.36). *BBCS*, 28(1979), 400-2.

372 KOCH, JOHN T.: The stone of the *Weni-kones* [*Maen Gwynngwn* (CA ix)]. *BBCS*, 29(1980), 87-9.

373 MAC CANA, PROINSIAS: Notes on the 'abnormal sentence' — Aneirin and the 'abnormal sentence'. *SC*, 14/15(1979/80), 174-9.

374 THORNE, D.A.: *Ethy* [CA l.8 *ethy eur aphan*]. *BBCS*, 33(1986), 149.

(ii) Taliesin
(a) Testun

375 HAYCOCK, MARGED: *Mynegair i Lyfr Taliesin—A concordance to the Book of Taliesin (Llsgr. Peniarth 2).* Caerdydd: Gwasg Prifysgol Cymru, 1979. (Microfiche).

376 WILLIAMS, IFOR (GOL.): *Canu Taliesin,* gyda rhagymadrodd a nodiadau. Caerdydd: Gwasg Prifysgol Cymru, 1977. xlv, 115tt. (Arg. cyntaf, 1960).

(b) Cyfieithiadau

377 CONRAN, ANTHONY: *Welsh verse.* Second revised ed. . . . *Gw.* rhif 169.

378 FORD, PATRICK K.: *Sources and analogues of Old English poetry, II* . . . *Gw.* rhif 350.

379 JONES, GWYN: *The Oxford Book of Welsh verse in English* . . . *Gw.* rhif 170.

380 WILLIAMS, GWYN: *To look for a word: collected translations from Welsh poetry* . . . *Gw.* rhif 171.

(c) Astudiaethau

381 DONOVAN, P.J.: Mydryddiaeth Canu Aneirin a Chanu Taliesin. (Traethawd M.A.). Aberystwyth, 1975.

382 HAYCOCK, MARGED: Llyfr Taliesin — astudiaethau ar rai agweddau. (Traethawd Ph.D.). Aberystwyth, 1983.

383 JARMAN, A.O.H.: Taliesin. [In] *A guide to Welsh literature, volume i* . . . pp. 51-67. *Gw.* rhif 104.

384 JONES, R.M.: Dechreuadau llenyddiaeth—Taliesin. [Yn] *Llên Cymru a chrefydd* . . . tt. 119-45. *Gw.* rhif 117.

385 THOMAS, GWYN: Canu'r Hen Ogledd. [Yn] *Llenyddiaeth y Cymry, cyflwyniad darluniadol. Cyfrol 1* . . . tt. 12-20. *Gw.* rhif 149.

386 —— Cynan Garwyn fab Brochfael Ysgithrawg. *BBCS*, 27(1977), 222-3.

387 —— *Y traddodiad barddol* . . . tt. 19-41. *Gw.* rhif 150. *Gw. hefyd* MARGED HAYCOCK, *Barddas*, 102(1985), 10-11; *Barddas*, 103(1985), 11.

(ch)   Nodiadau testunol

388 FLEURIOT, LÉON: Breton -*comboe*, gallois *cymwy*, irlandais *com-bag*, breton *divoe*, gallois *dyfwy?*, irlandais *dibaig*-. *EC*, 20(1983), 109-11.
CT VI. 5 'dyuwy o argoet hyt arvynyd'.

389 ROWLAND, JENNY: *Nac vn trew na deu ny nawd yraceu* (CT V.26). *BBCS*, 29(1981), 527-8.

390 SIMS-WILLIAMS, PATRICK: *Gan* [PT III. 5.] *BBCS*, 28(1979), 402-3.

(iii)   Y canu am Lywarch Hen / Heledd
(a)   Testun

391 FORD, PATRICK K. (ED.): *The poetry of Llywarch Hen; introduction, text, and translation.* Berkeley; London: University of California Press, 1974. xvii, 145p. *Rev.*: Glyn M. Ashton, *AWR*, 57(1976), 253-6.

392 JARMAN, A. O. H. (GOL.): *Llyfr Du Caerfyrddin;* gyda rhagymadrodd, nodiadau testunol a geirfa, gan A. O. H. Jarman, ac adran ar y llawysgrif gan E. D. Jones. Caerdydd: Gwasg Prifysgol Cymru, 1982. lxxxii, 176tt. *Adol.*: D. Simon Evans, *LlC*, 14(1983/84), 210-15; J. E. Caerwyn Williams, *Y Traethodydd*, 140(1985), 49-51. *Rev.*: David Johnston, *Celtica*, 16(1984), 203-6; Jenny Rowland, *CHC*, 12(1984), 115-16; J.E. Caerwyn Williams, *SC*, 18/19(1983/84), 400-4.

393 ROLANT, EURYS: Ceing Faglawg. *SC*, 20/21(1985/86), 199-204.

394 —— *Llywarch Hen a'i feibion;* golygwyd gyda rhagymadrodd a nodiadau. Aberystwyth: Canolfan Uwchefrydiau Cymreig a Cheltaidd, 1984. 231tt. (Efrydiau'r Ganolfan; 1). *Adol.*: John Rowlands, *LlLl*, Haf (1985), 13. *Gw. hefyd* rif 393.

395 —— 'Wedi elwch . . . ' [Yn] *Bardos: penodau ar y traddodiad barddol Cymreig a Cheltaidd* . . . tt. 44-59. *Gw.* rhif 95.
Yn cynnwys testun Llyfr Coch Hergest o'r gerdd 'Diffaith Aelwyd Rheged, ynghyd â thestun golygedig a nodiadau.

396 ROWLAND, JENNY: A study of the saga englynion, with an edition of the major texts. (Ph.D. Thesis). Aberystwyth, 1983.

397 THOMAS, GWYN: *Cân yr Henwr* (Llywarch Hen). [Yn] *Astudiaethau ar yr Hengerdd* . . . tt. 266-80. *Gw.* rhif 290.

398 WILLIAMS, IFOR (GOL.): *Canu Llywarch Hen;* gyda rhagymadrodd a nodiadau. Caerdydd: Gwasg Prifysgol Cymru, 1978. xiii, 264tt. (Arg. cyntaf, 1935).

(b) Cyfieithiadau

399 CONRAN, ANTHONY: *Welsh verse.* Second revised ed. . . . *Gw.* rhif 169.

400 FORD, PATRICK K.: *The poetry of Llywarch Hen* . . . *Gw.* rhif 391.

401 ——*Sources and analogues of Old English poetry, II* . . . *Gw.* rhif 350.

402 JONES, GWYN: *The Oxford Book of Welsh verse in English* . . . *Gw.* rhif 170.

403 ROWLAND, JENNY: A study of the saga englynion, with an edition of the major texts. (Ph.D. Thesis). Aberystwyth, 1983.

404 WILLIAMS, GWYN: *To look for a word: collected translations from Welsh poetry* . . . *Gw.* rhif 171.

(c) Astudiaethau

405 ASHTON, GLYN M.: Geirfa *The heroic elegies of Llywarch Hen.* [Yn] *Astudiaethau ar yr Hengerdd* . . . tt. 356-83. *Gw.* rhif 290.

406 BROWN, J.P.: Cynddylan Werydre. *Y Faner,* 8.12.78, 18-19; 15.12.78, 10-12; 22.12.78, 12-14; 29.12.78, 15-16.

407 FORD, PATRICK K.: *The poetry of Llywarch Hen* . . . Introduction, pp. 3-62. *Gw.* rhif 391.

408 —— A social and historical analysis of the poetry of Llywarch Hen. (Ph. D. Thesis). Harvard, 1969.

409 JARMAN, A.O.H.: Saga poetry—the cycle of Llywarch Hen. [In] *A guide to Welsh literature, volume i* . . . pp. 81-97. *Gw.* rhif 104.

410 ROLANT, EURYS: 'Gwir, enwir, a bwd' *SC,* 16/17(1981/82), 219-25.
       Yn cynnwys trafodaeth ar *Ganu Llywarch Hen* [CLIH 16(III. 35), 34(XI. 8), 40 (XI. 54)].

411 ROWLAND, JENNY: The family of Cyndrwyn and Cynddylan. *BBCS,* 29(1981), 526-7.

412 —— *Gwerydd. SC* 16/17(1981/82), 234-47.
       Yn cynnwys trafodaeth ar *rodwit Iwerit* CLIH, 29(VII.19).

413 ROWLAND, JENNY: The manuscript tradition of the Red Book *englynion*. *SC*, 18/19(1983/84), 79-95.

414 —— The prose setting of the early Welsh *englynion chwedlonol*. *Ériu*, 36(1985), 29-43.

415 STANFORD, S.C.: *The archaeology of the Welsh Marches*. London: Collins, 1980. viii, 19-288pp. (Collins archaeology).

416 THOMAS, GWYN: 'Hen ganu englynol'. [Yn] *Llenyddiaeth y Cymry, cyflwyniad darluniadol. Cyfrol 1* . . . tt. 26-32. *Gw*. rhif 149.

417 —— *Y traddodiad barddol* . . . tt. 80-96. *Gw*. rhif 150. *Gw. hefyd* MARGED HAYCOCK, *Barddas*, 104/105(1986), 21.

418 WILLIAMS, N.J.A.: *Canu Llywarch Hen* and the Finn Cycle. [Yn] *Astudiaethau ar yr Hengerdd* . . . tt. 234—65. *Gw*. rhif 290.

(iv) Canu'r Bwlch

419 GRUFFYDD, R. GERAINT: Canu Cadwallon ap Cadfan. [Yn] *Astudiaethau ar yr Hengerdd* . . . tt. 25-43. *Gw*. rhif 290.

420 —— The early court poetry of south west Wales. *SC*, 14/15(1979/80), 95-105.

421 —— 'Marwnad Cynddylan'. [Yn] *Bardos: penodau ar y traddodiad barddol Cymreig a Cheltaidd* . . . tt. 10-28. *Gw*. rhif 95.

422 JARMAN, A. O. H.: The later Cynfeirdd. [In] *A guide to Welsh literature, volume i* . . . pp. 98-122. *Gw*. rhif 104.
Cyfeirir at 'Moliant Cadwallon', 'Marwnad Cynddylan', 'Edmyg Dinbych'.

423 THOMAS, GRAHAM: Llinellau o gerddi i Gadwallon ap Cadfan. *BBCS*, 26(1976), 406-10.

424 THOMAS, GWYN: *Y traddodiad barddol* . . . tt. 51-60. *Gw*. rhif 150.
Trafodir 'Moliant Cadwallon', 'Marwnad Cynddylan', 'Edmyg Dinbych', 'Echrys Ynys'.

425 WILLIAMS, J. E. CAERWYN: 'Marwnad Cunedda' o Lyfr Taliesin (BT 69.9-70.15). [Yn] *Astudiaethau ar yr Hengerdd* . . . tt. 208-33. *Gw*. rhif 290.

(v) Englynion Llawysgrif Juvencus
(a) Astudiaethau

426 OATES, J. C. T.: Notes on the later history of the oldest manuscript of Welsh poetry: the Cambridge Juvencus [MS. Ff. 4.42. Cambridge University Library]. *CMCS*, 3(1982), 81-7.

427 WATKINS, T. ARWYN: Englynion y Juvencus. [Yn] *Bardos: penodau ar y traddodiad barddol Cymreig a Cheltaidd* . . . tt. 29-43. *Gw.* rhif 95.

(b) Cyfieithiadau

428 WILLIAMS, GWYN: *To look for a word: collected translations from Welsh poetry* . . . *Gw.* rhif 171.

(vi) Armes Prydain
(a) Testun

429 WILLIAMS, IFOR (GOL.): *Armes Prydein o Lyfr Taliesin;* gyda rhagymadrodd a nodiadau. Caerdydd: Gwasg Prifysgol Cymru, 1955. xlvii, 76tt. Adargraffiad 1979.

(c) Astudiaethau

430 DUMVILLE, DAVID N.: Brittany and 'Armes Prydain Vawr'. *EC,* 20(1983), 144-59.

431 THOMAS, GWYN: Hen ganu o Gymru. [Yn] *Llenyddiaeth y Cymry, cyflwyniad darluniadol. Cyfrol 1* . . . tt. 22-5. *Gw.* rhif 149.

432 —— *Y traddodiad barddol* . . . tt. 61-7. *Gw.* rhif 150.

(ch) Nodiadau testunol

433 HAMP, ERIC P.: An indeterminacy [*wnaant* (AP l.80), ˡ*gwnant* (AP l. 82)]. *BBCS,* 30(1982), 45.

434 —— Notes to *Armes Prydein* [AP] - *escorant* (l.86); *dichlyn* (l. 92); *Prydyn* (l.10); *kynt pwy kynt* (l.96); *eluyd* (l. 156). *BBCS,* 30(1983), 289-91.

435 —— *Peryddon. SC,* 18/19(1983/4), 132-3.
Yn cynnwys sylwadau ar *Aber Perydon* (AP l.18).

(vii) Darogan Chwedlau Myrddin a Thaliesin
(a) Testun

436 BOREHAM, JEREMY ac OWEN, MORFYDD E.: *Mynegair i Lyfr Du Caerfyrddin - A concordance to the Black Book of Carmarthen.* Caerdydd: Gwasg Prifysgol Cymru, 1983. (Microfiche).
Fel y'i ceir yng ngwaith A. O. H. Jarman, *gw.* rhif 392.

437 FORD, PATRICK K.: The death of Merlin in the Chronicle of Elis Gruffudd [edited and translated]. *Viator,* 7(1976), 379-90.

438 GEOFFREY OF MONOUTH: *Vita Merlini. Life of Merlin;* edited with introduction . . . by Basil Clarke. (*Gw.* LlLlG rhif 457). *Rev.:* R. T. Pritchard, *SC,* 10/11(1975/76), 487-91; Brynley F. Roberts, *MAe,* 44(1975), 171-3.

439 HAYCOCK, MARGED: Llyfr Taliesin — astudiaethau ar rai agweddau. (Traethawd Ph.D.). Aberystwyth, 1983.

440 JARMAN, A. O. H. (GOL.): *Llyfr Du Caerfyrddin;* gyda rhagymadrodd, nodiadau testunol a geirfa, gan A. O. H. Jarman, ac adran ar y llawysgrif gan E. D. Jones. Caerdydd: Gwasg Prifysgol Cymru, 1982. lxxxii, 176tt. *Gw.* rhif 392.

441 —— *Ymddiddan Myrddin a Thaliesin.* Caerdydd: Gwasg Prifysgol Cymru, 1986. 79tt. (Arg. cyntaf 1951).
Ceir cyfieithiad Saesneg o'r gerdd gan A. O. H. Jarman yn LYN HUGHES, *A Carmarthenshire anthology.* Llandybïe: Christopher Davies, 1984. tt. 93-4.

(b) Cyfieithiadau

442 TOLSTOY, NIKOLAI: *The quest for Merlin.* London: Hamish Hamilton, 1985. 322 pp.
pp. 251-5 Translations, by A. O. H. Jarman, of sections of the Welsh Myrddin poetry which refer to the early legend: The dialogue of Myrddin and Taliesin, The *Afallennau,* The *Oianau. Gw. hefyd* rif 441.

443 WILLIAMS, GWYN: *To look for a word: collected translations from Welsh poetry* . . . *Gw.* rhif 171.

(c) Testunau cynnar sy'n trafod Chwedl Myrddin, etc.

444 ECKHARDT, CAROLINE D.: The date of the 'Prophetia Merlini' commentary: MSS Cotton Claudius B vii and Bibliothèque Nationale Fonds Latin 6233. *N&Q,* 23[N.S.](1976), 146-7.

445 ECKHARDT, CAROLINE D. (ED.): *The 'Prophetia Merlini' of Geoffrey of Monmouth, a fifteenth century English commentary;* edited with an introduction. Cambridge, Mass.: The Medieval Academy of America, 1982. xii, 104pp. (Speculum anniversary monographs; 8).

446 FLEURIOT, LÉON: Les fragments du texte brittonique de la *Prophetia Merlini. EC,* 14(1974), 43-56.

447 FLOBERT, P.: *La Prophetia Merlini* de Jean de Cornwall. *ÉC,* 14(1974), 31-41.

(ch) Astudiaethau

448 CAREY, JOHN: Suibhne Geilt and Tuán Mac Cairill. *Éigse,* 20(1984), 93-105.

449 CHANDLER, J. E. E.: Some aspects of the legend of Merlin as represented by Celtic sources and in the works of the early chroniclers (Geoffrey of Monmouth, Giraldus Cambrensis, Layamon and Wace), with reference to the Welsh Bruts. (D.Phil. Thesis). Oxford, 1979.

450 COHEN, DAVID J.: Suibhne Geilt. *Celtica,* 12(1977), 113-24.

451 CURLEY, MICHAEL J.: Gerallt Gymro a Siôn o Gernyw fel cyfieithwyr proffwydoliaethau Myrddin. *LlC,* 15(1984/86), 23-33.

452 EDEL, DORIS: Geoffrey's so-called animal symbolism and Insular Celtic tradition. *SC,* 18/19(1983/84), 96-109.

453 FRYKENBERG, BRIAN R.: Suibhne, Lailoken and the *Taídiu. PHCC,* 4(1984), 105-20.

454 JACKSON, KENNETH H.: 'O achaws nyth yr Ychedydd' (TYP rhif 84, t. 206: Brwydr Arfderydd). *YB,* 10(1977), 45-50.

455 JARMAN, A. O. H.: A oedd Myrddin yn fardd hanesyddol? *SC,* 10/11(1975/76), 182-97.

456 —— Cerdd Ysgolan. *YB,* 10(1977), 51-78.

457 —— Early stages in the development of the Myrddin legend. [In] *Astudiaethau ar yr Hengerdd . . .* tt. 326-49. *Gw.* rhif 290.

458 —— The later Cynfeirdd. [In] *A guide to Welsh literature, volume i . . .* pp. 102-6, 117-19. *Gw.* rhif 104.

459 —— *The legend of Merlin.* Cardiff: University of Wales Press, 1960. 31pp. (Reprinted 1976).

460 —— The legend of Merlin and its associations with Carmarthen. *CAntiq,* 22(1986), 15-25.

461 —— *Llyfr Du Caerfyrddin:* The Black Book of Carmarthen. *PBA,* 71(1985)[1986], 333-56. *Gw. hefyd* rif 392.

462 —— The Welsh Myrddin poems. [In] *Arthurian literature in the Middle Ages . . .* pp. 20-30. *Gw.* rhif 767.

463 LAURENT, DONATIEN: La gwerz de Skolan et la légende de Merlin. *Ethnologie française,* 1/3-4 (1980), 19-54.

464 MARKALE, JEAN: *Merlin l'Enchanteur ou l'éternelle quête magique.* Paris: Retz, 1981. 224pp.

465 MEEHAN, BERNARD: Geoffrey of Monmouth, *Prophecies of Merlin:* new manuscript evidence. *BBCS,* 28(1978), 37-46.

466 NAGY, JOSEPH FALAKY: The wisdom of the Geilt. *Éigse,* 19/1, (1982), 44-60.

467 RADNER, JOAN NEWLON: The significance of the threefold death in Celtic tradition. [In] *Celtic folklore and Christianity . . .* pp. 180-200. *Gw.* rhif 359.

468 RANDALL, ALAN B.: Carmarthen and Merlin the Magician. *CH*, 17(1980), 5-24.

469 ROBERTS, BRYNLEY F.: Copïau Cymraeg o *Prophetiae Merlini*. *CLlGC*, 20(1977), 14-39.

470 SAN-MARTE, ALBERT SCHULZ (ED.): *Die Sagen von Merlin*. Halle: Waisenhauses, 1853. 351pp. Reproduced, Hildensheim: George Olms, 1979.

471 THOMAS, GWYN: *Y traddodiad barddol* . . . tt. 71-3. *Gw.* rhif 150.

472 THORPE, LEWIS: Orderic Vitalis and the *Prophetiae Merlini* of Geoffrey of Monmouth. *BBIAS*, 29(1977), 191-208.

473 TOLSTOY, NIKOLAI: 'Merlinus Redivivus'. *SC*, 18/19(1983/84), 11-29.

474 —— *The quest for Merlin*. London: Hamish Hamilton, 1985. 323pp. *Rev.:* D. Simon Evans, *SC*, 20/21(1985/86), 289-90; J. E. Caerwyn Williams, *LlLl*, Summer (1985), 11.

(viii)   Canu Natur a Chanu Gwirebol
(a)   Cyfieithiadau

475 CONRAN, ANTHONY: *Welsh verse*. Second revised ed. . . . *Gw.* rhif 169.

476 FORD, PATRICK K.: *Sources and analogues of Old English poetry II* . . . *Gw.* rhif 350.

477 JONES, GWYN: *The Oxford Book of Welsh verse in English* . . . *Gw.* rhif 170.

(b)   Astudiaethau

478 JONES, R.M.: Llym awel - sylwadau ar y canu gwirebol. *THSC*, 1981, 7-34.

479 PADEL, O.J.: Welsh *blwch* 'bold, hairless'. *BBCS*, 29(1981), 523-6.
Yn cynnwys sylwadau ar *coed ini bluch* (BBC 89.6).

480 ROWLAND, JENNY: Englynion Duad. *JCS*, 3(1981), 5-87.

481 THOMAS, GWYN: *Y traddodiad barddol* . . . tt. 99-103. Gw. rhif 150.

482 TYMOCZKO, MARIA: 'Cétamon' - vision in early Irish seasonal poetry. *EI*, 18/4(1983), 17-39.

483 —— Knowledge and vision in early Welsh gnomic poetry. *PHCC*, 3(1983), 1-19.

(ix)   Canu Crefyddol

484 HAYCOCK, MARGED: Llyfr Taliesin: astudiaethau ar rai agweddau. (Traethawd Ph.D.). Aberystwyth, 1983.

485 JARMAN, A. O. H. (GOL.): *Llyfr Du Caerfyrddin;* gyda rhagymadrodd, nodiadau testunol a geirfa . . . *Gw.* rhif 392.

486 THOMAS, GWYN: *Y traddodiad barddol* . . . tt. 103-8. *Gw.* rhif 150.

(x) Canu Cyfarwyddyd

[Ar 'Y canu am Lywarch Hen / Heledd' *gw. rhifau* 391-418]

487 CONRAN, ANTHONY: *Welsh verse.* Second revised ed. . . . *Gw.* rhif 169.

488 FORD, PATRICK K.: *Sources and analogues of Old English poetry, II* . . . *Gw.* rhif 350.

489 JONES, GWYN: *The Oxford Book of Welsh verse in English* . . . *Gw.* rhif 170.

490 WILLIAMS, GWYN: *To look for a word; collected translations from Welsh poetry* . . . *Gw.* rhif 171.

(b) Astudiaethau

491 BROMWICH, RACHEL: The 'Tristan' poem in the Black Book of Carmarthen. *SC,* 14/15 (1979/80), 54-65.

492 DOAN, JAMES E.: The legend of the sunken city in Welsh and Breton tradition. *Folklore,* 92(1981), 77-83.

493 FORD, PATRICK K.: *The Mabinogi and other medieval Welsh tales* . . . *Gw.* rhif 651.
Yn cynnwys cyfieithiad o 'Cad Goddau' (BT).

494 HAYCOCK, MARGED: Dylan Ail Ton. *YB,* 13(1985), 26-38.

495 —— Llyfr Taliesin - astudiaethau ar rai agweddau. (Traethawd Ph.D.). Aberystwyth, 1983.

496 —— *Preiddeu Annwn* and the figure of Taliesin. *SC,* 18/19 (1983/84), 52-79.

497 JARMAN, A. O. H.: The Arthurian allusions in the Black Book of Carmarthen. [In] *The legend of Arthur in the Middle Ages* . . . pp. 99-112. *Gw.* rhif 801.
Trafodir 'Ymddiddan Arthur a Glewlwyd Gafaelfawr'.

498 —— Cerdd Ysgolan. *YB,* 10(1977), 51-78.

499 —— The later Cynfeirdd. [In] *A guide to Welsh literature, volume i* . . . pp. 106-11. *Gw.* rhif 104.
Trafodir rhai cerddi o *Lyfr Taliesin* a berthyn i 'Chwedl Taliesin'.

500 JARMAN, A. O. H.: (GOL.): *Llyfr Du Caerfyrddin;* gyda rhagymadrodd, nodiadau testunol a geirfa . . . *Gw.* rhif 392.

501 LAURENT, DONATIEN: La gwerz de Skolan et la légende de Merlin. *Ethnologie française*, 1/3-4(1980), 19-54.

502 ROBERTS, BRYNLEY F.: Rhai o gerddi ymddiddan Llyfr Du Caerfyrddin. [Yn] *Astudiaethau ar yr Hengerdd . . .* tt. 281-325. *Gw.* rhif 290.
Cynnwys: Gereint fab Erbin; Ymddiddan Arthur a Glewlwyd Gafaelfawr; Gwallawg ap Lleynnawg; Gwyddneu Garanhir a Gwyn ap Nudd; Taliesin ac Ugnach ap Mydno.

503 ROWLAND, JENNY: A study of the saga englynion, with an edition of the major texts. (Ph.D. Thesis). Aberystwyth, 1983.

504 ROWLAND, JENNY and THOMAS, GRAHAM: Additional versions of the Trystan englynion and prose. *CLlGC*, 22(1982), 241-53.

505 THOMAS, GWYN: *Y traddodiad barddol . . .* tt. 67-96. *Gw.* rhif 150.
Trafodir 'Ymddiddan Arthur a Glewlwyd Gafaelfawr' (BBC), 'Angar Kyfyndawt' a 'Cad Goddau' (BT).

506 WILLIAMS, J. E. CAERWYN: *(A)nawell, *(A)nawellu* (BBC 102. 3-4). *Y Traethodydd*, 135(1980), 46-7. (*Gw.* B. F. Roberts, rhif 502, t. 324.)

(xi) Hen Ryddiaith

(1) Computus

507 ARMSTRONG, JOHN: The Old Welsh *Computus* fragment and Bede's *Pagina Regularis*. Part 1. *PHCC*, 2(1982), 187-272.

(2) 'Surexit Memorandum (Llyfr St. Chad)

508 EVANS, J. GWENOGVRYN and RHŶS, JOHN: *The text of the Book of Llan Dâv.* Oxford, 1893. Facsimile edition published by the National Library of Wales, Aberystwyth, 1979. li, 429pp, [14] leaves of plates (13 folded). pp. xliii-xlviii St. Chad Memoranda.

509 JENKINS, DAFYDD: Sylwadau ar y 'Surexit'. *BBCS*, 28(1980), 607-12.

510 JENKINS, DAFYDD and OWEN, MORFYDD E.: Welsh law in Carmarthenshire. *CAntiq*, 18(1982), 17-27.

511 —— The Welsh marginalia in the Lichfield Gospels. *CMCS*, 5(1983), 37-66; 7(1984), 91-120.
Contents: Part I. i. Introduction. ii. The Lichfield Gospels. iii. The Welsh marginalia. iv. Secular records in sacred books. Part II. v. The text of the 'Surexit' Memorandum. vi. Notes on the text. vii. The witness list. viii. 'Surexit' as a legal document. ix. 'Surexit' as Welsh prose. x. Appendix: A note on the orthography of the Chad Memoranda.

512 LINDEMAN, FREDRIK OTTO: OW *diprotant*. *BBCS*, 32(1985), 163-4.

(3) Braint Teilo (Llyfr Llandaf)

513 DAVIES, WENDY: *The Llandaff Charters*. Aberystwyth: National Library of Wales, 1979. xi, 206pp. *Rev.:* Patrick Sims-Williams, *JEH*, 33(1982), 124-9.

514 —— The orthography of personal names in the charters of *Liber Landavensis*. *BBCS*, 28(1980), 553-7.

515 EVANS, J. GWENOGVRYN and RHŶS, JOHN: *The text of the Book of Llan Dâv*. Oxford, 1893. Facsimile edition published by the National Library of Wales, Aberystwyth, 1979. li, 429pp., [14] leaves of plates (13 folded).

(xii) Llenyddiaeth Ladin-Gymreig
(i) Cyffredinol

516 DUMVILLE, DAVID N.: Celtic Latin texts in northern England, ca 1150 - ca 1250. *Celtica*, 12(1977), 19-49.

517 LAPIDGE, MICHAEL: Latin learning in Dark Age Wales: some prolegomena [In] *Proceedings of the Seventh International Congress of Celtic Studies* . . . pp. 91-107. *Gw*. rhif 106.

518 LAPIDGE, MICHAEL and SHARPE, RICHARD: *A bibliography of Celtic-Latin literature 400-1200;* with foreword by Proinsias Mac Cana. Dublin: Royal Irish Academy, 1985. xxii, 361pp. (Royal Irish Academy, Dictionary of Medieval Latin from Celtic sources. Ancillary publications; 1). *Rev.:* Pádraig A. Breatnach, *CMCS*, 12(1986), 122-4.

(ii) Annales Cambriae

519 DAVIES, HELEN: A palaeographical and textual study of the text of the Annales Cambriae in B.L. Harley MS. 3859. (M.A. Thesis). Aberystwyth, 1978.

520 GRABOWSKI, KATHRYN and DUMVILLE, DAVID N.: *Chronicles and annals of mediaeval Ireland and Wales: The Clonmacnoise-group texts*. Woodbridge: The Boydell Press, 1984. x, 242pp. *Rev.:* T. M. Charles-Edwards, *CHC*, 13(1986), 103-5.
pp. 207-26 'When was the 'Clonmacnoise Chronicle' created? The evidence of Welsh Annals', by David N. Dumville.

521 HUGHES, KATHLEEN: *Celtic Britain in the early Middle Ages: studies in Scottish and Welsh sources;* edited by David N. Dumville. Woodbridge: The Boydell Press, 1980. ix, 123pp. (Studies in Celtic history; 2). *Rev.:* J. E. Caerwyn Williams, *SC*, 16/17(1981/82), 392-4.
Includes: i. The Welsh Latin chronicles: *Annales Cambriae* and related texts. (First published in *PBA*, 59(1973) [1974], 233-58. *Rev.:* David N. Dumville, *SC*, 12/13(1977/78), 461-7). ii. The A-text of *Annales Cambriae*.

38

(iii) Gildas

522 BROOKS, DODIE A.: Gildas' *De Excidio* - its revolutionary meaning and purpose. *SC*, 18/19(1983/84), 1-10.

523 JACKSON, KENNETH H.: Gildas and the names of the British princes. *CMCS*, 3(1982), 30-40.

524 LAPIDGE, MICHAEL and DUMVILLE, DAVID N. (EDS.): *Gildas: new approaches*. Woodbridge: The Boydell Press, 1984. xii, 244pp. (Studies in Celtic history; 5). *Rev.:* N. P. Brooks, *CHC*, 13(1986), 100-2; Thomas Charles-Edwards, *CMCS*, 12(1986), 115-20; F. Kerlouégan, *EC*, 23(1986), 332-6.
Contents: The end of Roman Britain: Continental evidence and parallels (Ian Wood). Gildas's education and the Latin culture of sub-Roman Britain (Michael Lapidge). Gildas and Maelgwn: problems of dating (David N. Dumville). The chronology of *De Excidio Britanniae*, Book 1 (David N. Dumville). Gildas's geographichal perspective: some problems (Neil Wright). Gildas's prose style and its origins (Neil Wright). *Clausulae* in Gildas's *De Excidio Britanniae* (Giovanni Orlandi). Britain's *iudices* (Paul Schaffner). The imagery of Gildas's *De Excidio Britanniae* (A. C. Sutherland). Gildas and vernacular poetry (Patrick Sims-Williams). Gildas as a Father of the Church (Richard Sharpe). Gildas and Uinniau (David N. Dumville).

525 MILLER, MOLLY: Starting to write history: Gildas, Bede and 'Nennius'. *CHC*, 8(1977), 456-65.

526 O'SULLIVAN, THOMAS D.: *The De Excidio of Gildas-its authenticity and date*. Leiden: E. J. Brill, 1978. 200pp. (Columbia Studies in the Classical tradition; vii). *Rev.:* Eric John, *CHC*, 10(1980), 239-40; F. Kerlouégan, *EC*, 17(1980), 306-9.

527 SIMS-WILLIAMS, P.: Gildas and the Anglo-Saxons. *CMCS*, 6(1983), 1-30.

528 THOMPSON, E.A.: Gildas and the history of Britain. *Britannia*, 10(1979), 203-26; 11(1980), 344.

529 WINTERBOTTOM, MICHAEL: Notes on the text of Gildas. *JTS*, 27(1976), 132-40.

530 —— The preface of Gildas' *De Excidio*. *THSC*, 1974/75, 277-87.

531 WINTERBOTTOM, MICHAEL (ED.): *Gildas, The Ruin of Britain and other works*; edited and translated. London: Phillimore, 1978. 162pp. (History from the sources. Arthurian period sources; 7). *Rev.:* E. A. Thompson, *Britannia*, 11(1980), 451-2.

532 WRIGHT, NEIL: Did Gildas read Orosius? *CMCS*, 9(1985), 31-42.

533 —— Geoffrey of Monmouth and Gildas. *AL*, 2(1982), 1-40. *Also* Geoffrey of Monmouth and Gildas revisited. *AL*, 4(1985), 155-63.

534 WRIGHT, NEIL: A note on Gildas's *lanio fulve*. *BBCS*, 30(1983), 306-9.

(iv) Giraldus Cambrensis

535 BARTLETT, ROBERT: Gerald of Wales 1146-1223. (D.Phil. Thesis). Oxford, 1978.

536 —— *Gerald of Wales 1146-1223*. Oxford: Clarendon Press, 1982. 246pp. (Oxford historical monographs).

537 GRIFFITHS, J. GWYN: Giraldus Cambrensis *Descriptio Kambriae*, i. 16. *BBCS*, 31(1984), 1-16.

538 RICHTER, MICHAEL: Giraldus Cambrensis and Llanthony Priory. *SC*, 12/13(1977/78), 118-32.

539 ROBERTS, BRYNLEY F.: *Gerald of Wales*. Cardiff: University of Wales Press on behalf of the Welsh Arts Council, 1982. 102pp. (Writers of Wales). *Adol.*: J. E. Caerwyn Williams, *Y Traethodydd*, 140(1985), 218-20. *Rev.*: C. N. L. Brooke, *CMCS*, 6(1983), 99; D. Simon Evans, *LlLl*, Autumn (1982), 11; Richard W. Pfaff, *Speculum*, 60(1985), 117-19; K. H. Schmidt, *ZCP*, 40(1984), 295-6.

(v) Liber Landavensis (Llyfr Llandaf)

540 DAVIES, WENDY: The Latin charter-tradition in western Britain, Brittany and Ireland in the early mediaeval period. [In] *Ireland in early mediaeval Europe*... pp. 258-80. *Gw*. rhif 328.

541 —— *The Llandaff Charters*. Aberystwyth: National Library of Wales, 1979. xi, 206p. *Rev.*: Patrick Sims-Williams, *JEH*, 33(1982), 124-9.

542 —— The orthography of personal names in the charters of *Liber Landavensis*. *BBCS*, 28(1980), 553-7.

543 DAVIES, WENDY (ED.): *An early Welsh microcosm: studies in the Llandaff Charters*. London: Royal Historical Society, 1978. xi, 208pp. (Studies in history; 9). *Rev.*: Patrick Sims-Williams, *JEH*, 33(1982), 124-9.

544 EVANS, J. GWENOGVRYN and RHŶS, JOHN: *The text of the Book of Llan Dâv*. Oxford, 1893. Facsimile edition published by the National Library of Wales, Aberystwyth, 1979. li, 429pp, [14] leaves of plates (13 folded).

(vi) Nennius

545 DUMVILLE, DAVID N.: The historical value of the *Historia Brittonum*. *AL*, 6(1986), 1-26.

546 —— 'Nennius' and the *Historia Brittonum*. *SC*, 10/11(1975/76), 78-95.

547 DUMVILLE, DAVID N.: On the North British section of the *Historia Brittonum*. *CHC*, 8(1977), 345-54.

548 —— The textual history of the Welsh-Latin *Historia Brittonum*. (Ph.D. Thesis). Edinburgh, 1975.

549 DUMVILLE, DAVID N. (ED.): *The Historia Brittonum, 3, The 'Vatican' recension*. Cambridge: D. S. Brewer, 1985. xx, 122pp. *Rev.:* D. Simon Evans, *JWEH*, 2(1985), 94-5; O. J. Padel, *Nomina*, 9(1985), 117-18; J. E. Caerwyn Williams, *SC*, 20/21(985/86), 293-6.

550 MILLER, MOLLY: Consular years in the *Historia Brittonum*. *BBCS*, 29(1980), 17-34.

551 MORRIS, JOHN (ED.): *Nennuis, British history and the Welsh annals;* edited and translated. London: Phillimore, 1980. 100pp. (History from the sources. Arthurian period sources; 8.)

552 RUTHERFORD, ANTHONY: The *Historia Brittonum:* some sources and analogues. (M.Litt. Thesis). Edinburgh, 1974-5.

(vii) Sieffre o Fynwy
[*Gw. hefyd* rifau 779-799]

553 DUMVILLE, DAVID N.: An early text of Geoffrey of Monmouth's *Historia Regum Britanniae* and the circulation of some Latin histories in twelfth-century Normandy. *AL*, 4(1985), 1-36.

554 —— The manuscripts of Geoffrey of Monmouth's *Historia Regum Britanniae. AL*, 3(1983), 113-28. *Also:* Addenda, corrigenda and an alphabetical list. *AL*, 4(1985), 164-71. A second supplement. *AL*, 5(1985), 149-51. *See also* JULIA CRICK, A new supplement. *AL*, 6(1986), 157-62.

555 —— The origin of the C-text of the variant version of the *Historia Regum Britannie. BBCS*, 26(1975), 315-22.

556 WRIGHT, NEIL (ED.): *The Historia Regum Britannie of Geoffrey of Monmouth, I. Bern, Burgerbibliothek, MS. 568*. Cambridge: D. S. Brewer, 1984. lxv, 174pp.
pp. ix-xx Introduction: Geoffrey of Monmouth's life and works.

557 —— *The Historia Regum Britannie of Geoffrey of Monmouth, II. The first variant version*. Cambridge: D. S. Brewer, 1986. cxxi, 215pp.

ADRAN   C

Y CYFNOD CANOL
Y GOGYNFEIRDD

(i)   Testunau

558   MORRIS-JONES, RHIANNON *et al.: Llawysgrif Hendregadredd;* copïwyd gan Rhiannon Morris-Jones. Golygwyd gan John Morris-Jones a T. H. Parry-Williams. Caerdydd: Gwasg Prifysgol Cymru, 1971. Adarg. 1978. xiv. 366tt.

559   WILLIAMS, HELEN J.: *Mynegair i farddoniaeth Llyfr Coch Hergest = A concordance of the poetry in the Red Book of Hergest.* Caerdydd: Gwasg Prifysgol Cymru, 1985. Microfiche.

560   WILLIAMS, J.E. CAERWYN *et al.* (GOL.): *Llywelyn y beirdd—blodeugerdd o'r cerddi a ganwyd i Lywelyn ap Gruffudd ac amdano i goffáu saithganmlwyddiant ei farwolaeth ac i gadw'r fflam ynghŷn;* golygwyd gan J.E. Caerwyn Williams, Eurys Rolant, Alan Llwyd. [s.l.]: Cyhoeddiadau Barddas, 1984. 185tt. *Adol.:* Gruffydd Aled Williams, *Barddas,* 95/96(1985), 14-15.

tt. 11-101 *Cerddi'r Gogynfeirdd,* wedi eu dethol a'u golygu, a rhagymadrodd, gan J.E. Caerwyn Williams.

561   WILLIAMS, KEITH ac OWEN, MORFYDD E: *Mynegair i Lawysgrif Hendregadredd = A concordance to the Hendregadredd Manuscript.* Caerdydd: Gwasg Prifysgol Cymru, 1983. Microfiche.

(ii)   Cyfieithiadau

562   CONRAN, ANTHONY: *Welsh verse.* Second revised ed. . . . *Gw.* rhif 169.

563   JONES, GWYN: *The Oxford Book of Welsh verse in English . . . Gw.* rhif 170.

564   WILLIAMS, GWYN: *To look for a word: collected translations from Welsh poetry . . . Gw.* rhif 171.

(iii)   Cyffredinol

565   ANDREWS, RHIAN: Rhai agweddau ar Sofraniaeth yng ngherddi'r Gogynfeirdd. *BBCS,* 27(1976), 23-30.

566   CARR, A. D.: *Llywelyn ap Gruffydd, ?-1282.* Caerdydd: Gwasg Prifysgol Cymru, 1982. 84tt.

567   COUSINS, JANE ANN: Moliant beirdd gyda sylw arbennig i waith y Gogynfeirdd. (Traethawd M.A.). Abertawe, 1978.

568   DAVIES, R.T.A.: A study of the themes and usages of mediaeval Welsh religious poetry, 1100-1450. (B. Litt. Thesis). Oxford, 1958-9.

569 EVANS, D. SIMON: *Medieval religious literature.* Cardiff: University of Wales Press on behalf of the Welsh Arts Council, 1986. 93pp. (Writers of Wales). *Adol.:* Christine James, *Barn,* 284(1986), 327. *Rev.:* Gwyn Thomas, *LlLl,* Winter (1986), 9-10.

570 GRUFFYDD, R. GERAINT: The early court poetry of south west Wales. *SC,* 14/15 (1979/80), 95-105.

571 HUWS, DANIEL: Llawysgrif Hendregadredd [Llsgr. NLW 6680 B]. *CLIGC,* 22(1981), 1-26.

572 JENKINS, RHIAN: Brenhiniaeth yng ngherddi'r Gogynfeirdd. (Traethawd M.Phil.). Dulyn, 1974.

573 LEWIS, CERI W.: The court poets: their function, status and craft. [In] *A guide to Welsh literature, volume i* . . . pp. 123-56. *Gw.* rhif 104.

574 LOESCH, KATHARINE T.: Welsh bardic poetry and performance in the Middle Ages. [In] *Performance of literature in historical perspectives;* edited by David W. Thompson. Lanham; London: University Press of America, 1983. pp. 177-90.

575 LLOYD, D. MYRDDIN: The later Gogynfeirdd. [In] *A guide to Welsh literature, volume ii* . . . pp. 36-57. *Gw.* rhif 105.

576 ——The Poets of the Princes. [In] *A guide to Welsh literature, volume i* . . . pp. 157-88. *Gw.* rhif 104.

577 ——*Rhai agweddau ar ddysg y Gogynfeirdd.* Caerdydd: Gwasg Prifysgol Cymru, 1976. 29tt. (Darlith goffa G.J. Williams; 1976).

578 McKENNA, CATHERINE A.: Molawd secwlar a barddoniaeth grefyddol Beirdd y Tywysogion. *YB,* 12(1982), 24-39.

579 ——Secular and Christian tradition in the religious poetry of the *Beirdd y Tywysogion. PLL,* 17(1981), 115-38.

580 MATONIS, A.T.E.: Traditions of panegyric in Welsh poetry: the heroic and the chivalric. *Speculum,* 53(1978), 667-87.

581 MEIRION PENNAR: Beirdd cyfoes. *YB,* 13(1985), 48-69.

582 ——Syniad 'y caredd digerydd' ym marddoniaeth Gymraeg yr Oesoedd Canol. *YB,* 9(1976), 33-40.

583 ——Women in medieval literature: an examination of some literary attitudes before 1500. (D. Phil. Thesis). Oxford, 1975.

584 MORGAN, T. J.: Trosiad y golofn. *YB,* 10(1977), 94-105.

585 ROLANT, EURYS: Arddull canu moliant y bedwaredd ganrif ar ddeg. *YB*, 10(1977), 144-56.

586 ROWLAND, JENNY: Some aspects of *proest* in early Welsh poetry. *BBCS*, 30(1983), 234-8.

587 SIMS-WILLIAMS, PATRICK: Cyfieithiadau o waith y Gogynfeirdd: llyfryddiaeth fer. *YB*, 13(1985) 39-47.

588 SMITH, J. BEVERLEY: Llywelyn ap Gruffydd, Prince of Wales and Lord of Snowdon. *TCHSG*, 45(1984), 7-36.

589 ——*Llywelyn ap Gruffudd, Tywysog Cymru*. Caerdydd: Gwasg Prifysgol Cymru, 1986. xiii, 460tt.

590 SMITH, LLINOS BEVERLEY: Llywelyn ap Gruffudd and the Welsh historical consciousness. *CHC*, 12(1984), 1-28.

591 STEPHENSON, DAVID: *The governance of Gwynedd*. Cardiff: University of Wales Press, 1984. xlii, 257pp. (Studies in Welsh history; 5).

592 SURRIDGE, MARIE E.: Words of Romance origin in the works of the Gogynfeirdd. *BBCS*, 29(1981), 528-30.

593 THOMAS, GWYN: Beirdd y Tywysogion. [Yn] *Llenyddiaeth y Cymry, cyflwyniad darluniadol. Cyfrol 1* . . . tt. 70-83. *Gw.* rhif 149.

594 ——Y Gogynfeirdd. [Yn] *Y traddodiad barddol* . . . tt. 109-48. *Gw.* rhif 150.

595 WILLIAMS, J.E. CAERWYN: Aberteifi 1176. *Taliesin*, 32(1976), 30-5.

596 ——*Canu crefyddol y Gogynfeirdd*. Abertawe: Coleg y Brifysgol, 1977. 39tt. (Darlith goffa Henry Lewis; 1976.) *Adol.*: D. Myrddin Lloyd, *Y Faner*, 24.3.78, 6. *Rev.*: Rachel Bromwich, *CHC*, 9(1978), 207-8.

597 ——Cerddi'r Gogynfeirdd i wragedd a merched, a'u cefndir yng Nghymru a'r Cyfandir. *LlC*, 13(1974/79), 3-112.

598 ——*The Poets of the Welsh Princes*. Cardiff: University of Wales Press on behalf of the Welsh Arts Council, 1978. 74pp. (Writers of Wales). *Adol.*: H. J. Hughes, *Barn*, 191/192(1978/79), 499-500. *Rev.*: Dafydd Owen, *AWR*, 64(1979), 135-9.

599 WILLIAMS, J. E. CAERWYN agus NÍ MHUIRÍOSA, MÁIRÍN: *Traidisiún liteartha na nGael*. Baile Átha Cliath: An Clóchomhar Tta, 1979. xxv, 406pp.

600 WILLIAMS, TOM: Caniadau i saint. *Y Traethodydd*, 137(1982), 99-103.
Trafodir cân Cynddelw i 'Dysilio'; cân Gwynfardd Brycheiniog i 'Ddewi'; cân Llywelyn Fardd i 'Gadfan fab Eneas'.

(iv) Beirdd unigol
Anhysbys

601 GRUFFYDD, R. GERAINT: A poem in praise of Cuhelyn Fardd from the Black Book of Carmarthen. *SC*, 10/11(1975/76), 198-209.

Bleddyn Fardd

602 COUSINS, JANE ANN: 'Marwnad Dafydd ap Gruffudd ap Llywelyn' (LIH t. 70). *Gw.* rhif 567, tt. 187-91.

603 GRUFFYDD, R. GERAINT a ROBERTS, TOMOS (GOL.): *Marwnadau Llywelyn ap Gruffydd*. [Bow Street]: Gwasg y Wern, 1982. 24tt.

Awdlau Gruffudd ab yr Ynad Coch a Bleddyn Fardd, wedi'u golygu gan R. Geraint Gruffydd, ac Englynion Bleddyn Fardd wedi'u golygu gan Tomos Roberts.

Cynddelw Brydydd Mawr

604 COUSINS, JANE ANN: 'Arwyrain Owain ap Madog' (LIH t.119). *Gw.* rhif 567, tt. 191-7.

605 JONES, GWYN: Three poetical prayer-makers of the Island of Britain. *PBA*, 67(1981)[1982], 249-65.

Cynddelw Brydydd Mawr, James Kitchener Davies and Saunders Lewis.

606 THOMAS, GWYN: *Y traddodiad barddol* . . . tt. 109-48. *Gw.* rhif 150.

Trafodir yn arbennig 'Marwnad Madog fab Maredudd' (tt. 139-42).

607 ZOLTOWSKA, CATRIONA F.: An edition of 'Marwnad Teulu Owain Gwynedd'. (M.A. Thesis). Aberystwyth, 1979.

Dafydd Benfras

608 COSTIGAN, NORA GABRIEL, *Y Chwaer Bosco:* Dafydd Benfras. *YB*, 13(1985), 70-92.

609 ——Dafydd Benfras a'i waith. (Traethawd Ph.D.). Aberystwyth, 1980.

610 WILIAM, DAFYDD WYN: Dafydd Benfras a'i ddisgynyddion. *TCHNM*, 1980, 33-5.

Yn cynnwys dau englyn i Ddafydd Benfras gan fardd anhysbys.

Einion ap Gwalchmai

611 COUSINS, JANE ANN: 'Marwnad Nest ferch Hywel' (LIH t.40) ac 'Awdl i Dduw' (LIH t.38). *Gw.* rhif 567, tt. 203-8, 212-16.

Gruffudd ab yr Ynad Coch

612 GRUFFYDD, R. GERAINT a ROBERTS, TOMOS (GOL.): *Marwnadau Llywelyn ap Gruffudd*. [Bow Street]: Gwasg y Wern, 1982. 24tt.

Awdlau Gruffudd ab yr Ynad Coch a Bleddyn Fardd, wedi'u golygu gan R. Geraint Gruffydd, ac Englynion Bleddyn Fardd wedi'u golygu gan Tomos Roberts.

613 McKENNA, CATHERINE A: The religious poetry attributed to Gruffudd ab yr Ynad Coch. *BBCS*, 29(1981), 274-84.

614 MATONIS, A.T.E.: The rhetorical patterns in *Marwnad Llywelyn ap Gruffudd* by Gruffudd ab yr Ynad Coch. *SC*, 14/15(1979/80), 188-92.

615 THOMAS, GWYN: *Y traddodiad barddol* . . . tt. 109-48. *Gw.* rhif 150.

Trafodir yn arbennig yr awdl 'Dydd y Farn' (tt. 135-8).

Gruffudd ap Maredudd ap Dafydd

616 COUSINS, JANE ANN: 'Awdl i Owain fab Thomas' (RBH 1313). *Gw.* rhif 567, tt. 198-203.

617 JONES, BEDWYR L.: Ynys Laerad, Llanynghenedl ac awdl Gruffudd ap Maredudd ap Dafydd. *TCHNM*, 1982, 133-5.

Cyfeiriad at farwnad Gruffudd ap Maredudd ap Dafydd i Wenhwyfar o Fôn.

618 ROBERTS, TOMOS: Englynion Gwynedd gan Gruffudd ap Maredudd ap Dafydd. *TCHNM*, 1982, 123-7.

619 WILIAM, DAFYDD WYN: Ach Gruffudd ap Maredudd ap Dafydd. *TCHNM*, 1985, 109-11.

Gwalchmai ap Meilyr

620 LLYFRYNNAU LLENORION: *Gwalchmai ap Meilyr*. Ymchwilwyr - Lona Gwilym a June E. Jones. Caerdydd: Yr Academi Gymreig, [1983]. 20tt. (Llyfrynnau llenorion; 2).

Gwilym Ryfel

621 WILLIAMS, J.E. CAERWYN: Barddoniaeth Gwilym Ryfel. *YB*, 10(1977), 106-23.

Hywel ab Owain Gwynedd

622 BRAMLEY, KATHLEEN: Canu Hywel ab Owain Gwynedd. *SC*, 20/21 (1985/86), 167-91.

Hywel Foel ap Griffri ap Pwyll Wyddel

623 ROBERTS, BRYNLEY F.: Dwy awdl Hywel Foel ap Griffri. [Yn] *Bardos: penodau ar y traddodiad barddol Cymreig a Cheltaidd*. . . . tt. 60-75. *Gw.* rhif 95.

Dwy awdl i Owain ap Gruffudd ap Llywelyn Fawr.

Llywarch ap Llywelyn (Prydydd y Moch)

624 JONES, ELIN MAIR: Gwaith Prydydd y Moch gydag astudiaeth o'r cefndir hanesyddol, yr iaith a'r gelfyddyd. (Traethawd Ph.D.). Aberystwyth, 1986.

Llywelyn Fardd (fl. 1150-75)

625 McKENNA, CATHERINE A.: Welsh versions of the 'Fifteen signs before Doomsday' reconsidered. [In] *Celtic folklore and Christianity* . . . pp. 84-112. *Gw.* rhif 359.

626 PRYCE, HUW: Enghraifft o *croc* 'crocbren' yn y *Canu i Gadfan*? [HGC, xxxv]. *BBCS*, 32(1985), 166-8.

Madog ap Gwallter

627 BREEZE, ANDREW: Madog ap Gwallter. *YB*, 13(1985) 93-100.

Meilyr Brydydd

628 FRENCH, ALEXANDER: Meilyr's elegy for Gruffudd ap Cynan. *EC*, 16(1979), 263-78.

629 GRUFFYDD, R. GERAINT: Meilyr Brydydd a Meilyr Awenydd. *Barn*, 213 (1980), 313-16. *Gw. ymhellach*, D. J. BOWEN, *Barn*, 215(1980), 373.

Y Prydydd Bychan

630 COUSINS, JANE ANN: 'Marwnad Rys Ieuanc' (LIH t.242). *Gw.* rhif 567, tt. 208-12.

Sefnyn

631 WILIAM, DAFYDD WYN: Tair cerdd gynnar o Fôn. *TCHNM*, 1983, 31-40.

Yn cynnwys testun 'Moliant Angharad gymar Dafydd (RBH col. 1262-3, ll. 7-48).

RHYDDIAITH
I. CYFFREDINOL

632 BROMWICH, RACHEL: The 'Mabinogion' and Lady Charlotte Guest. *THSC*, 1986, 127-41.

633 COWLEY, F.G.: *The Monastic Order in South Wales, 1066-1349.* Cardiff: University of Wales Press, 1977. Paperback ed., 1986.
pp. 139-64 Literary activities of the monks.

634 DUNN, VINCENT A.: Narrative modes and genres in medieval English, Celtic and French literature. (Ph. D. Thesis, University of California). Berkeley, 1984.

635 GOETINCK, GLENYS: The blessed heroes. *SC*, 20/21 (1985/86), 87-109.

636 JONES, R.M.: Narrative structure in medieval Welsh prose tales. [In] *Proceedings of the Seventh International Congress of Celtic Studies* ... pp. 171-98. *Gw.* rhif 106.

637 LLOYD, NESTA ac OWEN, MORFYDD E. (GOL.): *Drych yr Oesoedd Canol.* Caerdydd: Gwasg Prifysgol Cymru ar ran Bwrdd Gwybodau Celtaidd Prifysgol Cymru, 1986. lxiii, 276tt.

638 LLOYD-MORGAN, CERIDWEN: Rhai agweddau ar gyfieithu yng Nghymru yn yr Oesoedd Canol. *YB*, 13(1985),134-45.

639 MAC CANA, PROINSIAS: *The learned tales of medieval Ireland.* Dublin: Dublin Institute for Advanced Studies, 1980. ix, 159 pp. *Rev.:* Pádraig Ó Riain, *Éigse*, 19/2 (1983), 433-6; J.E. Caerwyn Williams, *SC*, 16/17 (1981/82), 389-92.

640 —— Rhyddiaith Gymraeg. *YB*, 10(1977), 79-90.

641 OWEN, MORFYDD E.: Functional prose—religion, science, grammar, law. [In] *A guide to Welsh literature, volume i* ... pp. 248-76. *Gw.* rhif 104.

642 ——The prose of the *cywydd* period. [In] *A guide to Welsh literature, volume ii* ... pp. 338-75. *Gw.* rhif 105.

643 ROBERTS, BRYNLEY F.: Pen Penwaedd a Phentir Gafran. *LIC*, 13(1980/81), 278-81.

644 SIMS-WILLIAMS, PATRICK: Some functions of origin stories in early medieval Wales. [In] *History and heroic tale: a symposium;* edited by Tore Nyberg *et al.* Odense: Odense Universitetsforlag, 1985, pp. 97-131. (Proceedings of the Eighth International Symposium organized by the Centre for the Study of Vernacular Literature in the Middle Ages held at Odense University, 1983). *Rev.:* Proinsias Mac Cana, *Celtica*, 18(1986), 214-16.

645 THOMAS, GWYN: Bras ddosbarthiad ar ein rhyddiaith gynnar. *YB*, 11(1979), 28-51.

II. CHWEDLAU BRODOROL

(Pedair Cainc y Mabinogi, Culhwch ac Olwen, Cyfranc Lludd a Llefelys,
Breuddwyd Macsen a Breuddwyd Rhonabwy)

(i) Testunau

646 RICHARDS, MELVILLE (GOL.): *Breudwyt Ronabwy allan o'r Llyfr Coch o Hergest*. Caerdydd: Gwasg Prifysgol Cymru, 1948. Adargraffiad 1980. xlv, 91tt.

647 ROBERTS, BRYNLEY F. (ED.): *Cyfranc Lludd a Llefelys*. Dublin: Dublin Institute for Advanced Studies, 1975. xliii, 37pp. (Mediaeval and Modern Welsh series; vii).

648 WILLIAMS, IFOR (GOL.): *Pedeir Keinc y Mabinogi allan o Lyfr Gwyn Rhydderch*. Caerdydd: Gwasg Prifysgol Cymru, 1982. lvi, 336tt. (Arg. cyntaf, 1930).

(ii) Detholion

649 JARMAN, A.O.H. (GOL.): *Chwedlau Cymraeg Canol*. Trydydd arg. Caerdydd: Gwasg Prifysgol Cymru, 1979. xx, 225tt. (Arg. cyntaf, 1957).

(iii) Cyfieithiadau a diweddariadau

650 EVANS, H. MEURIG: *Y Mabinogi heddiw (o Lyfr Gwyn Rhydderch)*. Abertawe: Gwasg Christopher Davies, 1979. 78tt. *Adol.:* Bedwyr L. Jones, *LILI,* Haf (1980), 15-16; Eifion Lloyd Jones, *Barn,* 207/208(1980), 142.

651 FORD, PATRICK K.: *The Mabinogi and other medieval Welsh tales;* translated with an introduction. Berkeley; London: University of California Press, 1977. xii, 205pp. *Rev.:* J.K. Bollard, *Speculum,* 53(1978), 805-7; Dafydd Owen, *AWR,* 63(1978), 159-61.

652 GANTZ, JEFFREY: *The Mabinogion;* translated with an introduction. Harmondsworth: Penguin, 1976. 311pp. (Penguin Classics). Reprinted, 1985.

653 GUEST, CHARLOTTE:*The Mabinogion: from the Welsh of the Llyfr Coch o Hergest (the Red Book of Hergest) in the Library of Jesus College, Oxford;* translated with notes by Lady Charlotte Guest. Cardiff: John Jones Cardiff, 1977. xx, 504pp. (Facsimile reprint of second ed., London: Quaritch, 1877.)

654 ——*The Mabinogion;* translated by Lady Charlotte Guest; edited and introduced by Leslie Norris; wood-engravings by Joan Freeman. London: Folio Society, 1980. 268pp. (Originally published: Llandovery, Rees, 1838-49.)

655 HUGHES, A. LLOYD: *The Mabinogion:* letters concerning the second
English translation (1929). *CLIGC,* 23(1984), 434-8.
Llythyrau yn ymwneud â chyfieithiad T.P. Ellis a John Lloyd. *Gw.* LILIG, rhif
655.

656 IFANS, ALUN: *Pedair Cainc y Mabinogi i ddysgwyr;* addasiad Alun Ifans,
rhagymadrodd Saesneg gan Brynley F. Roberts. Caerdydd: Gwasg y
Dref Wen, 1982. 63tt.

657 IFANS, DAFYDD ac IFANS, RHIANNON: *Y Mabinogion; diweddariad . . .*
ynghyd â rhagymadrodd gan Brynley F. Roberts. Llandysul: Gwasg
Gomer, 1980. xxx, 237tt. *Adol.:* Bedwyr L. Jones, *LILI,* Haf(1980), 15-16.

658 JENKINS, MARILYN: *The Four Branches of the Mabinogi;* retold by Marilyn
Jenkins. Treforest: The National Language Unit of Wales, 1981. 77pp.
(2 cassettes).

659 JONES, GWYN and JONES, THOMAS: *The Mabinogion;* translated with
an introduction. London: Dent, 1974. xliv, 283pp.
'This new edition incorporates all amendments and improvements made by
the translators since 1948-9 and includes a supplementary Introduction by
Gwyn Jones'.

660 ——*The Mabinogion . . .* illustrated by Jeff Thomas. Enlarged, illus. ed.
London: Dent, 1976 (*Gw.* rhif 659). *Rev.:* Roland Mathias, *AWR,*
56(1976), 261-3.

661 THOMAS, GWYN: *Y Mabinogi;* cyfaddasiad newydd gan Gwyn Thomas;
darluniwyd gan Margaret Jones. Caerdydd: Gwasg Prifysgol Cymru ar
ran Cyngor Celfyddydau Cymru, 1984. 87tt. *Adol.:* Sioned Davies,
Barn, 261(1984), 386; Dafydd Ifans, *Taliesin,* 50(1984), 94-5; Mairwen
Gwynn Jones, *Y Faner,* 23.11.84, 14-15. *Rev.:* T. Arwyn Watkins,
Celtica, 17(1985), 171-2.

662 ——*Tales from the Mabinogion;* [adapted by] Gwyn Thomas and Kevin
Crossley-Holland; illustrated by Margaret Jones. London: Victor
Gollancz, 1984. 88pp.

663 THOMAS, GWYN agus MAC DHÒMHNAILL, IAIN: *Am Mabinogi.* Porte
Ruighe: Club Leabhar, 1984. 88pp.

(iv)   Astudiaethau
(a)   Y Cefndir Mytholegol

Gweler hefyd 'Crefydd a Mytholeg', tt. 16-21.

664 CARNEY, JAMES: The earliest Bran material. [In] *Latin script and letters,
A.D. 400-900. Festschrift presented to Ludwig Bieler . . .* edited by John J.
O'Meara and Bernd Naumann. Leiden: E.J. Brill, 1976. pp.174-93.

665 DUMVILLE, DAVID N.: *Echtrae* and *Immram:* some problems of definition. *Ériu,* 27(1976), 73-94.

666 ELDEVIK, RANDI: A Vergilian model for the *Immrama? PHCC,* 4(1984), 1-8.

667 GANTZ, JEFFREY: *Early Irish myths and sagas;* translated with an introduction and notes. Harmondsworth: Penguin Books, 1981. 280pp. (Introduction, pp. 1-35).

668 GROTTANELLI, VRISTIANO: Yoked horses, twins, and the powerful lady: India, Greece, Ireland and elsewhere. *JIES,* 14(1986), 125-52.

669 HAMP, ERIC P.: Irish *síd* 'tumulus' and Irish *síd* 'peace'. *EC,* 19(1982), 141.

670 MAC CANA, PROINSIAS: *Celtic mythology.* New revised ed. Feltham: Newnes Books, 1983. 143pp. (Originally published 1968).

671 ——On the 'prehistory' of *Immram Brain. Ériu,* 26(1975), 33-52.

672 ——The sinless otherworld of *Immram Brain. Ériu,* 27(1976), 95-115.

673 MAC MATHÚNA, SÉAMUS: *Immram Brain—Bran's journey to the Land of the Women.* Tübingen: Niemeyer, 1985. xi, 510pp. (Buchreihe der Zeitschrift für celtische Philologie; Band 2.)

674 Ó CATHASAIGH, TOMÁS: The semantics of *síd. Éigse,* 17(1977/78), 137-55.

675 SENIOR, MICHAEL: *Myths of Britain.* London: Orbis Publishing, 1979. 241pp.
Includes: Gods of the West. Some basic themes.

676 SJOESTEDT, MARIE-LOUISE: [*Dieux et héros des Celtes*]. *Gods and heroes of the Celts;* translated by Myles Dillon. Berkeley: Turtle Island Foundation, 1982. 131pp. (First published 1949).

(b) Cyfarwyddyd

677 FORD, PATRICK K.: The poet as *cyfarwydd* in early Welsh tradition. *SC,* 10/11(1975/76), 152-62.

678 MAC CANA, PROINSIAS: *The learned tales of medieval Ireland* ... pp. 132-41. Appendix A: The Welsh cyfarwydd. *Gw.* rhif 639.

679 Ó COILEÁIN, SEÁN: Oral or literary: some strands of the argument [in Irish tradition]. *SH,* 17/18 (1977/78), 7-35.

(c) Astudiaethau eraill

680 BOLLARD, J.K.: The role of myth and tradition in the Four Branches of the Mabinogi. *CMCS,* 6(1983), 67-86.

681 BOLLARD, J.K: The structure of the Four Branches of the Mabinogi. *THSC*, 1974/75, 250-76.

682 CHARLES-EDWARDS, T.M.: Honour and status in some Irish and Welsh prose tales. *Ériu*, 29(1978), 123-41.

683 DAVIES, SIONED: A study of narrative methods in the Mabinogion. (D. Phil. Thesis). Oxford, 1982.

684 DUMÉZIL, GEORGES: La quatrième branche du Mabinogi et la théologie des trois fonctions. [In] *Rencontres de religions* . . . pp. 25-38. *Gw.* rhif 248.

685 FORD, PARTICK K.: *The Mabinogi and other medieval Welsh tales* . . . Introduction, pp. 1-30. *Gw.* rhif 651.

686 GANTZ, JEFFREY: The Four Branches of the Mabinogi: a structural and literary approach. (Ph. D. Thesis). Harvard, 1972.

687 ——*The Mabinogion* . . . Introduction, pp. 9-34. *Gw.* rhif 652.

688 ——Thematic structure in the Four Branches of the Mabinogi. *MAe*, 47(1978), 247-54.

689 GOETINCK, GLENYS: The blessed heroes. *SC*, 20/21(1985/86), 87-109.

690 HAMP, ERIC P.: Mabinogi. *THSC*, 1974/75, 243-9.

691 JONES, GLYN E.: Early prose — the Mabinogi. [In] *A guide to Welsh literature, volume i* . . . pp.189-202. *Gw.* rhif 104.

692 JONES, R.M.: Tri mewn llenyddiaeth. *LIC*, 14(1981/82), 92-110.

693 *Loughborough '83. Proceedings of the 16th Loughborough International Seminar on Children's Literature;* edited by Frank Keyse. Aberystwyth: Welsh National Centre for Children's Literature, 1984. 140pp.
   Contents: Once below a time (Raymond Garlick). The Four Branches of the Mabinogi (Gwyn Thomas). Gladly would we have a tale (Bedwyr L. Jones).

694 MAC CANA, PROINSIAS: *The Mabinogi.* Cardiff: University of Wales Press on behalf of the Welsh Arts Council, 1977. 139pp. (Writers of Wales). *Adol.:* Bedwyr L. Jones, *Barn*, 182(1978), 102-3.

695 ——Notes on the 'abnormal sentence'. *SC*, 14/15 (1979/80), 174-87.

696 NAGY, JOSEPH FALAKY: Heroic destinies in the *Macgnímrada* of Finn and Cú Chulainn. *ZCP*, 40(1984), 23-39.

697 REES, BRINLEY: 'Apair fris, ní fil inge cethri flathemna and . . .' *BBCS*, 29(1982), 686-9.
   Cymherir enwau tri o arglwyddi y chwedl Wyddeleg *Audacht Morainn* â phriodoleddau y tri theulu yr adroddir eu hanes yn y Mabinogi.

698 REES, BRINLEY: *Ceinicau'r Mabinogi.* Bangor: Yr awdur, 1976. 60tt. (Llandysul: Gwasg Gomer).

699 ——Taleithiau'r Mabinogi. *YB*, 10(1977), 91-3.

700 ——Trioedd cyfochrog. *BBCS*, 28(1978), 89-90.
    Cyfeirir at dair crefft Manawydan a Phryderi, a thair rhodd Gwydion i Bryderi.

701 ROBERTS, BRYNLEY F.: From traditional tale to literary story — Middle Welsh prose narratives. [In] *The craft of fiction — essays in medieval poetics;* edited by Leigh A. Arrathoon. Rochester, Michigan: Solaris Press, 1984. pp. 211-30.

702 ——'Rhagymadrodd'. [Yn] *Y Mabinogion; diweddariad* . . . tt. ix-xxxi. *Gw.* rhif 657.

703 ——Tales and romances. [In] *A guide to Welsh literature, volume i* . . . pp. 203-43. *Gw.* rhif 104.

704 SURRIDGE, MARIE E.: Words of Romance origin in the Four Branches of the Mabinogi and 'native Welsh tales'. *EC*, 21(1984), 239-55.

705 THOMAS, GWYN: 'Myth, Mabinogi, chwedlau' [Yn] *Llenyddiaeth y Cymry, cyflwyniad darluniadol. Cyfrol 1* . . . tt. 33-57. *Gw.* rhif 149.

706 VALENTE, ROBERTA LOUISE: Merched y Mabinogi - Women and the structure of the Four Branches. (Ph.D. Thesis). Cornell University, 1986.

(v) Chwedlau Unigol
(1) Pwyll
Am y testun gw. rhif 648.

707 FORD, PATRICK K.: Prolegomena to a reading of the *Mabinogi* — 'Pwyll' and 'Manawydan'. *SC*, 16/17 (1981/82), 110-25.

708 GRUFFYDD, R. GERAINT a ROBERTS, BRYNLEY F.: Rhiannon gyda Theyrnon yng Ngwent? *LlC*, 13(1980/81), 289-91.

709 HANSON-SMITH, ELIZABETH: *Pwyll Prince of Dyfed* - the narrative structure. *SC*, 16/17 (1981/82), 126-34.

710 McKENNA, CATHERINE A.: The theme of sovereignty in *Pwyll. BBCS*, 29(1980), 35-52.

711 Ó COILEÁIN, SEÁN: A thematic study of the tale *Pwyll Pendeuic Dyuet. SC*, 12/13 (1977/78), 78-82.

712 REES, BRINLEY: Tair cymhariaeth . . . (iii) Deol y Dési. *BBCS*, 28(1979), 392-4.
    Cyfeirir at Fabinogi Pwyll a'r 'Tair Rhamant'.

713 ROLANT, EURYS: 'Gwir, enwir, a bwd'. SC, 16/17(1981/82), 219-22.
Trafodaeth ar y berthynas rhwng defodau fír (e.e. fír fer) yn Iwerddon a'r hyn a oedd i'w gael yng Nghymru, gyda chyfeiriadau at Fabinogi Pwyll.

714 SCOWCROFT, R.: The hand and the child: studies of Celtic tradition in European literature. Ann Arbor: University Microfilms International, 1983. 2 vols. (xxvii, 477pp; 478-854pp.). (D. Phil. Thesis, Cornell University, 1982).

715 WOOD, JULIETTE M.: The calumniated wife in medieval Welsh literature. CMCS, 10(1985), 25-38.

(2) Branwen
Am y testun gw. rhif. 648.

716 JONES, BEDWYR L.: 'Ederyn drydwen' Branwen. BBCS, 28(1980), 600. (Gw. hefyd rif 721.)

717 MAC GEARAILT, UÁITÉAR: The Edinburgh text of Mesca Ulad. Ériu, 37(1986), 133-80.

718 ROWLAND, JENNY: Gwerydd. SC, 16/17(1981/82), 234-47.
Yn cynnwys sylwadau ar Brân fab y werit.

719 SIMS-WILLIAMS, PATRICK: Riddling treatment of the 'watchman device' in Branwen and Togail Bruidne Da Derga. SC, 12/13(1977/78), 83-117.

720 WATKINS, T. ARWYN: Trefn y constitwentau brawddegol yn Branwen. SC, 18/19(1983/84), 147-57.

721 WILLIAMS, N.J.A.: 'Ederyn drydwen' (PKM 38). BBCS, 26(1976), 424. Gw. hefyd rif 716.

722 WOOD, JULIETTE M.: The calumniated wife in medieval Welsh literature. CMCS, 10(1985), 25-38.

(3) Manawydan
Am y testun gw. rhif 648.

723 FORD, PATRICK K.: Prolegomena to a reading of the Mabinogi - 'Pwyll' and 'Manawydan'. SC, 16/17 (1981/82), 110-25.

724 MAC CANA, PROINSIAS: Rhygyfarch and the "abnormal sentence". SC, 14/15(1979/80), 178-80.
Cymherir hanes y llygod â phennill Lladin yn sôn am lygod yn difa cynhaeaf Rhygyfarch.

725 WAGNER, HENRI: The name Eithne and the background of the tale Esnada Tige Buchet. [In] Topothesia: essays presented to T.S. Ó Máille; edited by B.S. Mac Aodha. Galway: RTCOG, 1982. pp. 65-71.
Sylwadau ar Buchet ac Oengus Nicc yn yr Wyddeleg a Manawydan.

(5) Culhwch ac Olwen

726 EDEL, DORIS: The Arthur of 'Culhwch and Olwen' as a figure of epic-heroic tradition. *RMS*, 9(1983), 3-15.

727 ——The catalogues in *Culhwch ac Olwen* and Insular Celtic learning. *BBCS*, 30(1983), 253-67.

728 ——*Helden auf Freiersfüssen*—'*Tochmarc Emire*' *und* '*Mal y kavas Kulhwch Olwen*'—*Studien zur frühen inselkeltischen Erzähltradition.* Amsterdam; Oxford: North-Holland Publishing Company, 1980. ix, 384pp. *Rev.:* E. Bachellery, *EC*, 19(1982), 393-5.

729 EVANS, D. SIMON: *Culhwch ac Olwen: tystiolaeth yr iaith. YB*, 13(1985), 101-13.

730 FORD, PATRICK K.: Welsh *asswynaw* and Celtic legal idiom. *BBCS*, 26(1975), 147-53.

731 HAMP, ERIC P.: *Culhwch*, the swine. *ZCP*, 41(1986), 257-8.

732 HERZEN, FRANK: *Arthur in Wales.* Leiden: A.W. Sijthoff, 1975. 2 vols (303pp.; 219pp.) (Vol. 1: Kilhwch en Olwen, De droom van Rhonabwy; Vol. 2: Achtergronden van Kilhwch en Olwen, De droom van Rhonabwy.)

733 JACKSON, KENNETH H.: Rhai sylwadau ar 'Kulhwch ac Olwen.' *YB*, 12(1982), 12-23.
Cynnwys: 1. *Yspadaden Penkawr.* 2. *Digawn o bont uydei y lu teir Ynys Prydein ae their Racynys.* 3. *Hyt yn Llynn Llyw.* 4. *A goruot o Wyn a dala Greit mab Eri a Glinneu eil Taran, etc.* 5. *Ac yno y mae messur y peir.*

734 KNIGHT, STEPHEN: 'Chief of the princes of this island': the early British Arthurian legend'. [In] *Arthurian literature and society.* London: Macmillan, 1983. pp. 1-37.

735 KOCH, JOHN T.: Mor Terwyn. *BBCS*, 30(1983), 296-303.

736 LAYARD, JOHN: *A Celtic quest: sexuality and soul in individuation: a depth -psychology study of the Mabinogion legend of Culhwch and Olwen;* revised and edited by Anne S. Bosch. Zürich: Spring Publications, 1975. 254pp.

737 MATCHAK, STEPHEN: Aspects of structure and folklore in 'Culhwch and Olwen'. (M.A. Thesis). Aberystwyth, 1975.

738 NAGY, JOSEPH FALAKY: *The wisdom of the outlaw: the boyhood deeds of Finn in Gaelic narrative tradition.* Berkeley; London: University of California Press, 1985. viii, 338pp. *Rev.:* Richard Skerrett, *SC*, 20/21(1985/86), 278-80

739 PADEL, O.J.: Kelliwic in Cornwall. *CArch*, 16(1977), 115-18.

740 ROBERTS, BRYNLEY F.: Gwyn ap Nudd. *LIC*, 13(1980/81), 283-9.

741 ——Yr India Fawr a'r India Fechan. *LIC*, 13(1980/81), 281-3.

742 SAYERS, WILLIAM: *'Mani maidi an nem . . .'*: ringing changes on a cosmic motif. *Ériu*, 37(1986), 99-117.

743 SIMS-WILLIAMS, PATRICK: The significance of the Irish personal names in *Culhwch ac Olwen*. *BBCS*, 29(1982), 600-20.

(6)   Cyfranc Lludd a Llefelys

(a)   Testun

744 ROBERTS, BRYNLEY F. (ED.): *Cyfranc Lludd a Llefelys*. Dublin: Dublin Institute for Advanced Studies, 1975. xliii, 37pp. (Mediaeval and Modern Welsh series; vii.)

(b)   Astudiaethau

745 HAMP, ERIC P.: *'Vch bob aelwyt'* (CLILI t.2); *ffuruf* (ibid t.5); Corannyeit (ibid tt. xxxii-xxxiii). *BBCS*, 29(1982), 681-3.

746 NEWHAUSER, RICHARD GORDON: A note on *Cyfranc Lludd a Llefelys*. *BBCS*, 28(1980), 612.

(7)   Breuddwyd Macsen

747 BREWER, GEORGE W. and JONES, BEDWYR L.: Popular tale motifs and historical tradition in *Breudwyt Maxen*. *MAe*, 44(1975), 23-30.

748 EVANS, GWYNFOR: *Macsen Wledig a geni'r genedl Gymreig: Magnus Maximus and the birth of the Welsh nation*. [Swyddffynnon: Cyhoedd-iadau 'Cofiwn'], 1983. 39tt.

749 MATTHEWS, J.F.: Macsen, Maximus, and Constantine. *CHC*, 11(1983), 431-48.

750 THOMAS, GWYN: O Maximus i Macsen. *THSC*, 1983, 7-21.

(8)   Breuddwyd Rhonabwy

(a)   Testun

751 RICHARDS, MELVILLE (GOL.): *Breudwyt Ronabwy allan o'r Llyfr Coch o Hergest*. Caerdydd: Gwasg Prifysgol Cymru, 1948. Adargraffiad 1980. xlv, 91tt.

(b)   Astudiaethau

752 BOLLARD, J.K.: Traddodiad a dychan yn *Breuddwyd Rhonabwy*. *LIC*, 13(1980/81), 155-63.

753 HERZEN, FRANK: *Arthur in Wales*. Leiden: A.W. Sijthoff, 1975. 2 vols (303pp.; 219pp.) (Vol.1: Kilhwch en Olwen, De droom van Rhonabwy; Vol.2: Achtergronden van Kilhwch en Olwen, De droom van Rhonabwy.)

754 KELLY, R.S.: The excavation of a medieval farmstead at Cefn Graeanog, Clynnog, Gwynedd. *BBCS*, 29(1982), 859-908.
Sylwadau ar y math o neuadd a ddisgrifir yn y chwedl.

III. CHWEDLAU ARTHUR
(A) Rhyddiaith
(i) Llyfryddiaethau

755 *Bulletin Bibliographique de la Société Internationale Arthurienne. Bibliographical Bulletin - of the International Arthurian Society.* Volumes xxviii(1977)—xxxvii(1985). Paris, 1977-86. 10 vols.

756 LAST, REX (ED.): *The Arthurian bibliography. Volume 3, Supplement 1979-1983. Author listing and subject index.* Cambridge: D.S. Brewer, 1986. 128pp. (Arthurian studies; 15).

757 PICKFORD, CEDRIC E. and LAST, REX (EDS): *The Arthurian bibliography. Volume 1, Author listing.* Cambridge: D.S. Brewer, 1981. xxxiv, 820pp. (Arthurian studies; 3).

758 —— *The Arthurian bibliography. Volume 2, Subject index.* Cambridge: D.S. Brewer, 1983. [xx], 117pp. (Arthurian studies; 6).

759 REISS, EDMUND *et al.* (EDS.): *Arthurian legend and literature — an annotated bibliography. Volume 1, The Middle Ages.* New York; London: Garland Publishing, 1984. xvii, 467pp.

(ii) Cyffredinol

760 *ACTES du 14ᵉ Congrès International Arthurien (Rennes, 16-21 août 1984).* Rennes: Presses Universitaires de Rennes, 1985. 2 vols (396pp; pp 397-757).

761 ASHE, GEOFFREY: *A guidebook to Arthurian Britain.* London: Longman, 1980. xix, 234pp. Paperback ed., Wellingborough: Aquarian Press, 1983.

762 BARBER, RICHARD: *The Arthurian legends — an illustrated anthology.* Woodbridge: The Boydell Press, 1979. xi, 224pp.

763 —— *King Arthur, hero and legend.* Third ed., revised and extended. Woodbridge: The Boydell Press, 1986. vii, 208pp.
First published 1961 as *Arthur of Albion*. Second ed., revised and extended, 1973, as *King Arthur in legend and history.*

764   BREWER, DEREK and FRANKL, ERNEST: Arthur's Britain — the land and the legend. Cambridge: The Pevensey Press, 1985. 144pp., 80 full-colour photographs.

765   FAIRBAIRN, NEIL and MICHAEL, CYPRIEN: *A traveller's guide to the kingdoms of Arthur.* London: Evans Brothers Ltd., 1983. pp. 92-105 'Arthur in Wales'.

766   LOOMIS, ROGER SHERMAN: *Wales and the Arthurian legend.* Cardiff: University of Wales Press, 1956; Michigan: University Microfilms International, 1980. x, 231pp. (Facsimile reprint of 1st ed.).

767   LOOMIS, ROGER SHERMAN (ED).: *Arthurian literature in the Middle Ages: a collaborative history.* Oxford: Clarendon Press, 1959. xvi, 574pp.
Reprinted from corrected sheets of the first edition, 1979.

768   MARKALE, JEAN: *Le Roi Arthur et la société celtique.* Paris: Payot, 1976. 434pp.

769   —— *[Le Roi Arthur et la société celtique]. King Arthur, king of kings;* translated by Christine Hauch. London: Gordon Cremonesi, 1977. 242pp.

770   MILLAR, RONALD: *Will the real King Arthur please stand up?* London: Cassell, 1978. [5], 168pp.

771   RADFORD, C.A. RALEGH and SWANTON, MICHAEL J.: *Arthurian sites in the West.* Exeter: University of Exeter, 1975. 62pp.

(iii)   Arthur Hanes

772   ALCOCK, LESLIE: Cadbury-Camelot: a fifteen-year perspective. *PBA,* 68(1982)[1984], 355-88. (Mortimer Wheeler Archaeological Lecture; 1982).

773   —— *Her . . . gefeaht wiþ Walas:* aspects of the warfare of Saxons and Britons. *BBCS,* 27(1977), 413-24.

774   ASHE, GEOFFREY: *The discovery of King Arthur.* London: Debrett's Peerage, 1985. vii, 226pp.

775   MORRIS, JOHN: *The age of Arthur: a history of the British Isles from 350 to 650.* London, 1973. (*Gw.* LILIG 850). *Rev.:* J. Campbell, *SH,* 15(1975), 177-85; D.P. Kirby and J.E. Caerwyn Williams, *SC,* 10/11 (1975/76), 454-86.

776   NICOLLE, DAVID: *Arthur and the Anglo-Saxon wars. Anglo-Celtic warfare, AD 410-1066.* Text by David Nicolle, colour plates by Angus McBride. London: Osprey Publishing, 1984. 40pp. (Men-at-arms Series; editor Martin Windrow).

777   RATCLIFFE, ERIC: *The great Arthurian timeslip*. Stevenage: Ore, 1978. 22pp.

778   WILSON, COLIN: *The search for the real Arthur* ... *Gw*. rhif 807.

(iv) Sieffre o Fynwy a'r Historia Regum Britanniae
(a) Testunau

779   ROBERTS, BRYNLEY F. (ED.): *Brut y Brenhinedd, Llanstephan MS. 1 version*; selections edited with an introduction and notes. Second ed. Dublin: Dublin Institute for Advanced Studies, 1984. lxiii, 118 pp. (Mediaeval and Modern Welsh series; 5). (First published 1971).

(b) Astudiaethau

780   ASHE, GEOFFREY: 'A certain very ancient book' — traces of an Arthurian source in Geoffrey of Monmouth's *History. Speculum*, 56(1981), 301-23.

781   BROOKE, CHRISTOPHER N.L.: Geoffrey of Monmouth as a historian. [In] *Church and government in the Middle Ages* ... edited by C.N.L. Brooke *et al.* Cambridge: Cambridge University Press, 1976. pp. 77-91.
Revised ed. [In] *The Church and the Welsh Border in the central Middle Ages*; edited by D.N. Dumville and C.N.L. Brooke. Woodbridge: The Boydell Press, 1986. pp. 95-106.

782   CRAWFORD, T.D.: On the linguistic competence of Geoffrey of Monmouth. *MAe*, 51(1982), 152-62.

783   FLINT, VALERIE I.J.: The *Historia Regum Britanniae* of Geoffrey of Monmouth — parody and its purpose: suggestion. *Speculum*, 54(1979), 447-68.

784   KNIGHT, STEPHEN: 'So great a king': Geoffrey of Monmouth's *Historia Regum Britanniae*. [In] *Arthurian literature and society*. London: Macmillan, 1983. pp. 38-67.

785   KORREL, PETER: *An Arthurian triangle: a study of the origin, development and charaterization of Arthur, Guinevere and Modred*. Leiden: E. J. Brill, 1984. 301pp.
Includes: Arthur, Modred and Guinevere in the Chronicles ... Geoffrey of Monmouth's *Historia Regum Britanniae*.

786   LECKIE, R. WILLIAM, JR.: *The passage of dominion: Geoffrey of Monmouth and the periodization of insular history in the twelfth century*. Toronto: University of Toronto Press,1981. 184pp.

787   MILLER, MOLLY: Geoffrey's early royal synchronisms. *BBCS*, 28(1979), 373-89.

788   PADEL, O.J.: Geoffrey of Monmouth and Cornwall. *CMCS*, 8(1984), 1-27.

789 ROBERTS, BRYNLEY F.: *Brut Tysilio*. Abertawe: Coleg y Brifysgol Abertawe, 1980. 23tt. (Darlith agoriadol Athro'r Gymraeg).

790 —— Fersiwn Dingestow o *Brut y Brenhinedd. BBCS,* 27(1977), 331-61.

791 —— Geoffrey of Monmouth and Welsh historical tradition. *NMS,* 20(1976), 29-40.

792 —— Historical writing. [In] *A guide to Welsh literature, volume i . . .* pp. 244-7. Gw. rhif 104.

793 ——The Red Book of Hergest version of *Brut y Brenhinedd. SC,* 12/13(1977/78), 147-86.

794 ——Sylwadau ar Sieffre o Fynwy a'r *Historia Regum Britanniae. LIC,* 12(1973), 127-45.

795 ROSENHAUS, MYRA J.: *Britain between myth and reality — the literary - historical vision of Geoffrey of Monmouth's 'Historia Regum Britanniae'.* Ann Arbor: University Microfilms International, 1985. [xii], 273pp.

796 SCHWARTZ, S.M.: The founding and self-betrayal of Britain: an Augustinian approach to Geoffrey of Monmouth's *Historia Regum Britanniae. MH,* 10(1981), 33-58.

797 THOMPSON, MARY: 'Geoffrey did not invent it': the Roman War in the *Historia Regum Britanniae.* [In] *Actes du 14ᵉ Congrès International Arthurien . . .* pp. 627-34. *Gw.* rhif 760.

798 WRIGHT, NEIL: Geoffrey of Monmouth and Bede. *AL,* 6(1986), 27-59.

799 —— Geoffrey of Monmouth and Gildas. *AL,* 2(1982), 1-40. *Also* Geoffrey of Monmouth and Gildas revisited. *AL,* 4(1985), 155-63.

(vi) Astudiaethau amrywiol

800 BOLLARD, J.K.: Sovereignty and the loathly lady in English, Welsh and Irish. *LSE,* 17(1986), 41-59.

801 BROMWICH, RACHEL: Celtic elements in Arthurian romance — a general survey. [In] *The legend of Arthur in the Middle Ages: studies presented to A.H. Diverres* . . . edited by P.B. Grout *et al.* Cambridge: Brewer, 1983. (Arthurian studies; 7). pp. 41-55. *Adol.* (ar y gyfrol gyfan): Ceridwen Lloyd-Morgan, *LIC,* 15 (1984/86), 184-6.
Yn cynnwys cyfieithad Saesneg o *Pa gur yv y porthaur.*

802 —— Concepts of Arthur. *SC,* 10/11(1975/76), 163-81.

803 BULLOCK-DAVIES, CONSTANCE: *'Exspectare Arturum'* - Arthur and the Messianic hope. *BBCS,* 29(1981), 432-40.

804 BULLOCK-DAVIES, CONSTANCE: The visual image of Arthur. *RMS*, 9(1983), 98-116.

805 CORMIER, RAYMOND J.: Cú Chulainn and Yvain: the love hero in Early Irish and Old French literature. *SPh*, 72(1975), 115-39.

806 DARRAH, JOHN: *The real Camelot — paganism and the Arthurian romances.* London: Thames and Hudson, 1981. 160pp.

807 DUXBURY, BRENDA and WILLIAMS, MICHAEL: *King Arthur country in Cornwall.* [With] WILSON, COLIN: *The search for the real Arthur.* St. Teath, Bodmin: Bossiney, 1979. 104pp.

808 EDEL, DORIS: The Arthur of 'Culhwch and Olwen' as a figure of epic-heroic tradition. *RMS*, 9(1983), 3-15.

809 FORD, PATRICK K.: On the significance of some Arthurian names in Welsh. *BBCS*, 30(1983), 268-73.

810 GILLIES, WILLIAM: Arthur in Gaelic tradition. Part I: Folktales and ballads. *CMCS*, 2(1981), 47-72. Part II: Romances and learned lore. *CMCS*, 3(1982), 41-75.

811 JARMAN, A.O.H.: The Arthurian allusions in the Black Book of Carmarthen. [In] *The legend of Arthur in the Middle Ages . . .* pp. 99-112. *Gw. rhif* 801.

812 —— Y darlun o Arthur. *LIC*, 15(1984/86), 3-17.

813 —— The delineation of Arthur in early Welsh verse. [In] *An Arthurian tapestry: essays in memory of Lewis Thorpe;* edited by Kenneth Varty. Glasgow: The French Department on behalf of the British Branch of the International Arthurian Society, 1981. pp. 1-21. *Adol.* (ar y gyfrol gyfan): Ceridwen Lloyd-Morgan, *LIC*, 14(1983/84), 279-82.

814 KELLY, SUSAN: A note on Arthur's Round Table and the Welsh 'Life of Saint Carannog'. *Folklore*, 87(1976), 223-5.

815 KNIGHT, STEPHEN: 'Chief of the princes of this island': the early British Arthurian legend. [In] *Arthurian literature and society.* London: Macmillan, 1983. pp. 1-37.

816 KORREL, PETER: *An Arthurian triangle: a study of the origin, development and characterization of Arthur, Guinevere and Modred.* Leiden: E.J. Brill, 1984. 301pp.
Includes: I. Arthur, Modred and Guinevere in the historical records and in the legendary Arthurian material in early Welsh tradition.

817 LACY, NORRIS J.(ED.), *The Arthurian encyclopedia*. New York; London: Garland Publishing, 1986. xxxvii, 649pp.
Includes: Arthur, origins of legend (Geoffrey Ashe). Celtic Arthurian literature (Patrick K. Ford). Geoffrey of Monmouth (Geoffrey Ashe).

818 LLOYD-MORGAN, CERIDWEN: Continuity and change in the transmission of Arthurian material: later mediaeval Wales and the Continent. [In] *Actes du 14ᵉ Congrès International Arthurien . . .* pp. 397-405. *Gw.* rhif 760.

819 —— Nodiadau ychwanegol ar achau Arthuraidd a'u ffynonellau Ffrangeg. *CLIGC*, 21(1980), 329-39.

820 LOVECY, I. C.: Exploding the myth of Celtic myth: a new appraisal of the Celtic background of Arthurian romance. *RMS*, 7(1981), 3-18.

821 LUTTRELL, CLAUDE: Folk legend as a source for Arthurian romance: the Wild Hunt. [In] *An Arthurian tapestry . . .* pp. 83-100. *Gw.* rhif 813.

822 MORRIS, ROSEMARY: *The character of King Arthur in medieval literature.* Cambridge: D.S. Brewer, 1982. 175pp. (Arthurian studies; 4). *Rev.:* Jeff Rider, *MP*, 83(1985), 181-4.

823 —— The development of the figure of King Arthur in medieval Welsh, Latin, French, Spanish and English literature. (Ph.D. Thesis). Cambridge, 1978.

824 MUSÈS, CHARLES: Celtic origins and the Arthurian cycle: geographic-linguistic evidence. *JIES*, 7(1979), 31-48.

825 PEARCE, SUSAN: *The Kingdom of Dumnonia: studies in history and tradition in south-western Britain, A.D. 350-1150.* Padstow: Lodenek Press, 1978. v. 221pp.
pp. 144-52 The Arthurian cycle.

826 SENIOR, MICHAEL: *Myths of Britain.* London: Orbis Publishing, 1979. 241pp.
Includes: Arthur as warrior and hero. The development of Arthur.

827 THOMAS, GRAHAM: Llen Arthur a Maen a Modrwy Luned: astudiaeth gymharol o ddau o Dri Thlws ar Ddeg Ynys Prydain. (Traethawd M.A.). Caerdydd, 1976.

828 VARIN, AMY: Mordred, King Arthur's son. *Folklore*, 90(1979), 167-77.

829 WHITE, R.B.: Caer Gai and the giants of Penllyn. *CCHChSF*, 10(1985), 29-35.

830 WILHELM, JAMES J. and GROSS, LAILA ZAMUELIS (EDS): *The romance of Arthur*. New York; London: Garland Publishing, 1984. 314pp. *Rev.:* Brynley F. Roberts, *LlLl*, Autumn (1984), 14.

Brief introductions and translations: Arthur in the Latin Chronicles (James J. Wilhelm). Arthur in early Welsh tradition (John K. Bollard). The tale of Culhwch and Olwen (Richard M. Loomis). Arthur in Geoffrey of Monmouth (Richard M. Loomis).

(vii)   Afallon (Ynys Afallach) a Dychweliad Arthur

831 ASHE, GEOFFREY: *Avalonian quest*. London: Methuen, 1982. 287pp. Issued in Fontana Paperbacks, 1984.

832 BARBER, RICHARD: Was Mordred buried at Glastonbury? Arthurian tradition at Glastonbury in the Middle Ages. *AL*, 4(1985), 37-69.

833 CARLEY, JAMES P.: The discovery of the Holy Cross of Waltham at Montacute, the excavation of Arthur's grave at Glastonbury Abbey, and Joseph of Arimathea's burial. *AL*, 4(1985), 64-9.

834 DITMAS, E.M.R.: *Traditions and legends of Glastonbury*. St. Peter Port, Guernsey: Toucan Press, 1979. 16pp. (West Country folklore; 14.)

835 GRANSDEN, ANTONIA: The growth of the Glastonbury traditions and legends in the twelfth century. *JEH*, 27(1976), 337-58.

(viii)   Y Tair Rhamant
(c)   Cyfieithiadau a diweddariadau

Gweler rhifau 650-63.

836 JONES, BOBI: *Y Tair Rhamant* (o *Lyfr Coch Hergest*); y testun wedi'i ddiweddaru. Ail arg. Aberystwyth: Cymdeithas Lyfrau Ceredigion, 1979. xxxi, 156tt. (Arg. cyntaf, 1960).

(ch)   Astudiaethau

837 BHREATHNACH, MÁIRE: The sovereignty goddess as goddess of death? *ZCP*, 39(1982), 243-60.

838 DAVIES, SIONED: A study of narrative methods in the Mabinogion. (D.Phil. Thesis). Oxford, 1982.

839 GOETINCK, GLENYS: The three Welsh romances *and* Sovereignty themes in *Peredur, Owein* and *Gereint*. [In] *Peredur: a study of Welsh tradition in the Grail legends* . . . pp. 1-40, 129-55. *Gw.* rhif 865.

840 JONES, R.M.: Tri mewn llenyddiaeth. *LIC*, 14(1981/82), 92-110.

841 MAC CANA, PROINSIAS: *The Mabinogi* . . . pp. 98-132. *Gw.* rhif 694.

842 McCann, W.J.: Adeiledd *Y Tair Rhamant* (Gereint, Owein, Peredur). *YB*, 13(1985), 123-33.

843 Rees, Brinley: Tair cymhariaeth . . . (iii) Deol y Dési. *BBCS*, 28(1979), 392-4.
Cyfeirir at Fabinogi Pwyll a'r 'Tair Rhamant'.

844 Roberts, Brynley F.: From traditional tale to literary story - Middle Welsh prose narratives. [In] *The craft of fiction - essays in medieval poetics;* edited by Leigh A. Arrathoon. Rochester, Michigan: Solaris Press, 1984. pp. 211-30.

845 —— 'Rhagymadrodd'. [Yn] *Y Mabinogion: diweddariad* . . . tt. ix-xxxi. *Gw.* rhif 657.

846 —— Tales and romances. [In] *A guide to Welsh literature, volume i* . . . pp. 203-43. *Gw.* rhif 104.

847 Thomas, Gwyn: 'Y Rhamantau'. [Yn] *Llenyddiaeth y Cymry, cyflwyniad darluniadol. Cyfrol 1* . . . tt. 58-69. *Gw.* rhif 149.

848 Williams, Patricia: Y gwrthdaro rhwng serch a milwriaeth yn *Y Tair Rhamant. YB*, 12(1982), 40-56.

(d) Rhamantau unigol

(1) Geraint fab Erbin

849 Middleton, Roger: Studies in the textual relationships of the Erec/ Gereint stories. (D. Phil. Thesis). Oxford, 1976.

(2) Iarlles y Ffynnon

(a) Testun

850 Thomson, R.L. (ed.): *Owein, or Chwedyl Iarlles y Ffynnawn* . . . (*Gw.* LILIG 946). *Rev.:* E. Bachellery, *EC*, 14(1975), 647-50.

(b) Astudiaethau

851 De Caluwé-Dor, Juliette: Yvain's lion again — a comparative analysis of its personality and function in the Welsh, French and English versions. [In] *An Arthurian tapestry* . . . pp. 229-38. *Gw.* rhif 813.

852 Diverres, A.H.: *Iarlles y Ffynnawn* and *Le Chevalier au Lion:* adaptation or common source? *SC*, 16/17(1981/82), 144-62.

853 Hunt, Tony: The lion and Yvain. [In] *The legend of Arthur in the Middle Ages* . . . pp. 86-98. *Gw.* rhif 801.

854 ——The medieval adaptations of Chrétien's *Yvain:* a bibliographical essay. [In] *An Arthurian tapestry* . . . pp. 203-13. *Gw.* rhif 813.

855 Jones, R.M.: Owain. [Yn] *Llên Cymru a chrefydd* . . . tt. 146-75. *Gw.* rhif 117.

856 Lozac'hmeur, Jean-Claude: A propos des sources du Mabinogi d'Owein et du roman d'Yvain. *EC*, 15/2(1978), 573-5.

857 —— Le motif du *Passage Périlleux* dans les romans arthuriens et dans la littérature orale bretonne. *EC*, 15/1(1976/77), 291-301.

858 Roberts, Brynley F.: Owein *neu* Iarlles y Ffynnon. *YB*, 10(1977), 124-43.

859 —— The Welsh romance of the *Lady of the Fountain (Owein)*. [In] *The legend of Arthur in the Middle Ages* . . . pp. 170-82. *Gw.* rhif 801.

(3) Peredur

(a) Testun

860 Goetinck, Glenys: *Historia Peredur vab Efrawc;* golygwyd gyda rhag-ymadrodd, nodiadau testunol a geirfa. Caerdydd: Gwasg Prifysgol Cymru, 1976. xxix, 190tt. *Rev.:* Brynley F. Roberts, *SC*, 12/13(1977/78), 480-4.

(b) Astudiaethau

861 Bollard, J.K.: *Peredur:* the four early manuscripts. *BBCS*, 28(1979), 365-72.
NLW MSS Peniarth 7, 4, 14 and Jesus Coll., Oxford, MS. 1, *The Red Book of Hergest.*

862 —— The story of Peredur son of Efrog. (Introduction and English translation). [In] *The Romance of Arthur, volume 2;* edited by James J Wilhelm. New York; London: Garland Publishing, 1986. pp. 29-61.

863 Carey, John: The valley of the changing sheep. *BBCS*, 30(1983), 277-80; 32(1985), 156.

864 Edel, Doris, Rhai sylwadau ar arddull *Peredur* a pherthynas y chwedl Gymraeg â *Perceval* Chrétien. *LIC*, 14(1981/82), 52-63.

865 Goetinck, Glenys: *Peredur: a study of Welsh tradition in the Grail legends.* Cardiff: University of Wales Press, 1975. viii, 336pp. *Rev.:* Glyn M. Ashton, *AWR*, 58(1977), 178-80; M. Charlotte Ward, *MÆ*, 46(1977), 308-12.

866 Harries, W. Gerallt: Peredur 'nai Arthur'. *BBCS*, 26(1975), 311-14.

867 Lloyd-Morgan, Ceridwen: Narrative structure in *Peredur. ZCP*, 38(1981), 187-231.

868 LOVECY, I.C.: The Celtic sovereignty theme and the structure of *Peredur*. *SC*, 12/13(1977/78), 133-46.

869 MEIRION PENNAR: Tynghedfen Peredur. *YB*, 11(1979), 52-62.

870 REJHON, ANNALEE CLAIRE: The 'Mute Knight' and the 'Knight of the Lion' - implications of the hidden name motif in the Welsh *Historia Peredur vab Efrawc* and Chrétien de Troyes's *Yvain ou le Chevalier au Lion*. *SC*, 20/21(1985/86), 110-22.

(ix) Chwedlau'r Greal

(a) Testun

871 LLOYD-MORGAN, CERIDWEN: The Peniarth 15 fragment of *Y Seint Greal* . . . *Gw.* rhif 874.

(ch) Astudiaethau

872 CAVENDISH, RICHARD: *King Arthur and the Grail: the Arthurian legends and their meaning*. London: Weidenfeld and Nicolson, 1978. viii, 229pp. London: Paladin, 1980. viii, 229pp.

873 GOETINCK, GLENYS: *Peredur: a study of Welsh tradition in the Grail legends* . . . *Gw.* rhif 865.

874 LLOYD-MORGAN, CERIDWEN: The Peniarth 15 fragment of *Y Seint Greal*: Arthurian tradition in the late fifteenth century. *BBCS*, 28(1978), 73-82.

875 —— Perceval in Wales — late medieval Welsh Grail traditions. [In] *The changing face of Arthurian romance: essays on Arthurian prose romances in memory of Cedric E. Pickford* . . . edited by Alison Adams *et al.* Woodbridge: The Boydell Press, 1986. pp. 78-91. (Arthurian studies; 16).

876 —— Rhai agweddau ar gyfieithu yng Nghymru yn yr Oesoedd Canol. *YB*, 13(1985), 134-45.

877 —— A study of *Y Seint Greal* in relation to *La Queste del Saint-Graal* and *Perlesvaus*. (D. Phil. Thesis). Oxford, 1978.

878 MARKALE, JEAN: *Le Graal*. Paris: Retz, 1982. 267pp.

879 STERCKX, CLAUDE: Les Têtes Coupées et la Graal. *SC*, 20/21(1985/86), 1-42.

(x) Chwedl Trystan ac Esyllt

(a) Testun

880 JARMAN, A.O.H. (GOL.): *Llyfr Du Caerfyrddin*; gyda rhagymadrodd, nodiadau testunol a geirfa . . . *Gw.* rhif 392.

(b) Astudiaethau

881 BROMWICH, RACHEL: The 'Tristan' poem in the Black Book of Carmarthen. *SC,* 14/15(1979/80), 54-65.

882 CORMIER, RAYMOND J.: Open contrast — Tristan and Diarmaid. *Speculum,* 51(1976), 589-601.

883 —— Remarks on 'The tale of Deirdriu and Noisiu' and the Tristan legend. *EC,* 15/1(1976/77), 303-15.

884 MANDACH, ANDRE DE: Legend and reality: recent excavations and research in Cornwall concerning Tristan and Isolt. *Tristania,* 4/2(1979), 4-24.

885 MANDACH, ANDRÉ DE et ROTH, EVE-MARIE: Le triangle Marc-Iseut-Tristan: un drame de double inceste. *EC,* 23(1986), 193-213.

886 PADEL, O.J.: The Cornish background of the Tristan stories. *CMCS,* 1(1981), 53-80.

887 PEARCE, SUSAN: *The Kingdom of Dumnonia: studies in history and tradition in south-western Britain, A.D. 350-1150.* Padstow: Lodenek Press, 1978. v, 221pp.
pp. 152-5 Tristan, Mark and Isolt.

888 ROWLAND, JENNY and THOMAS, GRAHAM: Additional versions of the Trystan *englynion* and prose. *CLIGC,* 22(1982), 241-53.

889 THOMSON, R.L.: The Welsh fragment of Tristan (Trystan ac Esyllt): translated. [In] *The Tristan legend: texts from Northern and Eastern Europe in modern English translation;* edited by Joyce Hill. Leeds, 1977. pp. 1-5. (Leeds Medieval Studies; 2).

890 TRINDADE, W. ANN: The Celtic connections of the Tristan story. *RMS,* 12(1986), 93-107.

(B) Barddoniaeth

(a) Cyffredinol

891 JARMAN, A. O. H.: The Arthurian allusions in the Black Book of Carmarthen. [In] *The legend of Arthur in the Middle Ages . . .* pp. 99-112. *Gw.* rhif 811.

892 —— The delineation of Arthur in early Welsh verse. [In] *An Arthurian tapestry . . .* pp. 1-21. *Gw.* rhif 813.

(b) Preiddeu Annwfn

893 HAYCOCK, MARGED: *Preiddeu Annwn* and the figure of Taliesin. *SC,* 18/19(1983/84), 52-78.

894 KOCH, JOHN T.: 'Clywanhor, gwyδanhor, gwyδanhawr. *BBCS,* 31(1984), 87-92.

(c) Ymddiddan Arthur a Glewlwyd Gafaelfawr

895 JARMAN, A. O. H. (GOL.): *Llyfr Du Caerfyrddin:* gyda rhagymadrodd, nodiadau testunol a geirfa . . . *Gw.* rhif 392.

896 ROBERTS, BRYNLEY F.: Rhai o gerddi ymddiddan Llyfr Du Caerfyrddin. [Yn] *Astudiaethau ar yr Hengerdd* . . . tt. 296-309. *Gw.* rhif 290.

897 THOMAS, GWYN: *Y traddodiad barddol* . . . tt. 68-71. *Gw.* rhif 150.

IV. CHWEDLAU SIARLYMAEN

(a) Testun

898 REJHON, ANNALEE CLAIRE (ED.): *Cân Rolant: the medieval Welsh version of the Song of Roland;* edited and translated. Berkeley: University of California Press, 1984. x, 264pp. (University of California publications in modern philology; 113). *Rev.:* Ceridwen Lloyd-Morgan, *CMCS,* 8(1984), 109-10.

899 ———— *'Rolandiana Cambriana':* an edition of the Middle Welsh version of the 'Chanson de Roland'. Ann Arbor, Michigan; London: University Microfilms International, 1982. 391pp. (Ph.D. Thesis, University of California, Berkeley, 1979).

(b) Astudiaethau

900 REJHON, ANNALEE CLAIRE: Hu Gadarn - folklore and fabrication. [In] *Celtic folklore and Christianity* . . . pp. 201-12. *Gw.* rhif 359.

901 ——— The Roland − Oliver relationship in the Welsh version of the *Chanson de Roland. RPh,* 35(1981), 234-41.

902 ———La version galloise de la *Chanson de Roland* et sa relation avec les autres rédactions du poeme. [In] *VIII Congreso de la Société Rencesvals.* Pamplone: Institución Principe de Viana, Diputación Foral de Navarra, 1981. pp. 399-404.

V. CHWEDLAU ERAILL

Cyffredinol

903 ROBERTS, BRYNLEY F.: Tales and Romances. [In] *A guide to Welsh literature, volume 1* . . . pp. 203-43. *Gw.* rhif 104.

(1) Amlyn ac Amig

904 WILLIAMS, PATRICIA (GOL.): *Kedymdeithyas Amlyn ac Amic;* gyda rhag-
ymadrodd a nodiadau. Caerdydd: Gwasg Prifysgol Cymru, 1982.
xxxvii, 84tt. *Adol.:*Morfydd E. Owen, *Barn,* 233(1982), 175-6; Brynley F.
Roberts, *LlLl,* Haf (1982), 18-19. *Rev.:* Pádraig Ó Fiannachta, *Celtica,*
15(1983), 187-8.

(2) Bown o Hamtwn

905 SURRIDGE, MARIE E.: The number and status of Romance words attested
in *Ystorya Bown de Hamtwn. BBCS,* 32(1985), 68-78.

(11) Hanes Taliesin
(i) Testun

906 FORD, PATRICK K.: A fragment of the *Hanes Taliesin* [from Llanover MS.
B17, a version by Llywelyn Siôn]. *EC,* 14(1975), 451-60.

907 ——Meredith Lloyd, Dr Davies and the *Hanes Taliesin. CLIGC,* 21(1979),
27-39.

Text of *Hanes Taliesin* (Brogyntyn Collections, NLW) with variants from
Peniarth 111.

908 WOOD, JULIETTE M.: A study of the legend of Taliesin. (M. Litt. Thesis).
Oxford, 1979.

Chapter 1: The texts and manuscripts of *Hanes Taliesin.* Includes NLW 5276D
in hand of Elis Gruffudd and NLW 6209, a copy of Gruffudd's work by David
Parry.

909 ——Versions of *Hanes Taliesin* by Owen John and Lewis Morris. *BBCS,*
29(1981), 285-95.

Versions in NLW 13081 (1-4ᵛ) copied by Owen John and in Cwrtmawr 14 (one
of Lewis Morris's manuscripts written in English).

(ii) Cyfieithiadau

910 FORD, PATRICK K.: *The Mabinogi and other medieval Welsh tales* . . .
pp. 159-81. *Gw.* rhif 651.

911 WOOD, JULIETTE M.: A study of the legend of Taliesin . . . *Gw.* rhif 908.
Translation based on the text of NLW 5276D (Elis Gruffudd) and NLW 6209
(David Parry).

(iii) Astudiaethau

912 HAMP, ERIC P.: Gwion and Fer Fí. *Ériu,* 29(1978), 152-3.

913 NAGY, JOSEPH FALAKY: Intervention and disruption in the myths of Finn
and Sigurd. *Ériu,* 31(1980), 123-31.

914 NAGY, JOSEPH FALAKY: *The wisdom of the outlaw: the boyhood deeds of Finn in Gaelic narrative tradition.* Berkeley; London: University of California Press, 1985. viii, 338pp.

915 WOOD, JULIETTE M.: Bedd Taliesin. *Ceredigion*, 8(1979), 414-18.

916 —— The Elphin section of *Hanes Taliesin*. *EC*, 18(1981), 229-44.

917 —— The folklore background of the Gwion Bach section of *Hanes Taliesin*. *BBCS*, 29(1982), 621-34.

918 —— The mid-Wales context of *Hanes Taliesin* — local place-names in the manuscript tales. *Ceredigion*, 9(1980), 53-7.

919 —— A study of the legend of Taliesin . . . *Gw*. rhif 908.

920 —— Virgil and Taliesin: concept of the magician in medieval folklore. *Folklore*, 94(1983), 91-104.

VI.   Y TRIOEDD

921 BROMWICH, RACHEL (ED.): *Trioedd Ynys Prydein. The Welsh triads;* edited with introduction, translation and commentary. Second ed. Cardiff: University of Wales Press, 1978. cxliv, 597pp. (pp. 524-65, Additional notes to the second ed.).

922 CAREY, JOHN: Coll son of Collfrewy. *SC*, 16/17(1981/82), 168-74.

923 HAMP, ERIC P.: On the justification of ordering in *TYP*. *SC*,16/17 (1981/82), 104-9.

924 JACKSON, KENNETH H.: 'O achaws nyth yr Ychedydd' (TYP rhif 84, t. 206: Brwydr Arfderydd). *YB*, 10(1977), 45-50.

925 WILLIAMS, EDWARD: *The Triads of Britain;* compiled by Iolo Morganwg, translated by W. Probert, with an Introduction and Glossary, by Malcolm Smith. London: Wildwood House, 1977. 112pp.

VII.   TESTUNAU HANESYDDOL
Cyffredinol

926 ROBERTS, BRYNLEY F.: Historical writing. [In] *A guide to Welsh literature, volume i* . . . pp. 244-7. *Gw*. rhif 104.

(1)   Y Bibyl Ynghymraec

927 THOMAS, ISAAC: Cyfieithu'r Hen Destament i'r Gymraeg: cyn y Diwygiad Protestannaidd. *CLLGC*, 21(1980), 298-312.

(3) Brut y Brenhinedd

Gweler rhifau 779-799

(4) Brut y Tywysogion

928 HUGHES, KATHLEEN: The Welsh Latin Chronicles: *Annales Cambriae* and related texts. [In] *Celtic Britain in the early Middle Ages* . . . pp. 67-85. *Gw.* rhif 521. (First published in *PBA*, 59(1973) [1974], 233-58). *Rev.:* David N. Dumville, *SC*, 12/13(1977/78), 461-7.

929 TILSLEY, MARGARET A.W.: Orgraff, ffurfiant a chystrawen testun Peniarth 20 o Brut y Tywysogion. (Traethawd Ph.D.). Aberystwyth, 1973.

(7) Hanes Gruffudd ap Cynan

930 EVANS, D. SIMON (GOL.): *Historia Gruffud vab Kenan:* gyda rhag-ymadrodd a nodiadau. Caerdydd: Gwasg Prifysgol Cymru ar ran Bwrdd Gwybodau Celtaidd Prifysgol Cymru, 1977. cccv, 148tt. *Adol.:* R. Geraint Gruffydd, *SC*, 14/15(1979/80), 431-4; Gwynn ap Gwilym, *HG*, Hydref (1979), 33-5; H. J. Hughes, *Barn*, 185(1978), 225-6. *Rev.:* Brynley F. Roberts, *MAe*, 49(1980), 124-6.

VIII. Y CYFREITHIAU

931 CARR, A.D. and JENKINS, DAFYDD: *A look at Hywel's Law.* Hendy Gwyn ar Daf: Cymdeithas Genedlaethol Hywel Dda, 1985. 47pp.
1. 'Houael Rex': Hywel the king (A.D. Carr). 2. The Law of Hywel (Dafydd Jenkins).

932 —— *Trem ar Gyfraith Hywel.* Hendy Gwyn ar Daf: Cymdeithas Gened-laethol Hywel Dda, 1985. 46tt.
1. 'Houael Rex': Hywel y brenin (A.D. Carr). 2. Cyfraith Hywel (Dafydd Jenkins).

933 CHARLES-EDWARDS, T. M.: *Cynghawsedd* - counting and pleading in medieval Welsh law. *BBCS*, 33(1986), 188-98.

934 CHARLES-EDWARDS, T. M. and KELLY, FERGUS (EDS). *Bechbretha.* Dublin: Dublin Institute for Advanced Studies, 1983. xii, 214pp. (Early Irish law series; 1). *Rev.:* Kim McCone, *CMCS*, 8(1984), 45-50; Morfydd Owen, *SC*, 20/21(1985/86), 276-8.
See also: CRANE, EVA and WALKER, PENELOPE: *Evidence on Welsh beekeeping in the past.* Gerrad's Cross: IBRA, 1985, 30pp. *Also FL*, 23(1984/85), 21-48.

935 CHARLES-EDWARDS, T.M. *et al.* (EDS). *Lawyers and laymen: studies in the history of law presented to Professor Dafydd Jenkins on his seventy-fifth birthday, Gŵyl Ddewi 1986.* Cardiff: University of Wales Press, 1986. [xi], 394pp.

Includes: The archaic core of Llyfr Iorwerth (Robin Stacey). Duw yn lle mach: briduw yng Nghyfraith Hywel (Huw Pryce). The general features of archaic European suretyship (D.B. Walters). Texts: The Manuscripts (Daniel Huws); The 'Iorwerth' text, edited and translated (T.M. Charles-Edwards); The 'Cyfnerth' text, edited and translated (Morfydd E. Owen); Latin Redaction E, edited and translated (Helen Davies). Legistlators, lawyers and lawbooks (Alan Harding).

936 DUMVILLE, DAVID N.: Notes on Celtic Latin — the latinization of Welsh *eil* 'heir, heir-apparent'. *BBCS*, 30(1983), 283-4.

937 FLETCHER, IAN F.: *Latin Redaction A of the Law of Hywel.* Aberystwyth: Canolfan Uwchefrydiau Cymreig a Cheltaidd, 1986. 94pp. (Pamffledi Cyfraith Hywel. Pamphlets on Welsh law).

938 FORD, PATRICK K.: Welsh *asswynaw* and Celtic legal idiom. *BBCS*, 26(1975), 147-53.

939 HUWS, DANIEL: *The Medieval Codex with reference to the Welsh law books.* Aberystwyth: Canolfan Uwchefrydiau Cymreig a Cheltaidd, 1980. 17pp. (Pamffledi Cyfraith Hywel. Pamphlets on Welsh law.)

940 IFANS, DAFYDD: *William Salesbury and the Welsh laws.* Aberystwyth: Canolfan Uwchefrydiau Cymreig a Cheltaidd, 1980. 12pp. (Pamffledi Cyfraith Hywel. Pamphlets on Welsh law.)

941 JAMES, CHRISTINE: Golygiad o BL Add. 22356 o Gyfraith Hywel ynghyd ag astudiaeth gymharol ohono a Llanstephan 116. (Traethawd Ph.D.). Aberystwyth, 1984.

942 JENKINS, DAFYDD: '*Abaty, albate, albadeth'. BBCS*, 27(1977), 216-21.

943 —— *Agricultural co-operation in Welsh medieval law.* Cardiff: Amgueddfa Genedlaethol Cymru (Amgueddfa Werin Cymru), 1982. 18pp.

944 —— *Cynghellor* and Chancellor. *BBCS*, 27(1976), 115-18.

945 —— Gwenogvryn Evans's 'Facsimile of the Chirk Codex'. *CLIGC,* 22(1982), 470-4.

946 —— *Kings, lords, and princes:* the nomenclature of authority in thirteenth-century Wales. BBCS, 26(1976), 451-62.

947 —— The medieval Welsh idea of law. *LHR*, 49(1981), 328-48.

948 —— The significance of the Law of Hywel. *THSC*, 1977, 54-76. (The Hartwell Jones lecture; 1976).

949 JENKINS, DAFYDD (ED.). *The law of Hywel Dda. Law texts from medieval Wales;* translated and edited. Llandysul: Gomer Press, 1986. xlvii, 425pp. (Welsh classics).

950 JENKINS, DAFYDD and OWEN, MORFYDD E.: Welsh law in Carmarthenshire. *CAntiq*, 18(1982), 17-27.

951 JENKINS, DAFYDD and OWEN, MORFYDD E. (EDS.): *The Welsh law of women: studies presented to Professor Daniel A. Binchy on his eightieth birthday.* Cardiff: University of Wales Press, 1980. xii, 253pp. *Rev.:* J. H. Baker, *CMCS*, 1(1981), 99-100; Dagmar B. Schneider, *ZCP*, 39(1982), 319-21; Glanmor Williams, *SC*, 16/17(1981/82), 378-80.

The normal paradigms of a woman's life in the Irish and Welsh texts (Christopher McAll). *Nau kynywedi teithiauc* (T.M. Charles-Edwards). Shame and reparation: women's place in the kin (Morfydd E. Owen). Property interests in the classical Welsh law of women (Dafydd Jenkins). The status of women and the practice of marriage in late-medieval Wales (R.R.Davies). The European legal context of the Welsh law of matrimonial property (D.B.Walters). Texts of the tractate on the law of women.

952 JONES, G.R.J.: The ornaments of a kindred in medieval Gwynedd. *SC*, 18/19(1983/84), 135-46.

953 KIRBY, D.P.: Hywel Dda: Anglophil? *CHC*, 8(1976), 1-13.

954 LINNARD, WILLIAM: Beech and the lawbooks. *BBCS*, 28(1980), 605-7.

955 —— *Trees in the Law of Hywel.* Aberystwyth: Canolfan Uwchefrydiau Cymreig a Cheltaidd, 1979. 13,[2]pp. (Pamffledi Cyfraith Hywel. Pamphlets on Welsh law).

956 Ó CORRÁIN, DONNCHADH: Law and society — principles of classification. [In] *Geschichte und Kultur der Kelten* . . . pp. 234-40. *Gw.* rhif 211.

957 OWEN, MORFYDD E.: Functional prose: religion, science, grammar, law. [In] *A guide to Welsh literature, volume 1* . . . pp. 248-76. *Gw.* rhif 104.

958 OWEN, MORFYDD E. a JENKINS, DAFYDD: Gwilym Was Da. *CLlGC*, 21(1980), 429-30.

959 PATTERSON, NERYS W.: Honour and shame in medieval Welsh society. A study of the role of burlesque in the Welsh laws. *SC*, 16/17(1981/82), 73-103.

960 PRYCE, HUW: Native law and the church in medieval Wales. (D.Phil. Thesis). Oxford, 1985.

961 —— The prologues to the Welsh lawbooks. *BBCS*, 33(1986), 151-87.

962 REES, BRINLEY: *'Tair nos yn eisiau'*. *BBCS*, 31(1984), 100-2.

963 ROWLANDS, EURYS I.: Mesur tir — land measurement. *SC*, 14/15(1979/80), 270-84.

964 SERGENT, BERNARD: Three notes on the trifunctional Indo-European marriage. *JIES*, 12(1984), 179-91.

965 SHERINGHAM, J. G. T.: Bullocks with horns as long as their ears. *BBCS*, 29(1982), 691-708.

966 STACEY, ROBIN: Personal suretyship in early medieval Irish and Welsh law. (M.Litt. Thesis). Oxford, 1982.

967 STEPHENSON, DAVID: *Thirteenth century Welsh law courts.* Aberystwyth: Canolfan Uwchefrydiau Cymreig a Cheltaidd, 1980. 18pp. (Pamffledi Cyfraith Hywel. Pamphlets on Welsh law).

968 WADE-EVANS, ARTHUR W. (ED.): *Welsh medieval law, being a text of the laws of Howel the Good, namely the British Museum Harleian MS. 4353* . . . [s.l.]: Scientia Verlag Aalen, 1979. xcvi, 395pp. (Reprint of the Oxford University Press ed., 1909). *Rev.:* J. E. Caerwyn Williams, *LlLl*, Winter (1981), 10-11.

969 WALTERS, D.B.: *The comparative legal method—marriage, divorce and the spouses' property rights in early medieval European law and Cyfraith Hywel.* Aberystwyth: Canolfan Uwchefrydiau Cymreig a Cheltaidd, 1982. 130pp. (Pamffledi Cyfraith Hywel. Pamphlets on Welsh law). *Rev.:* T.M. Charles-Edwards, *CMCS*, 10(1985), 87-8.

970 —— *'Meddiant'* and *'goresgyn'*. *BBCS*, 31(1984), 112-18.

IX.   LLENYDDIAETH GREFYDDOL
(i)   Cyffredinol

971 EVANS, D. SIMON: *Medieval religious literature. Gw.* rhif 569.

972 OWEN, MORFYDD E.: Functional prose — religion, science, grammar, law. [In] *A guide to Welsh literature, volume 1* . . . pp. 248-76. *Gw.* rhif 104.

973 THOMAS, ISAAC: Cyfieithu'r Hen Destament i'r Gymraeg: cyn y Diwygiad Protestannaidd. *CLIGC*, 21(1980), 298-328.
Trafodir: Y Bibyl Ynghymraec; Gwassanaeth Meir; Py delw y dyly dyn credv y Dyw (Llyfr Ancr Llanddewi Brefi); Hystoria Lucidar (Llyfr Ancr); Hystoria Adrian ac Ipotis (Llyfr Ancr); Ystorya Adaf.

(iv)   Chwedlau Crefyddol
(3)   Sibli

974 EVANS, R. WALLIS: Proffwydoliaeth Sibli Ddoeth. (*Llyfr Coch Hergest c.* 571a). *LlC*, 14(1983/84), 216-23.

(4)   Cysegrlan Fuchedd

975   DANIEL, IESTYN: 'Ymborth yr Enaid' - trydydd llyfr 'Cysegrlan Fuchedd'.
(Traethawd Ph.D.). Aberystwyth, 1981.

(viii)   Bucheddau Saint
(i)   Cyffredinol

976   BOWEN, E.G.: *Saints, seaways and settlements in the Celtic lands.* Cardiff:
University of Wales Press, 1969. xvii, 245pp. Reprinted, 1977 (with
revised plates and second preface).

977   DAVIES, WENDY: Property rights and property claims in Welsh *Vitae* of
the eleventh century. [In] *Hagiographie, cultures et sociétés, IVe-XIIe
siècles.* Actes du colloque organisé à Nanterre et à Paris, 1979; eds.
E. Patlagean and P. Riche. Paris, 1981. pp. 515-33.

978   DOAN, JAMES E.: A structural approach to Celtic saints' Lives. [In] *Celtic
folklore and Christianity* . . . pp. 16-28. *Gw.* rhif 359.

979   DOBLE, GILBERT H.: *Lives of the Welsh saints;* edited by D. Simon Evans.
Cardiff: University of Wales Press, 1971. Paperback ed., 1984. 248pp.

980   HENKEN, ELISSA R.: Folklore of the Welsh saints. (M.A. Thesis). Aber-
ystwyth, 1982.

981   —— The saint as folk hero: biographical patterning in Welsh hagio-
graphy. [In] *Celtic folklore and Christianity* . . . pp. 58-74. *Gw.* rhif 359.

982   HUGHES, KATHLEEN: 'British Library MS. Cotton Vespasian A. xiv *(Vitae
Sanctorum Wallensium):* its purpose and provenance'. [In] *Celtic Britain
in the early Middle Ages: studies in Scottish and Welsh sources* . . .
pp. 53-66 *Gw.* rhif 521. (First published, 1958).

983   —— The Celtic Church: is this a valid concept? *CMCS,* 1(1981), 1-20.

984   LAWES, A.R.: The Celtic saints of south-west Wales: an historical and
archaeological analysis. (M.A. Thesis). Aberystwyth, 1975.

985   MILLER, MOLLY: *The saints of Gwynedd.* Woodbridge The Boydell Press,
1979. xvi, 132pp. (Studies in Celtic history; 1). *Adol.:* Marged Haycock,
Y Traethodydd, 135(1980), 216-18. *Rev.:* Bedwyr L. Jones a Tomos
Roberts, *TCHNM,* 1980, 131-7; Roland Mathias, *AWR,* 68(1981), 146-8;
Richard White, *TCHSG,* 41(1980), 169-72.

986   Ó RIAIN, PÁDRAIG: The Irish element in Welsh hagiographical tradition.
[In] *Irish antiquity. Essays and studies presented to Professor M. J.
O'Kelly;* edited by Donnchadh Ó Corráin. Cork: Tower Books, 1981.
pp. 291-303.

987 VICTORY, SIÂN: *The Celtic Church in Wales.* London: SPCK, 1977. xii, 146pp. *Rev.:* Marged Haycock, *SC,* 12/13(1977/78), 501-2; Patrick Wormald, *MA,* 22(1978), 198-200.

(ii) Saint Unigol
Beuno

988 DAHLMAN, STANLEY MILLER: *A critical edition of the Buchedd Beuno.* Ann Arbor: University Microfilms International. (Ph. D. Thesis, Catholic University of America), 1976.

Cadog

989 BORST, KAREN GAIL: A reconsideration of the *Vita Sancti Cadoci.* [In] *Celtic folklore and Christianity* . . . pp. 1-15. *Gw.* rhif 359.

990 BROOKE, CHRISTOPHER N. L.: St. Peter of Gloucester and St. Cadog of Llancarfan. [In] *The Church and the Welsh Border in the central Middle Ages . . .* pp. 50-94. *Gw.* rhif 291.

991 CORNER, D.J.: The *Vita Cadoci* and a Cotswold - Severn chambered cairn. *BBCS,* 32(1985), 50-67.

Collen

992 DELPINO, MARY IRENE ROACH: A study of 'Ystoria Collen' and the British 'Peregrini'. (Ph.D. Thesis). Pennsylvania, 1980.

Dewi

993 BOWEN, E.G.: *Dewi Sant = Saint David.* Caerdydd: Gwasg Prifysgol Cymru, 1983. 112tt. *Adol.:* Geraint H. Jenkins, *LILI,* Haf(1983), 17.

994 —— *The St. David of history. Dewi Sant our founder saint.* [St. David's: Friends of St. David's Cathedral], 1982. 34pp. *Rev.:* J.E. Caerwyn Williams, *Ceredigion,* 9(1982), 185-6.

995 DAVIES, D.R.: St. David and Radnorshire (from traditional sources). *TRS,* 46(1976), 73-7.

996 DUIN, JOHANNES J. ac EDWARDS, OWAIN T.: In Festo Sancti David. *CLIGC,* 21(1980), 229-40.

997 EVANS, D. SIMON: Ychwaneg am Ddewi Sant — ei fuchedd a'i fywyd. *THSC,* 1984, 9-29.

998 JAMES, DAVID W.: *St. David's and Dewisland: a social history.* Cardiff: University of Wales Press, 1981. xxiv, 228pp.

999 JAMES, J.W. (ED.) *Rhigyfarch's Life of St. David.* Cardiff: University of Wales Press, 1985. 50pp. (Originally published 1967). *Gw.* LILIG 1320.

1000 JONES, T. THORNLEY: Saint David. *CLIGC*, 20(1978), 209-39.

1001 ROBERTS, ENID: *Dewi Sant*. Pwllheli: Gwasg yr Arweinydd, 1985. 36tt.

1002 WATKINS, T. ARWYN: *Litonmaucan* (BD 1. 16). *BBCS*, 27(1977), 224.

1003 WILLIAMS, GLANMOR: The tradition of Saint David in Wales. [In] *Religion, language, and nationality in Wales* . . . pp. 109-26. *Gw.* rhif 156.

Padarn

1004 BOWEN, E.G.: *A history of Llanbadarn Fawr*. Llanbadarn: Published under the auspices of the Ysgol Cwmpadarn Centenary Celebrations Joint Committee, 1979. xxxii, 237pp.

X. MEDDYGOL
(i) Bened Feddyg
(ii) Meddygon Myddfai

1005 HARRIES, W. GERALLT: Bened Feddyg: a Welsh medical practitioner in the late medieval period. [In] *Wales and medicine* . . . pp. 169-84. *Gw.* rhif 112.

1006 DAVIES, HOWARD E.F. and OWEN, MORFYDD E.: Meddygon Myddfai [In] *Wales and medicine* . . . pp. 156-68. *Gw.* rhif 112.

1007 EDWARDS, HUW: Meddygon Myddfai. *Y Naturiaethwr*, 6(1981), 2-5.

1008 OWEN, MORFYDD E.: Meddygon Myddfai: a preliminary survey of some medieval medical writing in Welsh. *SC*, 10/11 (1975/76), 210-33. Addendum, *SC*, 16/17(1981/82), 165-8.

(iii) William Salesbury

1009 EDGAR, IWAN RHYS: Llysieulyfr William Salesbury: testun o lawysgrif LlGC 4581 ynghyd â rhagymadrodd ac astudiaeth o'r enwau llysiau Cymraeg a geir ynddo. (Traethawd Ph.D.). Bangor, 1984.

XI. RHYDDIAITH AMRYWIOL

1010 EVANS, R. WALLIS: *Darogan yr Olew Bendigaid* a *Hystdori yr Olew Bendigaid. LlC*, 14(1981/82), 86-91.

1011 LLOYD-MORGAN, CERIDWEN: *Darogan yr Olew Bendigaid* - chwedl o'r bymthegfed ganrif. *LlC*, 14(1981/82), 64-85.

1012 —— Prophecy and Welsh nationhood in the fifteenth century. *THSC*, 1985, 9-26.

ADRAN CH
BEIRDD YR UCHELWYR
I. TESTUNAU
Detholion

1013 EVANS, DONALD (GOL.): *Y flodeugerdd o gywyddau.* Abertawe: Gwasg Christopher Davies, 1981. 196tt. *Adol.:* H. Meurig Evans, *Barn,* 221(1981), 236-7; Dafydd Owen, *Barddas,* 54(1981), 15; Thomas Parry, *Y Faner,* 15.5.81, 10; Gruffydd Aled Williams, *LILI,* Haf (1981), 17.

Cynnwys: Rhagymadrodd — Awen a chrefft y cywydd (Donald Evans). Y cywyddau. Nodiadau ar y cywyddau.

1014 LEWIS, HENRY a ROBERTS, THOMAS a WILLIAMS, IFOR (GOL.): *Cywyddau Iolo Goch ac eraill.* Arg. newydd. Caerdydd: Gwasg Prifysgol Cymru, 1937. Adargraffiad 1979. lxxxv, 433tt.

1015 ROWLANDS, EURYS I. (ED.): *Poems of the Cywyddwyr: a selection of cywyddau c. 1375—1525.* Dublin: Dublin Institute for Advanced Studies, 1976. lii, 135pp. (Mediaeval and Modern Welsh Series; 8).

1016 WILLIAMS, J.E. CAERWYN *et al.* (GOL.): *Llywelyn y beirdd — blodeugerdd* ... tt. 103-50. *Gw.* rhif 560.

Cerddi Beirdd yr Uchelwyr, wedi eu dethol a'u golygu (a rhagymadrodd) gan Eurys Rolant.

II. CYFIEITHIADAU

1017 CONRAN, Anthony: *Welsh verse.* Second revised ed. . . . *Gw.* rhif 169.

1018 JONES, Gwyn: *The Oxford Book of Welsh verse in English* . . . *Gw.* rhif 170.

1019 WILLIAMS, Gwyn: *To look for a word: collected translations from Welsh poetry* . . . *Gw.* rhif 171.

III. ASTUDIAETHAU
(i) Cyffredinol

1020 BOWEN, D.J.: Barddoniaeth yr Uchelwyr. *Barn,* 176(1977), 312-16. [Cywiriad: 178(1977), 338].

1021 —— Canrif olaf y cywyddwyr. *LIC,* 14(1981/82), 3-51.

1022 —— Croesoswallt y beirdd. *Y Traethodydd,* 135(1980), 137-43.

1023 —— Y cywyddwyr a'r dirywiad. *BBCS,* 29(1981), 453-96.

1024 BREEZE, ANDREW: The number of Christ's wounds. *BBCS,* 32(1985), 84-91.

Enghreifftiau o waith Iolo Goch, Hywel ap Dafydd ab Ieuan ap Rhys a Syr Gruffudd Fain ap Llywelyn.

1025 BROMWICH, RACHEL: The earlier *cywyddwyr:* poets contemporary with Dafydd ap Gwilym. [In] *A guide to Welsh literature, volume ii . . .* pp. 144-68. *Gw.* rhif 105.

1026 CARR, A.D.: The historical background, 1282-1550. [In] *A guide to Welsh literature, volume ii . . .* pp. 11-35. *Gw.* rhif 105.

1027 —— *Medieval Anglesey.* Llangefni: Anglesey Antiquarian Society, 1982. 373pp. (Studies in Anglesey history; 6).

1028 —— Rhai beirdd ym Môn. *BBCS,* 28(1980), 599.

1029 DAVIES, CATRIN T. BEYNON: Cerddi'r tai crefydd. (Traethawd M.A.). Bangor, 1973.

1030 DAVIES, R.R.: *Lordship and society in the March of Wales, 1282-1400.* Oxford: Clarendon Press, 1978. xvi, 512pp.

1031 EVANS, D. SIMON: *Medieval religious literature . . . Gw.* rhif 569.

1032 EVANS, R. WALLIS: I gyfeiriad Maes Bosworth. *Taliesin,* 55(1986), 24-36.

1033 FYCHAN, CLEDWYN: Astudiaethau ar draddodiad llenyddol sir Ddinbych a'r Canolbarth. (Traethawd M.A.). Aberystwyth, 1986.
Am y cynnwys gw. y 'Mynegai Awduron'.

1034 GRIFFITHS, R.A. (ED.): *Boroughs of mediaeval Wales.* Cardiff: University of Wales Press, 1978. 338pp.

1035 GRIFFITHS, R. A. and THOMAS, ROGER S.: *The making of the Tudor dynasty.* Gloucester: Alan Sutton, 1985. xii, 210pp.

1036 JONES, DAFYDD GLYN a JONES, JOHN ELLIS (GOL.): *Bosworth a'r Tuduriaid.* Caernarfon: Gwasg Gwynedd, 1985. 81tt.
Yn cynnwys: Y dydd Llun tyngedfennol hwnnw (J. Gwynfor Jones). Symud efo'r oes (Enid Roberts). Beth oedd y dyn Tuduraidd? (W. P. Griffith).

1037 JONES, E.D.: *Beirdd y bymthegfed ganrif a'u cefndir.* Aberystwyth: Canolfan Uwchefrydiau Cymreig a Cheltaidd, 1982. 60tt. *Adol.:* Gruffydd Aled Williams, *LILI,* Haf (1984), 13.

1038 JONES, EMYR WYN: *Bosworth Field and its preliminaries - a Welsh retrospect.* Liverpool, Llanddewi Brefi: Modern Welsh Publications, 1984. 80pp.
Gw. yn arbennig tt. 55-66 'Bardism and patriotism'.

1039 —— O Fôn i Faes Bosworth. *TCHNM,* 1986, 43-78.

1040 —— Wales and Bosworth Field — selective historiography? *CLIGC,* 21(1979), 43-75.

1041 JONES, J. GWYNFOR: Awdurdod cyfreithiol a gweinyddol lleol yng ngogledd Cymru yn y cyfnod 1540-1640 yn ôl tystiolaeth y beirdd. *LIC,* 12(1973), 154-215.

1042 —— Y bardd a'r uchelwr, 1540-1640: rhai argraffiadau. *Taliesin,* 39(1979), 9-22.

1043 —— Beirdd yr Uchelwyr a deddfwriaeth y Tuduriaid, 1536-43. *Taliesin,* 57(1986), 69-85; 58(1986), 35-52.

1044 —— Cerdd a bonedd yng Nghymru: rhai argraffiadau. *WM,* 6/9 (1981/82), 22-33; 7/1(1982), 25-40; 7/3(1983), 30-47.

1045 —— Cyfraith a threfn yn sir Gaernarfon c. 1600-1640: yr uchelwyr a'r byd gweinyddol. *TCHSG,* 47(1986), 25-70.

1046 —— Governance, order and stability in Caernarfonshire, *c.* 1540-1640. *TCHSG,* 44(1983), 7-52.

1047 —— Government and the Welsh community: the north-east borderland in the fifteenth century. [In] *British government and administration* . . . pp. 55-68. *Gw.* rhif 1095.

1048 —— Hanfodion undod gwladwriaethol, cyfraith a threfn yng Nghymru cyfnod y Tuduriaid: tystiolaeth beirdd yr Uchelwyr. *LIC,* 15(1984/86), 34-105.

1049 —— The Merioneth gentry in the social order: bardic evidence *c.* 1540-1640. *CCHChSF,* 9(1983), 278-307; 9(1984), 390-419.

1050 —— Reflections on concepts of nobility in Glamorgan, *c.* 1540-1640. *Morgannwg,* 25(1981), 11-42.

1051 —— Rhai agweddau ar y consept o uchelwriaeth yn nheuluoedd bonheddig Cymru yn yr unfed a'r ail ganrif ar bymtheg. *YB,* 12(1982), 201-49.

1052 —— 'Y wreigdda rowiogddoeth' — y ferch fonheddig yng Nghymru cyfnod Elisabeth I. *Taliesin,* 35(1977), 73-89.

1053 JONES, MAIR: Byd y beirdd, sef ymchwiliad i amgylchfyd a diddordebau beirdd yr Uchelwyr yn y bedwaredd ganrif ar ddeg a'r bymthegfed ganrif. (Traethawd M.A.). Bangor, 1983.

1054 LEWIS, CERI W.: The content of poetry and the crisis in the bardic tradition. [In] *A guide to Welsh literature, volume ii* . . . pp.88-111. *Gw.* rhif 105.

1055 MATONIS, A.T.E.: The *marwnadau* of the *cywyddwyr* - variations on a theme. *SC,* 18/19(1983/84), 158-70.

1056 MATONIS, A.T.E.: Medieval topics and rhetoric in the work of the cywyddwyr. (Ph. D. Thesis). Edinburgh, 1976.

1057 —— Nodiadau ar rethreg y cywyddwyr: y *descriptio pulchritudinis* a'r technegau helaethu. *Y Traethodydd*, 133(1978), 155-67.

1058 —— Some rhetorical topics in the early cywyddwyr. *BBCS*, 28(1978), 47-72.

1059 —— Traditions of panegyric in Welsh poetry: the heroic and the chivalric. *Speculum*, 53(1978), 667-87.

1060 MEIRION PENNAR: Dryll o dystiolaeth am y glêr. *BBCS*, 28(1979), 406-12.

1061 —— Syniad 'y caredd digerydd' ym marddoniaeth Gymraeg yr Oesoedd Canol. *YB*, 9(1976), 33-40.

1062 PAYNE, FFRANCIS G.: 'Cwysau o foliant cyson'. [Yn] *Cwysau — casgliad o erthyglau ac ysgrifau.* Llandysul: Gwasg Gomer, 1980. tt. 7-29. *Adol.:* Branwen Jarvis, *Porfeydd*, 13(1981), 50-3; Thomas Parry, *LILI*, Gwanwyn (1981), 20, 22.

1063 ROBERTS, ENID: *Bwyd y beirdd, 1400-1600.* [Bangor]: Cymdeithas Gelfyddydau Gogledd Cymru, 1976. [2], 23tt.

1064 —— *Dyffryn Clwyd a'r cyffiniau bum can mlynedd yn ôl.* Y Rhyl: Pwyllgor Llên Eisteddfod Genedlaethol Y Rhyl a'r cyffiniau, 1985. 24tt. (Darlith goffa Frank Price Jones).

1065 —— *Food of the bards, 1350-1650.* Cardiff: Image Publishers, 1982. 24pp.

1066 —— *Tai uchelwyr y beirdd 1350-1650;* darluniau gan Douglas B. Hague. [s.l.]: Cyhoeddiadau Barddas, 1986. 56tt. *Gw. hefyd LILI*, Hydref (1985), 5-6. *Adol.:* Trefor M. Owen, *Barn*, 287(1986), 434-5.

1067 —— Uchelwyr y beirdd: 1. Y llys. 2. Y llan. *TCHSDd*, 24(1975), 38-73; 25(1976), 51-91.

1068 ROWLANDS, EURYS I.: Arddull canu moliant y bedwaredd ganrif ar ddeg. *YB*, 10(1977), 144-56.

1069 —— Canu serch 1450-1525. *BBCS*, 31(1984), 31-47.

1070 —— The continuing tradition. [In] *A guide to Welsh literature, volume ii* . . . pp. 298-321. *Gw.* rhif 105.

1071 —— Religious poetry in late medieval Wales. *BBCS*, 30(1982), 1-19.

1072 RUDDOCK, GILBERT E.: Genau crefydd a serch. *YB*, 10(1977), 230-56.

1073 SMITH, LLINOS BEVERLEY: Pwnc yr iaith yng Nghymru, 1282-1536. [Yn] *Cof cenedl: ysgrifau ar hanes Cymru;* golygydd Geraint H. Jenkins. Llandysul: Gwasg Gomer, 1986. tt. 1-33.

1074 THOMAS, GWYN: Beirdd yr Uchelwyr. [In] *Llenyddiaeth y Cymry, cyflwyniad darluniadol. Cyfrol 1* . . . tt. 84-99. *Gw.* rhif 149.

1075 —— Beirdd yr Uchelwyr. [Yn] *Y traddodiad barddol* . . . tt. 177-239. *Gw.* rhif 150.

1076 THOMAS, W.S.K.: *Tudor Wales, 1485-1603.* Llandysul: Gwasg Gomer, 1983. 211pp. *Rev.:* J. Gwynfor Jones, *CHC,* 12(1985), 590-2.

1077 WILIAM, DAFYDD WYN: Nodion am fagad o feirdd cynnar Môn. *TCHNM,* 1985, 105-7.

1078 WILLIAMS, GLANMOR: Addysg yng Nghymru yn yr Oesoedd Canol. *EA,* 49(1986), 69-79.

1079 —— *Harri Tudur a Chymru* = *Henry Tudor and Wales.* Caerdydd: Gwasg Prifysgol Cymru, 1985. 112tt.

1080 —— Henry Tudor — *Mab Darogan* (Son of Prophecy). *CAntiq,* 21(1985), 3-9.

1081 WILLIAMS, GRUFFYDD ALED: The bardic road to Bosworth - a Welsh view of Henry Tudor. *THSC,* 1986, 7-31.

1082 —— Môn y beirdd. [Yn] *Ynys Môn;* golygyddion Bedwyr Lewis Jones a Derec Llwyd Morgan. Llandybïe: Christopher Davies, 1983. tt. 93-111.

1083 WILLIAMS, J. E. CAERWYN agus Ní MHUIRÍOSA, MÁIRÍN: *Traidisiún liteartha na nGael.* Baile Átha Cliath: An Clóchomhar Tta, 1979. xxv, 406pp.

(ii) Llawysgrifau

1084 IFANS, DAFYDD: Llawysgrif barddoniaeth teulu Mostyn Talacre [Llsgr.LlGC 21582E]. *CLlGC,* 20(1977), 207-8.
Yn cynnwys cywyddau, nas cofnodwyd yn unman arall, o waith Siôn Cain, Huw Machno a Wiliam Cynwal.

1085 MYNEGAI i farddoniaeth gaeth y llawysgrifau. Caerdydd: Y Bwrdd Gwybodau Celtaidd, Prifysgol Cymru, 1978. 13 cyfrol.

(iii) Cymdeithasol

1086 JONES, MAIR: Byd y beirdd, sef ymchwiliad i amgylchfyd a diddordebau beirdd yr Uchelwyr yn y bedwaredd ganrif ar ddeg a'r bymthegfed ganrif. (Traethawd M.A.). Bangor, 1983.

1087 PAYNE, FFRANSIS G.: 'Cwysau o foliant cyson'. [Yn] *Cwysau — casgliad o erthyglau ac ysgrifau*. Llandysul: Gwasg Gomer, 1980. tt. 7-29. *Adol.:* Branwen Jarvis, *Porfeydd*, 13(1981), 50-3; Thomas Parry, *LILI*, Gwanwyn (1981), 20, 22.

Trafodaeth ar yr aradr a dulliau o drin y tir, yn ôl y cyfeiriadau atynt yng ngwaith y cywyddwyr.

1088 ROBERTS, ENID: *Bwyd y beirdd, 1400-1600*. [Bangor]: Cymdeithas Gelfyddydau Gogledd Cymru, 1976. [2], 23tt.

1089 —— *Food of the bards, 1350-1650*. Cardiff: Image Publishers, 1982. 24pp.

1090 —— *Tai uchelwyr y beirdd 1350-1650;* darluniau gan Douglas B. Hague. [s.l.]: Cyhoeddiadau Barddas, 1986. 56tt. *Gw. hefyd LILI*, Hydref (1985), 5-6. *Adol.:* Trefor M. Owen, *Barn*, 287(1986), 434-5.

(iv) Y Cywydd
(a) Brud

1091 EVANS, R. WALLIS: I gyfeiriad Maes Bosworth. *Taliesin*, 55(1986), 24-36.

1092 —— Prophetic poetry. [In] *A guide to Welsh literature, volume ii . . .* pp.278-97. *Gw*. rhif 105.

1093 REES, DAVID: *The son of prophecy: Henry Tudor's road to Bosworth*. London: Black Raven Press, 1985. vii, 168pp.

1094 ROBERTS, ENID: *Dafydd Llwyd o Fathafarn*. [Machynlleth]: [Pwyllgor Llên Eisteddfod Genedlaethol Cymru, Maldwyn a'i chyffiniau], 1981. 34tt. (Y ddarlith lenyddol flynyddol; 1981).

1095 WILLIAMS, GLANMOR: Prophecy, poetry and politics in medieval and Tudor Wales. [In] *British government and administration: studies presented to S.B. Chrimes;* edited by H. Hearder and H.R. Loyn. Cardiff: University of Wales Press, 1974. pp. 104-16. Also published in WILLIAMS, GLANMOR: *Religion, language, and nationality in Wales: historical essays*. Cardiff: University of Wales Press, 1979. pp. 71-86.

1096 WILLIAMS, GRUFFYDD ALED: The bardic road to Bosworth - a Welsh view of Henry Tudor. *THSC*, 1986, 7-31.

1097 —— Cywydd brud o waith Robin Ddu. [Yn] *Bosworth a'r Tuduriaid;* golygwyd gan Dafydd Glyn Jones a John Ellis Jones. Caernarfon: Gwasg Gwynedd, 1985. tt.40-1.

(b) Ymryson

1098 BOWEN, D.J.: Canu Gruffudd Hiraethog i Degeingl. *BBCS*, 26(1975), 281-304.

Yn cynnwys testunau pedwar cywydd ymryson — dau gan Gruffudd Hiraethog a dau gan Siôn Brwynog.

1099 MATONIS, A.T.E.: Barddoneg a rhai ymrysonau barddol Cymraeg yr Oesoedd Canol diweddar. *YB*, 12(1982), 157-200.

1100 —— Later medieval poetics and some Welsh bardic debates. *BBCS*, 29(1982), 635-65.

1101 WILLIAMS, GRUFFYDD ALED: Astudiaeth destunol a beirniadol o ymryson barddol Edmwnd Prys a Wiliam Cynwal. (Traethawd Ph.D.). Bangor, 1978.

1102 —— *Ymryson Edmwnd Prys a Wiliam Cynwal* — *fersiwn llawysgrif Llanstephan 43*, gyda rhagymadrodd, nodiadau a geirfa. Caerdydd: Gwasg Prifysgol Cymru, 1986. cxcv, 346tt.

(c) Marwnad

1103 MATONIS, A.T.E.: The *marwnadau* of the *cywyddwyr* — variations on a theme. *SC*, 18/19(1983/84), 158-70.

(v) Trefniant a dysg
(a) Cyffredinol

1104 THOMAS, GWYN: Golwg ar gyfundrefn y beirdd yn yr ail ganrif ar bymtheg. [Yn] *Bardos: penodau ar y traddodiad barddol Cymreig a Cheltaidd* . . . tt. 76-94. *Gw.* rhif 95.

(b) Trefniant: Eisteddfodau

1105 EDWARDS, HYWEL TEIFI: *Yr Eisteddfod: cyfrol ddathlu wythganmlwyddiant.* [s.l.]: Llys yr Eisteddfod Genedlaethol, 1976. 85tt. *Ysgrif adolygiadol:* Brinley Richards, *Y Genhinen,* 27(1977), 69-74.

1106 MILES, DILLWYN: *The Royal National Eisteddfod of Wales.* Swansea: Christopher Davies, 1978. 170pp., [8] leaves of plates.

(c) Dysg

1107 BROMWICH, RACHEL: Gwaith Einion Offeiriad a barddoniaeth Dafydd ap Gwilym. *YB*, 10(1977), 157-80.

1108 DANIEL, IESTYN: Awduriaeth y gramadeg a briodolir i Einion Offeiriad a Dafydd Ddu Hiraddug. *YB*, 13(1985), 178-208.

1109 LEWIS, CERI W.: Einion Offeiriad and the bardic grammar. [In] *A guide to Welsh literature, volume ii* . . . pp. 58-87. *Gw.* rhif 105.

1110 MATONIS, A.T.E.: The Welsh bardic grammars and Western grammatical tradition. *MP,* 79(1981), 121-45.

1111 ROWLANDS, EURYS I.: Bardic lore and education. *BBCS,* 32(1985), 143-55.

(vi)   Y Mesurau
(Yr englyn; Y cywydd)

1112   ALAN LLWYD (GOL.): *Y flodeugerdd englynion.* Abertawe: Christopher Davies, 1978. 243tt. (tt. 11-33 Rhagymadrodd).

1113   BOWEN, D.J.: Datblygiad y cywydd a'i gynnwys. *YB,* 12(1982) 123-30.

1114   CONRAN, ANTHONY: Translating Welsh metres. *PW,* 11/3(1976), 88-106.

1115   —— *Welsh verse.* Second revised ed. . . . pp. 310-29. *Gw.*rhif 169.
Appendix on metres (The awdl, the englyn, the cywydd, cynghanedd, the native free metres).

1116   EVANS, DONALD (GOL.): *Y flodeugerdd o gywyddau . . . Gw.* rhif 1013.
tt. 15-35 Rhagymadrodd: Awen a chrefft y cywydd, gan Donald Evans.

1117   JONES, R.M.: Ynglŷn â'r englyn. *YB,* 12(1982), 250-93.

1118   MORRIS-JONES, JOHN: *Cerdd dafod, sef celfyddyd barddoniaeth Gymraeg; gyda mynegai gan Geraint Bowen . . . Gw.* rhif 138.

1119   ROWLANDS, EURYS I.: Cynghanedd, metre, prosody. [In] *A guide to Welsh literature, volume ii . . .* pp. 202-17. *Gw.* rhif 105.

1120   WILLIAMS, T. ARFON (GOL.): *Ynglŷn â chrefft englyna.* [s.l.]: Cyhoeddiadau Barddas, 1981. 93tt.
tt. 15-53 Datblygiad yr englyn, gan Alan Llwyd.

(vii)   Y Gynghanedd

1121   ALAN LLWYD: Diben ac estheteg y gynghanedd. [Yn] *Trafod cerdd dafod y dydd;* golygydd Alan Llwyd. [s.l.]: Cyhoeddiadau Barddas, 1984. tt. 32-82.

1122   BOWEN, GERAINT: *Bwyd llwy o badell awen: (cwrs ar y gynghanedd).* Y Bala: Llyfrau'r Faner, 1977. [8], 133tt. *Adol.:* Emrys Roberts, *Taliesin,* 36(1978), 118-19.

1123   CRAWFORD, T.D.: Cyfartaledd y gynghanedd sain yng nghywyddau Dafydd ap Gwilym. *YB,* 12(1982), 131-42. *Gw. hefyd* rif 1130.

1124   —— METRIX — rhaglen gyfrifiadurol i ddadansoddi'r gynghanedd. *Y Gwyddonydd,* 21(1983), 27-32.

1125   EVANS, DONALD: Cynghanedd — the Welsh strict-metre system. *PW,* 14/1, (1978), 86-99.

1126   —— Y gynghanedd. *Barddas,* 1(1976)-20(1978); 24(1978) - 33(1979); 36(1979) - 53(1981). *Gw. hefyd* [ALAN LLWYD]: Yr ysgol farddol - y cynganeddion. *Barddas,* 92/93(1985) - 103(1985).

1127 GRIFFEN, T.D.: Prosodic alliteration in cynghanedd poetry. *BBCS*, 29(1981), 497-503.

1128 MORRIS-JONES, JOHN: *Cerdd dafod, sef celfyddyd barddoniaeth Gymraeg;* gyda mynegai gan Geraint Bowen . . . *Gw.* rhif 138.

1129 PARRY, THOMAS: Cytseiniaid heb eu hateb. *Barddas,* 33(1979), 6-7 (Adargraffwyd. *BBCS,* 10(1939), 1-5).

1130 —— Dafydd ap Gwilym a'r cyfrifiadur. *YB,* 13(1985), 114-22.

1131 ROWLANDS, EURYS I.: Cynghanedd, metre, prosody. [In] *A guide to Welsh literature, volume ii* . . . pp. 202-17. *Gw.* rhif 105.

1132 —— *Poems of the Cywyddwyr* . . . (Introduction pp. xxvii—xlix). *Gw.* rhif 1015.

(viii)   Rhethreg

1133 MATONIS, A.T.E.: Medieval topics and rhetoric in the work of the cywyddwyr. (Ph. D. Thesis). Edinburgh, 1976.

1134 —— Nodiadau ar rethreg y cywyddwyr: y *descriptio pulchritudinis* a'r technegau helaethu. *Y Traethodydd,* 133(1978), 155-67.

1135 —— Some rhetorical topics in the early cywyddwyr. *BBCS,* 28(1978), 47-72.

(ix)   Trioedd

1136 BROMWICH, RACHEL (ED.): *Trioedd Ynys Prydein. The Welsh triads;* edited with introduction, translation, and commentary. Second ed. Cardiff: University of Wales Press, 1978. cxliv, 597pp. (pp. 524-65, Additional notes to the second ed.).

(xi)   Noddwyr

1137 BOWEN, D.J.: Y cywyddwyr a'r dirywiad. *BBCS,* 29(1981), 453-96.

1138 —— Y cywyddwyr a'r noddwyr cynnar. *YB,* 11(1979), 63-108.

1139 —— Dafydd ap Gwilym ac Ifor Hael. *Y Traethodydd,* 137(1982), 29-30.

1140 CARR, A.D.: Gloddaith and the Mostyns, 1540-1642. *TCHSG,* 41(1980), 33-57.

1141 —— The making of the Mostyns: the genesis of a landed family. *THSC,* 1979. 137-57.

1142 —— Medieval Gloddaith. *TCHSG,* 38(1977), 7-32.

1143 CARR, A.D.: The Mostyns of Mostyn, 1540-1642. *JFHS*, 28(1977/78), 17-37; 30(1981/82), 125-44.

1144 —— Pengwern: a medieval family. *TCHSDd*, 31(1982), 5-27.

1145 DAVIES, EURIG R.LL.: Noddwyr y beirdd yn sir Gaerfyrddin. (Traethawd M.A.). Aberystwyth, 1977.

1146 DAVIES, EURIG R. LL. ac EDWARDS, EIRIAN E.: Teulu Ifor Hael a'r traddodiad nawdd. 1. Llinach Rhydodyn, gan Eurig R. Ll. Davies. 2.Morganiaid sir Fynwy, gan Eirian E. Edwards. *YB*, 12(1982), 143-56.

1147 EATON, GEORGE: The Williams family of Aberpergwm: a study in cultural patronage. *TNAS*, 1979, 19-37.

1148 EDWARDS, EIRIAN E.: Cartrefi noddwyr y beirdd yn siroedd Morgannwg a Mynwy. *LIC*, 13(1980/81), 184-206.

1149 FYCHAN, CLEDWYN: Y canu i wŷr eglwysig gorllewin sir Ddinbych. *TCHSDd*, 28(1979), 115-82.

1150 HARRIES, W. GERALLT: Cerddi beirdd i'w noddwyr yn Abertawe 1450-1600. [Yn] *Gwŷr llên Abertawe* . . . tt. 30-55. *Gw*. rhif 2930.

1151 JONES, J. GWYNFOR: Ail-gloriannu Syr John Wynn o Wedir. *Y Faner*, 7.9.84, 12-13.

1152 —— Y bardd a'r uchelwr, 1540-1640: rhai argraffiadau. *Taliesin*, 39(1979), 9-22.

1153 —— Educational activity among the Wynns of Gwydir. *TCHSG*, 42(1981), 7-48.

1154 —— Morus Wynn o Wedir, *c*. 1530-80. *TCHSG*, 38(1977), 33-59.

1155 —— Patrymau bonheddig uchelwrol yn sir Ddinbych *c*. 1540-1640: dehongliad y beirdd. *TCHSDd*, 29(1980), 37-77.

1156 —— Priodoleddau bonheddig yn nheulu'r Wyniaid o Wedir: tystiolaeth y beirdd. *THSC*, 1978, 78-149.

1157 —— Sir John Wynn of Gwydir and John Speed: aspects of antiquarian activities. *CLlGC*, 20(1978), 253-64.

1158 —— Syr John Wynn o Wedir: ei gymeriad a'i gefndir. *TCHSG*, 36(1975), 13-52.

1159 —— The Welsh poets and their patrons, *c*. 1550-1640. *CHC*, 9(1979), 245-77.

1160 JONES, JOHN GWILYM: Teulu Gwedir fel noddwyr y beirdd. (Traethawd M.A.). Aberystwyth, 1975.

1161 JONES, RICHARD LLEWELYN PARRY: Arolwg ar y traddodiad nawdd yn sir Fôn. (Traethawd M.A.). Aberystwyth, 1975.

1162 LEWIS, WILLIAM GWYN: Astudiaeth o ganu'r beirdd i'r Herbertiaid hyd ddechrau'r unfed ganrif ar bymtheg. (Traethawd Ph.D.). Bangor, 1982.

1163 ―― Herbertiaid Rhaglan fel noddwyr beirdd yn y bymthegfed ganrif a dechrau'r unfed ganrif ar bymtheg. *THSC*, 1986, 33-60.

1164 ROBERTS, D. HYWEL E.: Noddwyr y beirdd yn sir Aberteifi. *LIC*, 13(1980/ 81), 291-2. [*Gw.* LILIG 1580].

1165 ROBERTS, ENID: *Y beirdd a'u noddwyr ym Maelor.* [Bangor: Adran y Gymraeg, Coleg y Brifysgol, 1977]. [2], 20tt. (Darlith a draddodwyd yn y Babell Lên, Eisteddfod Wrecsam, 1977).

1166 ROBERTS, ROBERT LEWIS: Noddwyr y beirdd yn sir Drefaldwyn. (Traethawd M.A.). Aberystwyth, 1980.

1167 ROLANT, EURYS: Ifor Hael. *Y Traethodydd*, 136(1981), 115-35.

1168 WILIAM, DAFYDD WYN: Bodowyr, Bodedern, a'r Chwaen Wen. *TCHNM*, 1977/78, 35-74.

1169 ―― *Y canu mawl i deulu Bodorgan.* Bodedern: Yr awdur (Llwyn Llinos, Bodedern), 1986. 32tt.
Yn cynnwys testun detholiad o'r cerddi mawl i deulu Bodorgan - gwaith Siôn Brwynog, Morus Dwyfech, Huw Cornwy, Huw Machno, Watcyn Clydwedog.

1170 ――*Y canu mawl i deulu Trefeilir.* Bodedern: Yr awdur (Llwyn Llinos, Bodedern), 1985. 33tt.
Cynnwys. Rhagymadrodd; testun un ar ddeg o gerddi a ganwyd i deulu Trefeilir, Cwmwd Malltraeth, o waith y beirdd canlynol: Gruffudd Fychan ap Gruffudd ab Ednyfed; Llywarch Bentwrch; Sefnyn; Lewys Môn; Siôn Brwynog; Lewis Menai; Morys Llwyd; Owen ap Siôn ap Rys, Syr Siôn ab Wiliam a Lewis Menai; Morys Llwyd; Wiliam Cynwal; Dafydd Llyfni. Ach Trefeilir.

1171 ―― *Plasty Prysaeddfed, Bodedern — braslun o'i hanes.* Bodedern: Yr awdur (Llwyn Llinos, Bodedern), 1984. 28tt.

1172 ―― Tair cerdd gynnar o Fôn. *TCHNM*, 1983, 31-40.
Tair cerdd i Ddafydd Fychan ap Dafydd Llwyd o Drefeilir gan Gruffudd Fychan ap Gruffudd ab Ednyfed, Llywarch Bentwrch (?Iolo Goch) a Sefnyn.

1173 WILLIAMS, GRIFFITH JOHN: Thomas Mathew o Landaf. *Y Genhinen*, 29(1979), 118.

1174 WILLIAMS, IWAN LLWYD: Noddwyr y beirdd yn sir Gaernarfon. (Traethawd M.A.). Aberystwyth, 1986.

1175 WILLIAMS, MYFI: Rhai o noddwyr y beirdd ym Mro Ddyfi. [Yn] *Bro'r Eisteddfod (cyflwyniad i Faldwyn a'i chyffiniau)* . . . tt. 69-84. *Gw.* rhif 2929.

(xiii) Achyddiaeth a Herodraeth

1176 BARTRUM, PETER C.: Further notes on the Welsh genealogical manuscripts. *THSC*, 1976, 102-18. (*Gw.* LILIG 1603).
'An analysis of important manuscripts of genealogical material, compiled by Gutun Owain, Gruffudd Hiraethog, Wiliam Llŷn, Simwnt Fychan'.

1177 ―― Pedwar Iarddur. *CLIGC*, 20(1978), 373-6.

1178 ―― Personal names in Wales in the fifteenth century. *CLIGC*, 22(1982), 462-9.

1179 ―― *Welsh genealogies, A.D. 300-1400.* Cardiff: University of Wales Press on behalf of the Board of Celtic Studies, 1974. 8 vols.

1180 ―― *Welsh genealogies, A.D. 300-1400. Additions and corrections, third list.* Aberystwyth: National Library of Wales, 1983. 21 leaves.

1181 ―― *Welsh genealogies, A.D. 300-1400. Supplement.* Cardiff: University of Wales Press on behalf of the Board of Celtic Studies, 1979. 46pp.

1182 ―― *Welsh genealogies, A.D. 1400-1500.* Aberystwyth: Llyfrgell Genedlaethol Cymru, 1983. 18 vols.

1183 DUMVILLE, DAVID N.: Kingship, genealogies and regnal lists. [In] *Early medieval kingship;* edited by P.H. Sawyer and I.N. Wood. Leeds: Published under the auspices of The School of History, University of Leeds, 1977. pp. 72-104.

1184 THOMAS, S.P.: The genealogy of Brochwel ab Aeddan. *THSC*, 1982, 25-8.

(xiv) Y dirywiad

1185 BOWEN, D.J.: Canrif olaf y cywyddwyr. *LIC*, 14(1981/82), 3-51.

1186 ―― Y cywyddwyr a'r dirywiad. *BBCS*, 29(1981), 453-96.

(xv) Beirdd Unigol

Am gyfeiriadau pellach at y beirdd hyn, a'r beirdd nas rhestrir yn benodol yn yr adran hon, gweler y 'Mynegai testunol'.

Anhysbys

1187 THOMAS, GWYN: *'llawgrwn wyd'* (Cywydd 'Yr alarch' BU, rhif 28). *BBCS*, 27(1977), 223.

Bedo Aeddren

1188 DONOVAN, P.J. (GOL.): *Cywyddau serch y tri Bedo.* Caerdydd: Gwasg Prifysgol Cymru ar ran yr Academi Gymreig, 1982. xiv, 72tt. (Cyfres Clasuron yr Academi; 3).

Bedo Brwynllys

1189 DONOVAN, P.J. (GOL.): *Cywyddau serch y tri Bedo . . . Gw.* rhif 1188.

Bedo Phylip Bach

1190 DONOVAN, P.J. (GOL.): *Cywyddau serch y tri Bedo . . . Gw.* rhif 1188.

Wiliam Byrcinsha

1191 FYCHAN, CLEDWYN: Wiliam Byrcinsha. *TCHSDd,* 26(1977), 77-83.

Cynfrig ap Dafydd Goch

1192 WILIAM, DAFYDD WYN: Marwnad Llywelyn ab Ieuan ap Tudur o Eiriannell. *TCHNM,* 1984, 99-101.

Dafydd ab Edmwnd

1193 BOWEN, D.J.: Cyfnewidiadau Dafydd ab Edmwnd. *Barddas,* 39(1980), 4-5.

1194 LEWIS, SAUNDERS: Dafydd ab Edmwnd. *YB,* 10(1977), 221-9.

1195 RUDDOCK, GILBERT E.: Genau crefydd a serch. *YB,* 10(1977), 230-56.

Dafydd ab Ieuan Llwyd

1196 ROWLANDS, EURYS I.: Y canu i Fachynlleth. *Barddas,* 54(1981), 9-10.

Dafydd ap Gwilym

(a) Testun, cyfieithiadau a diweddariadau

1197 ALAN LLWYD (GOL.): *50 o gywyddau Dafydd ap Gwilym.* Llandybïe: Christopher Davies, 1980. 159tt. *Adol:* Hywel T. Edwards, *Barddas,* 49/50(1981), 15; Gruffydd Aled Williams, *Y Faner,* 7.11.80, 14-15. *Rev.:* David Johnston, *PW,* 16/3(1981), 121-3; Herbert Pilch, *ZCP,* 39(1982), 325-7.

Yn cynnwys cyflwyniad i bob cywydd a diweddariad o'r testun, gan John Rowlands, R. Geraint Gruffydd, Gwyn Thomas, Gwynn ap Gwilym ac Alan Llwyd.

1198 BROMWICH, RACHEL: *Dafydd ap Gwilym—a selection of poems.* Llandysul: Gomer Press, 1982. xxxii, 207pp. (The Welsh Classics; 1). (Published with revisions in Penguin Books, 1985). *Adol.:* R. Geraint Gruffydd,

Y Traethodydd, 139(1984), 53-4; Gilbert E. Ruddock, *LIC*, 15(1984/86), 186-90. *Rev.:* Anthony Conran, *AWR*, 75(1984), 81-8; Pennar Davies, *PW*, 18/4(1983), 107-9; David Johnston, *CMCS*, 6(1983), 96-8; Brynley F. Roberts, *CHC*, 12(1984), 113-15; J. E. Caerwyn Williams, *LlLl*, Winter (1982), 10-11.

"English translations of a selection of poems, accompanied by the original Welsh text (as established by Dr Thomas Parry *Gwaith Dafydd ap Gwilym*), introduction and notes".

1199 HESELTINE, NIGEL: *Twenty-five poems by Dafydd ap Gwilym;* translated by Nigel Heseltine, with a preface by Frank O'Connor. Banbury: The Piers Press, 1968. 62pp. (*Gw.* LILIG 1682). Third reprint 1978.

1200 LOOMIS, RICHARD MORGAN: *Dafydd ap Gwilym: poems:* translation and commentary. Binghamton, New York: Center for Medieval and Early Renaissance Studies, State University of New York, 1982. 346pp. (Medieval and Renaissance texts and studies; 9). *Rev.:* Anthony Conran, *AWR*, 75(1984), 81-8; David Johnston, *CMCS*, 6(1983), 96-8; Brynley F. Roberts, *CHC*, 12(1984), 113-15; Gwyn Thomas, *LlLl*, Spring (1983), 7; Gruffydd Aled Williams, *SC*, 16/17 (1981/82), 372-5.

1201 PARRY, THOMAS (GOL.): *Gwaith Dafydd ap Gwilym.* Trydydd arg. Caerdydd: Gwasg Prifysgol Cymru, 1979. lv, 617tt. (Arg. cyntaf, 1952).

1202 THOMAS, GWYN: *Dafydd ap Gwilym: chwe cherdd/six poems.* Newtown: Gwasg Gregynog, 1985. 35tt.

(b) Cyffredinol

1203 ALAN LLWYD: 'Llychwino pryd y ferch'. *Barddas,* 41(1980), 2-3.

1204 BOWEN, D.J.: Bardd Glyn Teifi. *Y Traethodydd,* 131(1976), 133-48.

1205 —— 'Claddu'r bardd o gariad' (OBWV 61). *Barddas,* 92/93(1984/85), 14-15.

1206 —— Cywydd Dafydd ap Gwilym i ferched Llanbadarn a'i gefndir. *YB,* 12(1982), 77-122.

1207 —— Dafydd ap Gwilym a Cheredigion. *LIC,* 14(1983/84), 163-209.

1208 —— *Dafydd ap Gwilym a Dyfed.* Abergwaun: Eisteddfod Genedlaethol Cymru, Abergwaun a'r fro, 1986. 36tt. (Y ddarlith lenyddol flynyddol; 1986). *Adol.:* David Johnston, *Barn,* 284(1986), 308-9.

1209 —— Dafydd ap Gwilym ac Ifor Hael. *Y Traethodydd,* 137(1982), 29-30.

1210 —— Dafydd ap Gwilym a'r sêr. *Barn,* 217(1981), 47.

1211 —— Dafydd ap Gwilym a'r trefydd drwg. *YB,* 10(1977), 190-220.

1212 BOWEN, D.J.: 'Y don ar afon Dyfi'. *Barddas*, 24(1978), 8.

1213 —— Nodiadau ar gywydd 'Y gwynt' (GDG 117). *YB*, 9(1976), 57-60.

1214 —— Thomas Parry - Golygydd *Gwaith Dafydd ap Gwilym*. *Y Traethodydd*, 141(1986), 105-10.

1215 BROMWICH, RACHEL: *Aspects of the poetry of Dafydd ap Gwilym: collected papers*. Cardiff: University of Wales Press, 1986. xix, 177 pp. *Rev.*: Joseph P. Clancy, *Planet*, 58(1986), 101-3; T. Arwyn Watkins, *Celtica*, 18(1986), 205-7.

> *Contents:* [Revised versions of articles]: Dafydd ap Gwilym (1974). Tradition and innovation in the poetry of Dafydd ap Gwilym (1964). The sub-literary tradition (Welsh version, 1975). Dafydd ap Gwilym and the Bardic Grammar (Welsh version, 1977). Allusions to tales and romances (Welsh version, 1982). The earlier *Cywyddwyr;* Dafydd ap Gwilym's contemporaries (1979).

1216 —— Cyfeiriadau Dafydd ap Gwilym at chwedl a rhamant. *YB*, 12(1982), 57-76.

1217 —— Dafydd ap Gwilym. [In] *A guide to Welsh literature, volume ii . . .* pp. 112-43. *Gw.* rhif 105.

1218 —— Dafydd ap Gwilym yn ei gefndir. *Y Traethodydd*, 133(1978), 80-3.

1219 —— Gwaith Einion Offeiriad a barddoniaeth Dafydd ap Gwilym. *YB*, 10(1977), 157-80.

1220 —— 'Llwybr Adda(f)' (GDG 83. 47-50); Dafydd Broffwyd (GDG 137. 59-60). *BBCS*, 29(1980), 80-1.

1221 BROMWICH, RACHEL, *et al.*: Ai yn Nhalyllychau y claddwyd Dafydd ap Gwilym? — barn Rachel Bromwich, Syr Thomas Parry, D.J. Bowen. *Barddas*, 87/88(1984), 14-16. *Gw. hefyd* D.J. Bowen, 'Lle claddwyd Dafydd ap Gwilym', *Barddas*, 89(1984), 7-8.

1222 CRAWFORD, T.D.: Cyfartaledd y gynghanedd sain yng nghywyddau Dafydd ap Gwilym. *YB*, 12(1982), 131-42. *Gw. hefyd* rif 1242.

1223 —— The englynion of Dafydd ap Gwilym. *EC*, 22(1985), 235-85.

1224 EVANS, DAFYDD HUW: Cyfeiriad at Ddafydd ap Gwilym. *BBCS*, 32(1985), 156-7.

> Cyfeiriad gan Ieuan Tew o Gydweli (*fl. c.* 1470) (Llsg. Llanst. 134. 118a).

1225 EVANS, GARETH: Cywydd 'Y cloc' (GDG 66). *Y Traethodydd*, 137(1982), 7-16.

1226 FULTON, HELEN: Living the good life — a medieval fantasy. *AWR*, 80(1985), 76-85.

> Cyfeirir at waith Dafydd ap Gwilym a Colin Muset (y bardd a ganai yn Ffrainc 13g.). Yn cynnwys cyfieithad o 'I wahodd Dyddgu' (GDG 119).

1227 FULTON, HELEN: The role of the poet in the love poetry of Dafydd ap Gwilym. *THSC*, 1979, 129-36.

1228 GRUFFYDD, R. GERAINT: 'Creulondeb merch'. *Barddas*, 26(1979), 7.

1229 —— Cywyddau triawdaidd Dafydd ap Gwilym: rhai sylwadau. *YB*, 13(1985), 167-77.

1230 —— Sylwadau ar gywydd 'Yr adfail' (GDG 144). *YB*, 11(1979), 109-15.

1231 —— Sylwadau ar gywydd 'Offeren y Llwyn' (GDG 122). *YB*, 10(1977), 181-9.

1232 JENKINS, DAVID: Dafydd ap Gwilym yn ei fro. *Y Traethodydd*, 133(1978), 84-8.

1233 JOHNSTON, DAVID: *Cywydd y Gal* by Dafydd ap Gwilym. *CMCS*, 9(1985), 71-89.

1234 —— Nodiadau ar waith Dafydd ap Gwilym. *BBCS*, 32(1985), 79-83.
Cynnwys: (a) GDG 110 ('Difrawder'). (b) GDG 74. 1-10 ('Y serch lledrad'). (c) cyweirglod bun, GDG 118.11 ('Yr wylan') (ch) GDG 114. 51-2 ('Yr ehedydd').

1235 —— The serenade and the image of the house in the poems of Dafydd ap Gwilym. *CMCS*, 5(1983), 1-19.

1236 JONES, JOHN GWILYM: 'Mawl i'r haf': gwerthfawrogiad (GDG 27). *Y Traethodydd*, 133(1978), 89-94.

1237 JONES, R.M.: Dafydd ap Gwilym — (i) Coeglwybr rhwng bryn ac eglwys; (ii) Dafydd ap Gwilym ac R. Williams Parry. [Yn] *Llên Cymru a chrefydd* . . . tt. 224-66. *Gw*. rhif 117.

1238 KNIGHT, STEPHEN: Welsh poetic's well-shaped art. *JES*,11(1981), 18-28.
Trafodir yr anawsterau a gyfyd wrth gyfieithu 'Trafferth mewn tafarn'.

1239 LOESCH, KATHARINE T.: Welsh bardic poetry and performance in the Middle Ages. [In] *Performance of literature in historical perspectives;* edited by David W. Thompson. Lanham; London: University Press of America, 1988. pp. 177-90.

1240 PARRY, THOMAS: Dafydd ap Gwilym. *Y Traethodydd*, 133(1978), 64-79.

1241 —— Dafydd ap Gwilym. *YB*, 9(1976), 41-56.
Yn cynnwys astudiaeth fanwl o'r cywydd 'Y gwynt' (GDG 117).

1242 —— Dafydd ap Gwilym a'r cyfrifiadur. *YB*, 13(1985), 114-22.
Y gynghanedd sain yng ngwaith Dafydd ap Gwilym.

1243 PILCH, HERBERT: Dyfalu — ein frühes Gegenstück zum *conceit* — Dafydd ap Gwilyms Gedicht vom Heuhausen. *Literaturwissenschaftliches Jahrbuch im auftrage der Görres — Gesellschaft*, 24(1983), 9-25.

1244 RICHARDS, W. LESLIE: Piau bedd Dafydd ap Gwilym? *Barn*, 259(1984), 229-300.

1245 ROBERTS, ENID: Dafydd ap Gwilym a Bangor. *HG*, Gaeaf(1982), 14-21.

1246 ROWLANDS, EURYS I.: 'Gwae ni, hil eiddil Addaf' (GDG 24). *Y Traethodydd*, 131(1976), 216-17.

1247 —— Ifor Hael. *Y Traethodydd*, 136(1981), 115-35.

1248 —— 'Morfudd fel yr haul': gwerthfawrogiad (GDG 42). *Y Traethodydd*, 133(1978), 95-101.

1249 ROWLANDS, JOHN: 'Hwsmoniaeth cariad'. *Barddas*, 21(1978), 5-6.

1250 RUDDOCK, GILBERT E.: Hiraeth serch a marwolaeth. *Barddas*, 79(1983), 5-7.
Trafodir 'Claddu'r bardd o gariad' (OBWV 61), 'Creulondeb merch' (OBWV 62).

1251 SIMS-WILLIAMS, PATRICK: Dafydd ap Gwilym and Celtic literature. [In] *Medieval literature: The European inheritance . . . with an anthology of medieval literature in the vernacular;* edited by Boris Ford. Harmondsworth: Penguin Books, 1983. pp. 301-17. (The New Pelican guide to English literature; Volume 1, part 2).
tt. 541-6 Cyfieithad o bedwar o gywyddau ['May', 'Summer', 'The Mist', 'Disillusionment (GDG rhifau 23,24,68,76)].

1252 THOMAS, GWYN: 'Ci glew llafarlew llyfrlud' (GDG 80.7). *BBCS*, 27(1977), 223.

1253 —— Dafydd ap Gwilym [Yn] *Y traddodiad barddol* . . . tt. 149-76. *Gw.* rhif 150.

1254 —— 'Lliw papir' (GDG 137. 19-24). *BBCS*, 28(1979), 404-5.
Gw. hefyd Andrew Breeze, *BBCS*, 30(1983), 277.

1255 —— 'Trafferth mewn tafarn': gwerthfawrogiad (GDG 124). *Y Traethodydd*, 133(1978), 102-7.

1256 WILLIAMS, J.E. CAERWYN: 'Balchnoe' (Cywydd 'Y gwayw' GDG 111). *Y Traethodydd*, 134(1979), 139-41.

Dafydd ap Llywelyn ap Madog

1257 LAKE, ALUN CYNFAEL: Gwaith Dafydd ap Llywelyn ap Madog, Huw ap Dafydd ap Llywelyn ap Madog a Siôn ap Hywel ap Llywelyn Fychan. (Traethawd M.A.). Abertawe, 1979.

Dafydd ap Siencyn Fynglwyd

1258 BASSETT, MARILYN ELIZABETH: Gwaith Rhisiart Fynglwyd, Siôn Teg a Dafydd ap Siencyn Fynglwyd. (Traethawd M.A.). Abertawe, 1983.

Dafydd Benwyn

1259 EVANS, DAFYDD HUW: The life and work of Dafydd Benwyn. (D.Phil. Thesis). Oxford, 1981.

Dafydd Ddu Athro o Hiraddug

1260 DANIEL, IESTYN: Awduriaeth y gramadeg a briodolir i Einion Offeiriad a Dafydd Ddu Hiraddug. *YB*,13(1985), 178-208.

Dafydd Llwyd o Fathafarn

1261 REES, DAVID: *The son of prophecy: Henry Tudor's road to Bosworth.* London: Black Raven Press, 1985. vii, 168pp.

1262 ROBERTS, ENID: *Dafydd Llwyd o Fathafarn.* [Machynlleth]: [Pwyllgor Llên Eisteddfod Genedlaethol Cymru, Maldwyn a'i chyffiniau], 1981. 34tt. (Y ddarlith lenyddol flynyddol; 1981).

Dafydd Nanmor

1263 ALAN LLWYD: Diben ac estheteg y gynghanedd. [Yn] *Trafod cerdd dafod y dydd . . . Gw.* rhif 2109.
Yn cynnwys dadansoddiad o grefft gynganeddol y cywydd "I Rys ap Rhydderch ap Rhys".

1264 JONES, R.M.: 'Awdl Dafydd Nanmor' (i Syr Dafydd ap Tomas, Offeiriad y Faenor, OBWV, 79). [Yn] *Llên Cymru a chrefydd . . .* tt. 267-74. *Gw.* rhif 117.

1265 LLOYD, D. MYRDDIN: Dafydd Nanmor. [In] *A guide to Welsh literature, volume ii . . .* pp. 189-201. *Gw.* rhif 105.

1266 RUDDOCK, GILBERT E.: Awdl farwnad Dafydd Nanmor i Rys ap Meredydd. *SC*, 10/11(1975/76), 234-40.

1267 —— 'Bonedd Rhys ap Rhydderch' (OBWV 78). *Barddas*, 71(1983), 3-5.

1268 —— Sylwadau ar sefydlu testun newydd o waith Dafydd Nanmor. *LIC*, 13(1980/81), 164-83.

Deio ab Ieuan Du

1269 DAVIES, ANN ELERI: Gwaith Deio ab Ieuan Du a Gwilym ab Ieuan Hen. (Traethawd M.A.). Abertawe, 1979.

Edward Maelor

1270 JONES, HUW CEIRIOG: Testun beirniadol o farddoniaeth Huw Ceiriog, Ieuan Llafar ac Edward Maelor. (Traethawd M.A.). Bangor, 1984.

Einion Offeiriad

1271 BROMWICH, RACHEL: Gwaith Einion Offeiriad a barddoniaeth Dafydd ap Gwilym. *YB*, 10(1977), 157-80.

1272 DANIEL, IESTYN: Awduriaeth y gramadeg a briodolir i Einion Offeiriad a Dafydd Ddu Hiraddug. *YB*, 13(1985), 178-208.

1273 LEWIS, CERI W.: Einion Offeiriad and the bardic grammar. [In] *A guide to Welsh literature, volume ii* . . . pp. 58-87. *Gw.* rhif 105.

1274 MATONIS, A.T.E.: The Welsh bardic grammars and Western grammatical tradition. *MP*, 79(1981), 121-45.

Gruffudd Gryg

1275 WILLIAMS, GRUFFYDD ALED: Cywydd Gruffudd Gryg i dir Môn. *YB*, 13(1985), 146-54.

Gruffudd Hiraethog

1276 BOWEN, D.J.: Awdl ddychan gan Ruffudd Hiraethog. *BBCS*, 26(1976), 425-9.

1277 —— Canu Gruffudd Hiraethog i Degeingl. *BBCS*, 26(1975), 281-304.

1278 —— Cywydd gorchest Gruffudd Hiraethog ['I'r cusan']. *YB*, 9(1976), 114-17.

1279 —— Cywydd marwnad Gruffudd Hiraethog i Siôn Brwynog. *SC*, 12/13(1977/78), 206-10.

1280 —— Y cywyddau a fu rhwng Gruffudd Hiraethog a beirdd eraill. *BBCS*, 27(1977), 362-88. (*Gw. hefyd BBCS*, 28(1979), 442.
Trafodir y cywyddau a fu rhwng Gruffudd Hiraethog a Rhisiart ap Hywel ap Dafydd ab Einion, Gruffudd Llwyd ab Ieuan neu Rhisiart o'r Hengaer, Siôn Brwynog a Syr Dafydd Owain.

1281 —— Cywyddau dychan Gruffudd Hiraethog. *SC*, 12/13(1977/78), 187-205.
Cynnwys: I ofyn ceiliog bronfraith gan Mastr Huw Pilstwn, Ficer Wrecsam, dros Mastr Siôn Ifans; I'r gath am ladd y ceiliog bronfraith; I'r cadach wyneb; I'r Eiddiges; I'r Butain; I'r cryd.

1282 —— Cywyddau Gruffudd Hiraethog i dri o awduron y Dadeni [William Salesbury, Syr Siôn Prys o Frycheiniog a Humphrey Llwyd]. *THSC*, 1974/75, 103-31.

1283 BOWEN, D.J.: Disgyblion Gruffudd Hiraethog. *SC*, 10/11 (1975/76), 241-55.

Yn cynnwys testunau beirniadol o'r marwnadau i Ruffudd Hiraethog a ganwyd gan Syr Owain ap Gwilym, Wiliam Cynwal, Wiliam Llŷn, a (?) Lewys Powel.

1284 BOWEN, D. J. a FYCHAN, CLEDWYN: Cywydd gofyn Cruffudd Hiraethog i ddeuddeg o wŷr Llansannan. *TCHSDd*, 24(1975), 117-27.

Gruffudd Llwyd ap Dafydd ab Einion Llygliw

1285 BROMWICH, RACHEL: 'Marwnad Rhydderch' (IGE[2] tt.113-15). *BBCS*, 29(1980), 81-3.

Gruffudd Llwyd ap Dafydd Gaplan

1286 BOWEN, D.J.: Angladdau Syr Rhys ap Gruffudd a'i fab. *YB*, 13(1985), 155-9.

Yn cynnwys sylwadau ar gywydd marwnad Gruffudd Llwyd ap Dafydd Gaplan i Syr Rhys ap Gruffudd (*m.* 1380) (Llsgr. M. 146, 85).

Gruffydd Bodwrda

1287 IFANS, DAFYDD: Gruffydd Bodwrda (*c.* 1578-1649) - englynwr. *TCHSG*, 38(1977), 160-6.

Atodiad A: Ewyllys Gruffydd Bodwrda, Tre-graig, Llangwnnadl, 1649. Atodiad B: Cywydd marwnad Gruffydd Bodwrda o Dre-graig [Llsgr. LlGC Brogyntyn 4] gan Watcyn Clywedog, 1649.

Guto'r Glyn

1288 BIRT, PAUL WILLIAM: Delweddau estynedig Guto'r Glyn. (Traethawd M.A.). Llanbedr Pont Steffan, 1978.

1289 JONES, R. GERALLT: *Guto'r Glyn;* edited and translated . . . Market Drayton: Tern Press, 1976. [48]pp., 10 columns. (The poets of the princes; 1).

1290 JONES, R.M.: Guto'r Glyn a'r canu gŵr. [Yn] *Llên Cymru a chrefydd* . . . tt. 280-98. Atodiad: Guto'r Glyn a Harri Ddu, tt. 298-301. *Gw.* rhif 117.

1291 LEWIS, SAUNDERS: Gyrfa filwrol Guto'r Glyn. *YB*, 9(1976), 80-99.

1292 WILLIAMS, GRUFFYDD ALED: 'Siaffr' (GGGl lxxxvi. 8). *BBCS*, 28(1980), 613-14.

1293 WILLIAMS, J. E. CAERWYN: Guto'r Glyn. [In] *A guide to Welsh literature, volume ii* . . . tt. 218-42. *Gw.* rhif 105.

Gutun Owain

1294   LEWIS, SAUNDERS: Gutun Owain. [Yn] *Meistri a'u crefft: ysgrifau llenyddol* . . . tt. 132-47. *Gw.* rhif 125.

1295   WILLIAMS, J.E. CAERWYN: Gutun Owain. [In] *A guide to Welsh literature, volume ii* . . . pp. 262-77. *Gw.* rhif 105.

Gwilym ab Ieuan Hen

1296   DAVIES, ANN ELERI: Gwaith Deio ab Ieuan Du a Gwilym ab Ieuan Hen. (Traethawd M.A.). Abertawe, 1979.

Gwilym Tew

1297   JONES, ANNE ELIZABETH: Gwilym Tew: astudiaeth destunol a chymharol o'i lawysgrif, Peniarth 51, ynghyd ag ymdriniaeth â'i farddoniaeth. (Traethawd Ph.D.). Bangor, 1981.

Huw ap Dafydd ap Llywelyn ap Madog

1298   LAKE, ALUN CYNFAEL: Gwaith Dafydd ap Llywelyn ap Madog, Huw ap Dafydd ap Llywelyn ap Madog a Siôn ap Hywel ap Llywelyn Fychan. (Traethawd M.A.). Abertawe, 1979.

Huw Arwystli

1299   BREEZE, ANDREW: Welsh poetry and the crowing of the cock in *Hamlet*. *N&Q*, 232, (1987), 212.
Yn cynnwys cyfeiriad o waith Huw Arwystli.

Huw Ceiriog

1300   JONES, HUW CEIRIOG: Testun beirniadol o farddoniaeth Huw Ceiriog, Ieuan Llafar ac Edward Maelor. (Traethawd M.A.). Bangor, 1984.

Huw Pennant

1301   JONES, RICHARD L.: Huw Pennant. *LIC*, 12(1973), 146-53.

Hywel ap Dafydd ab Ieuan ap Rhys
(Hywel Dafi)

1302   BREEZE, ANDREW: 'Bepai'r ddaear yn bapir'. *BBCS*, 30(1983), 274-7.
Sylwadau ar linell yn y cywydd moliant i'r Forwyn Fair 'Gwr wyf, nid rhaid gwarafun . . .'

Hywel Cilan

1303   JONES, E.D.: Three fifteenth century Peniarth poems. *CCHChSF*, 10(1986), 157-68.
Includes: A poem in praise of Rhys ap Gruffydd ab Aron and Catherine his wife (Peniarth MS. 85, pp. 49-51).

Hywel Swrdwal

1304 JOHNSTON, DAVID: *Amrel. YB*, 13(1985), 166.

Cywiro'r gynghanedd yn un o linellau'r cywydd 'Niclas — o urddas â'i ach'. (Peniarth 54, 352-5.)(*Gw*. LlLlG, 1899 am y testun.)

Ieuan Deulwyn

1305 RUDDOCK, GILBERT E.: Genau crefydd a serch. *YB*, 10(1977), 230-56.

Ieuan Du'r Bilwg

1306 EVANS, DAFYDD HUW: Deirdre/Derdri (Llsgr. LlGC 970 368). *BBCS*, 31(1984), 87.

Cyfeiriad at Deirdre, arwres y chwedl Wyddeleg *Longes mac n-Uislenn*.

1307 —— Ieuan Du'r Bilwg (*fl c.* 1471). *BBCS*, 33(1986), 101-32.

Ieuan Llafar

1308 JONES, HUW CEIRIOG: Testun beirniadol o farddoniaeth Huw Ceiriog, Ieuan Llafar ac Edward Maelor. (Traethawd M.A.). Bangor, 1984.

Iolo Goch

1309 BOWEN, D.J.: Angladdau Syr Rhys ap Gruffudd a'i fab. *YB*, 13(1985), 155-9.

Yn cynnwys sylwadau ar gywydd marwnad Iolo Goch i Syr Rhys ap Gruffudd o Abermarlais [IGE² IV].

1310 BREEZE, ANDREW: The girdle of Prato and its rivals. *BBCS*, 33(1986), 95-100.

Yn cynnwys dau gyfeiriad mewn barddoniaeth Gymraeg - yng ngwaith Iolo Goch a Lewys Môn.

1311 CARR, A.D.: Rhys ap Roppert. *TCHSDd*, 25(1976), 155-70.

tt. 165-6 Cyfeiriad at Rhys ap Roppert yn 'Cywydd y Llong'.

1312 JOHNSTON, DAVID: Gwaith Iolo Goch. (Traethawd Ph.D.). Aberystwyth, 1984.

1313 —— Iolo Goch and the English — Welsh poetry and politics in the fourteenth century. *CMCS*, 12(1986), 73-98.

1314 —— Llys Owain Glyndŵr yn Sycharth. *Barddas*, 107(1985), 13-14.

1315 ——Rhai sylwadau testunol ar waith Iolo Goch. *YB*, 13(1985) 160-5.

1316 RUDDOCK, GILBERT E.: Cywydd Iolo Goch i Lys Owain Glyndŵr yn Sycharth. *Barddas*, 70(1983), 1, 8; 71(1983), 8.

1317 WILIAM, DAFYDD WYN: Tair cerdd gynnar o Fôn. *TCHNM*, 1983, 31-40.

Yn cynnwys testun 'Moliant Dafydd Fychan ap Dafydd Llwyd' gan Llywarch Bentwrch [? Iolo Goch].

Lewys Aled
(Llywelyn ap Dafydd ap Llywelyn)

1318 FYCHAN, CLEDWYN: Lewys Aled. *TCHSDd*, 26(1977), 73-6.

Lewys Daron

1319 STEVENS, CATRIN: Cywydd i ofyn march i Ddafydd Conwy, Prior Beddgelert. *TCHSG*, 37(1976), 43-57.

Lewys Glyn Cothi

1320 JONES, E.D.: Lewis Glyn Cothi. [In] *A guide to Welsh literature, volume ii*. . . pp. 243-61. Gw. rhif 105.

1321 —— *Lewys Glyn Cothi (detholiad)*. Caerdydd: Gwasg Prifysgol Cymru ar ran y Bwrdd Gwybodau Celtaidd, 1984. xii, 211tt. *Adol.:* Bedwyr L. Jones, *Cristion*, Ion/Chwef (1985), 22-3; Gruffydd Aled Williams, *LIC*, 15(1984/86), 190-6.

1322 —— 'Marwnad Siôn y Glyn'. *Barddas*, 95/96 (1985), 6.

1323 —— Three fifteenth century Peniarth poems. *CCHChSF*, 10(1986), 157-68.

Includes: A lament for Gruffydd ab Aron (Peniarth MS. 109, p. 77).

1324 RUDDOCK, GILBERT E.: Hiraeth serch a marwolaeth. *Barddas*, 79(1983), 5-7.

Trafodir 'Marwnad Siôn y Glyn' (OBWV 88).

Lewys Môn

1325 BREEZE, ANDREW: The girdle of Prato and its rivals. *BBCS*, 33(1986), 95-100.

Yn cynnwys dau gyfeiriad mewn barddoniaeth Gymraeg - yng ngwaith Iolo Goch a Lewys Môn.

1326 JONES, BEDWYR L.: Carw Elien (GLM tt. 164, 388-9). *BBCS*, 27(1978), 557-8.

1327 ROWLANDS, EURYS I.: *Gwaith Lewys Môn*. Caerdydd, 1975. [*Gw.* LILIG, 2001]. *Adol:* Rachel Bromwich, *LIC*, 14(1981/82), 146-8.

1328 WILIAM, DAFYDD WYN: Ach Lewys Môn. *TCHNM*, 1982, 137-9.

Syr Dafydd Llwyd
(Deio Ysgolhaig)

1329 MATONIS, A.T.E.: 'Cywydd y Pwrs'. *BBCS*, 29(1981), 441-52.

Huw Llwyd o Gynfal

1330 LAKE, ALUN CYNFAEL: Gwaith Huw Llwyd o Gynfal. *CCHChSF*, 9(1981), 67-88.

Llywelyn ab y Moel

1331 FYCHAN, CLEDWYN: Llywelyn ab y Moel a'r Canolbarth. [Yn] Astudiaethau ar draddodiad llenyddol sir Ddinbych a'r Canolbarth . . . tt. 1-29. *Gw.* rhif 1033.

Llywelyn ap Hywel ap Ieuan ap Gronw

1332 IFANS, DAFYDD: Ychwanegiad at lawysgrif Llansteffan 6A. *CLIGC*, 20(1977), 96.

Llywelyn Goch ap Meurig Hen

1333 RUDDOCK, GILBERT E.: Amwysedd ac eironi ym marwnad Lleucu Llwyd. *YB*, 9(1976), 61-9.

Meurig Dafydd

1334 GRUFFYDD, R. GERAINT: Y bardd a'r gramadegydd. *Y Casglwr*, 19(1983), 13.
Cywydd yn canmol Syr Edward Stradling am beri cyhoeddi gramadeg Siôn Dafydd Rhys.

Owain ap Llywelyn ab y Moel

1335 ROLANT, EURYS: Owain ap Llywelyn ab y Moel. *YB*, 9(1976), 100-13.

1336 ROLANT, EURYS (GOL.): *Gwaith Owain ap Llywelyn ab y Moel.* Caerdydd: Gwasg Prifysgol Cymru ar ran Bwrdd Gwybodau Celtaidd Prifysgol Cymru, 1984. xix, 98tt. *Adol.*: Gruffydd Aled Williams, *Taliesin*, 50(1984), 88-9. *Rev.:* T. Arwyn Watkins, *Celtica*, 17(1985), 170-1.

Watcyn Powel o Ben-y-fai

1337 EVANS, DAFYDD HUW: Watcyn Powel o Ben-y-fai (*c.* 1590-1655). *SC*, 18/19(1983/84), 171-215.

1338 GRUFFYDD, R. GERAINT: Cyngor i fyfyriwr. *Y Casglwr*, 13(1981), 11.
'Llyma gywydd a wnaeth Watcyn ap Hywel iddi frawd Suôn ap Hywel pan oedd ef yn myned i Rydychen'.

Edmwnd Prys

1339 WILLIAMS, GRUFFYDD ALED: Astudiaeth destunol a beirniadol o ymryson barddol Edmwnd Prys a Wiliam Cynwal. (Traethawd Ph.D.). Bangor, 1978.

1340 —— *Ymryson Edmwnd Prys a Wiliam Cynwal—fersiwn llawysgrif Llanstephan 43*, gyda rhagymadrodd, nodiadau a geirfa. Caerdydd: Gwasg Prifysgol Cymru, 1986. cxcv, 346tt.

Siôn Phylip

1341 GRUFFYDD, R. GERAINT: Cri am lyfrau newydd ar ran eglwys newydd. *Y Casglwr*, 23(1984), 16-17.

Cywydd i Risiart Fychan, Esgob Bangor yn gofyn am lyfrau . . . ar gyfer eglwys blwyf Llandudwen.

1342 REES, BRINLEY: 'Dewrion . . . doethion . . . haelion' (cywydd moliant, Llsgr. Llansteffan 125, t. 237). *BBCS*, 31(1984), 102.

Robin Ddu

1343 JONES, EMYR WYN: Robin Ddu's prophecy and 'Our Lady's lap'. *JFHS*, 29(1979/80), 19-50.

1344 WILLIAMS, GRUFFYDD ALED: Cywydd brud o waith Robin Ddu. [Yn] *Bosworth a'r Tuduriaid*; golygwyd gan Dafydd Glyn Jones a John Ellis Jones. Caernarfon: Gwasg Gwynedd, 1985. tt. 40-1.

Rhisiart ap Rhys

1345 ROWLANDS, EURYS I. (GOL.): *Gwaith Rhys Brydydd a Rhisiart ap Rhys*; casglwyd gan John Morgan Williams. Caerdydd: Gwasg Prifysgol Cymru, 1976. [2], xii, 92tt.

Rhisiart Fynglwyd

1346 BASSETT, MARILYN ELIZABETH: Gwaith Rhisiart Fynglwyd, Siôn Teg a Dafydd ap Siencyn Fynglwyd. (Traethawd M.A.). Abertawe, 1983.

Rhys Brydydd

1347 ROWLANDS, EURYS I. (GOL.): *Gwaith Rhys Brydydd a Rhisiart ap Rhys*; casglwyd gan John Morgan Williams. Caerdydd: Gwasg Prifysgol Cymru, 1976. [2], xii, 92tt.

Rhys Cain

1348 BOWEN, D. J.: Cynefin Wiliam Llŷn. *Barn*, 210/211(1980), 206-8; 212(1980), 271-3.

Cerddi Rhys a Siôn Cain i rai o wŷr Croesoswallt.

Rhys Pennardd

1349 JONES, E.D.: Three fifteenth century Peniarth poems. *CCHChSF*, 10(1986), 157-68.

Includes: A *cywydd* to solicit the gift of a stag from Rhys ap Gruffydd ab Aron (Peniarth MS. 97, pp. 327-9).

Sils ap Siôn

1350 EVANS, DAFYDD HUW: Mwyalchen wen mewn caets. *CLIGC*, 23(1984), 329-33.

Testun o gywydd i'r fwyalchen wen oedd yn canu mewn caets yn nhŷ Robert Thomas o Lanfihangel y Bont-faen.

1351 MORGAN, PRYS: Sils ap Siôn. *CLIGC*, 19(1976), 453-6.

Siôn ap Hywel ap Llywelyn Fychan

1352 LAKE, ALUN CYNFAEL: Gwaith Dafydd ap Llywelyn ap Madog, Huw ap Dafydd ap Llywelyn ap Madog a Siôn ap Hywel ap Llywelyn Fychan. (Traethawd M.A.). Abertawe, 1979.

Siôn Brwynog

1353 WILIAM, DAFYDD WYN: Blwyddyn geni Siôn Brwynog. *TCHNM*, 1982, 140.

Siôn Cain

1354 BOWEN, D. J.: Cynefin Wiliam Llŷn. *Barn*, 210/211(1980), 206-8; 212(1980), 271-3.

Cerddi Rhys a Siôn Cain i rai o wŷr Croesoswallt.

Siôn Cent

1355 BREEZE, ANDREW: 'Llyfr durgrys' [Dychan Siôn Cent i'r awen gel-wyddog, IGE[2] t. 183, ll. 3]. *BBCS*, 33(1986), 145.

1356 LEWIS, SAUNDERS: Siôn Cent. [Yn] *Meistri a'u crefft: ysgrifau llenyddol* . . . tt. 148-60. *Gw.* rhif 125.

1357 MORGAN, DAFYDD DENSIL: Athrawiaeth Siôn Cent. *Y Traethodydd*, 138(1983), 13-20.

1358 RITTMUELLER, JEAN: The religious poetry of Siôn Cent. *PHCC*, 3(1983), 107-47.

1359 ROGERS, NICHOLAS: The so-called portrait of Siôn Cent. *BBCS*, 31(1984), 103-4.

1360 RUDDOCK, GILBERT E.: Siôn Cent. [In] *A guide to Welsh literature, volume ii* . . . pp. 169-88. *Gw.* rhif 105.

1361 Thomas, Gwyn: *Y traddodiad barddol* . . . tt. 177-239. *Gw.* rhif 150.
Trafodir yn arbennig y cywydd 'Gwagedd ymffrost dyn' (tt. 233-9).

Siôn Teg

1362 Bassett, Marilyn Elizabeth: Gwaith Rhisiart Fynglwyd, Siôn Teg a Dafydd ap Siencyn Fynglwyd. (Traethawd M.A.). Abertawe, 1983.

Siôn Tudur

1363 Gruffydd, R. Geraint: Beibl Mawr 1588 - am ddim. [Cywydd i ofyn Beibl gan William Morgan]. *Y Casglwr*, 15(1981), 16.

1364 Roberts, Enid (gol.): *Gwaith Siôn Tudur*. Caerdydd: Gwasg Prifysgol Cymru, 1980. 2 gyfrol (1016tt; 815tt.). *Adol.:* J. E. Caerwyn Williams, *Y Traethodydd*, 137(1982), 216-17.

Tomas ap Llywelyn ap Dafydd ap Hywel

1365 Williams, Glanmor: 'Breuddwyd' Tomas Llywelyn ap Dafydd ap Hywel. *YB*, 12(1982), 294-311.

Tudur Aled

1366 Davies, Eurig R. Ll.: Tudur Aled a Chaerfyrddin. *Barn*, 239/240(1982/83), 422-3.

1367 Fychan, Cledwyn: Dau o feibion Tudur Aled: (i) Syr Siôn Aled; (ii) Robert Aled. *CLIGC*, 20(1977), 204-6.

1368 —— Tudur Aled: ailystyried ei gynefin. *CLIGC*, 23(1983), 45-74.

1369 Rowlands, Eurys I.: Tudur Aled. [In] *A guide to Welsh literature, volume ii* . . . pp. 322-37. *Gw.* rhif 105.

1370 Thomas, Gwyn: *Y traddodiad barddol* . . . tt. 177-239. *Gw.* rhif 150.
Trafodir yn arbennig ei awdl i 'Syr Rhys ap Tomas' (tt. 219-28).

Watcyn Clywedog

1371 Ifans, Dafydd: Gruffydd Bodwrda (*c.* 1578-1649) - englynwr. *TCHSG*, 38(1977), 160-6.
Atodiad B: Cywydd marwnad Gruffydd Bodwrda o Dre-graig [Llsgr. LlGC Brogyntyn 4] gan Watcyn Clywedog, 1649.

Wiliam Cynwal

1372 Williams, Gruffydd Aled: Astudiaeth destunol a beirniadol o ymryson barddol Edmwnd Prys a Wiliam Cynwal. (Traethawd Ph.D.). Bangor, 1978.

1373 WILLIAMS, GRUFFYDD ALED: *Ymryson Edmwnd Prys a Wiliam Cynwal —
fersiwn llawysgrif Llanstephan, 43*, gyda rhagymadrodd, nodiadau a
geirfa. Caerdydd: Gwasg Prifysgol Cymru, 1986. cxcv, 346tt.

Wiliam Llŷn

1374 EVANS, IOAN MAI: Wiliam Llŷn. *Y Casglwr*, 12(1980), 16.

1375 JARVIS, BRANWEN: Dilyn natur: sylwadau ar ganu Wiliam Llŷn ac
R. Williams Parry. *YB*, 9(1976), 147-62.

1376 JONES, DAVID ALED: Gwaith Wiliam Llŷn. (Traethawd M.A.). Aber-
ystwyth, 1975.

1377 JONES, R.M.: Wiliam Llŷn ac awdurdod ddinesig. [Yn] *Llên Cymru a
chrefydd* . . . tt. 274-80. *Gw.* rhif 117.

1378 STEPHENS, ROY: Awdlau Wiliam Llŷn. (Traethawd M.A.). Aberystwyth,
1979.

1379 —— Y cyfoeth yn y cof. *Y Traethodydd*, 135(1980), 156-60.

1380 —— Gwaith Wiliam Llŷn. (Traethawd Ph.D.). Aberystwyth, 1983.

1381 —— Mydryddiaeth awdlau Wiliam Llŷn. *Y Traethodydd*, 138(1983), 21-39.

1382 —— Rhai o gerddi Wiliam Llŷn. *Y Traethodydd*, 135(1980), 144-55.

1383 THOMAS, GWYN: *Y traddodiad barddol* . . . tt. 177-239. *Gw.* rhif 150.
Trafodir yn arbennig 'Marwnad Meredydd ap Gronwy ap Gruffydd'
(tt. 228-33).

1384 *Wiliam Llŷn: pen-cerddor y penceirddiaid*. [Aberystwyth]: Cymdeithas
Gerdd Dafod Cymru, 1980. 32tt. (Rhagymadrodd gan Roy Stephens).

1385 WILLIAMS, IFAN WYN: Wiliam Llŷn. *Y Traethodydd*, 135(1980), 123-36.

ADRAN D

YR UNFED GANRIF AR BYMTHEG

I. Y CEFNDIR

1386 DAVIES, CERI: Erasmus and Welsh Renaissance learning. *THSC*, 1983, 48-55.

1387 DAVIES, GARETH ALBAN: Crosscurrents, commercial, cultural and religious, in Hispano-Welsh relations, 1480-1630. *THSC*, 1985, 147-85.

1388 GRUFFYDD, R. GERAINT: Cyfrolau Cymraeg a Chymreig a gyhoeddwyd hyd at 1600. *Y Casglwr*, 9(1979), 4.

1389 JENKINS, GERAINT H.: *Hanes Cymru yn y cyfnod modern cynnar 1530-1760.* Caerdydd: Gwasg Prifysgol Cymru, 1983. xi, 358tt.

1390 WALKER, DAVID: The Reformation in Wales. [In] *A history of the Church in Wales;* edited by David Walker. Penarth: Church in Wales Publications, 1976. pp. 54-78.

1391 WILLIAMS, GLANMOR: Crefydd a llenyddiaeth Gymraeg yn oes y Diwygiad Protestannaidd. [Yn] *Cof cenedl — ysgrifau ar hanes Cymru;* golygydd Geraint H. Jenkins. Llandysul: Gwasg Gomer, 1986. tt. 35-63.

1392 —— Cymru a'r Diwygiad Protestannaidd. [Yn] *Grym tafodau tân: ysgrifau hanesyddol ar grefydd a diwylliant.* Llandysul: Gwasg Gomer, 1984. tt. 87-101. (Cyhoeddwyd gyntaf yn 1959).

1393 —— Dadeni, diwygiad a diwylliant Cymru. [Yn] *Grym tafodau tân . . .* tt. 63-86. *Gw.* rhif 1392. (Cyhoeddwyd gyntaf yn 1964).

1394 —— Religion and Welsh literature in the age of the Reformation. *PBA*, 69(1983)[1984], 371-408. (Sir John Rhŷs memorial lecture; 1983).

1395 —— The Welsh in Tudor England. [In] *Religion, language and nationality in Wales . . .* pp. 171-99. *Gw.* rhif 156.

II. BARDDONIAETH

(i) Y Canu Caeth a'r Gyfundrefn Farddol

Rhestrir gwaith beirdd y canu caeth ymysg 'Beirdd yr Uchelwyr' (Adran Ch.)

(ii) Y Canu Rhydd

(a) Cyffredinol

1396 REES, BRINLEY: Tair cerdd a thair tôn. *BBCS*, 31(1984), 60-73.

1397   WILLIAMS, GLANMOR: Yr hanesydd a'r canu rhydd cynnar. [Yn] *Grym tafodau tân* . . . tt.140-63. *Gw.* rhif 1392.

(b)   Beirdd Unigol

Ceir deunydd ar feirdd eraill a ganai ar y mesurau rhydd yn yr adran ar 'Beirdd yr Uchelwyr'.

Tomas ap Llywelyn ap Dafydd ap Hywel

1398   WILLIAMS, GLANMOR: 'Breuddwyd' Tomas Llywelyn ap Dafydd ap Hywel. *YB*, 12(1982), 294-311. Cyhoeddwyd hefyd yn *Grym tafodau tân* . . . tt. 164-79. *Gw.* rhif 1392.

III.   RHYDDIAITH

(i)   Casgliadau a Detholion

1399   DAVIES, CERI (GOL.): *Rhagymadroddion a chyflwyniadau Lladin 1551-1632;* cyfieithwyd, ynghyd â rhagymadrodd a nodiadau. Caerdydd: Gwasg Prifysgol Cymru, 1980. xi, 196tt. *Adol.:* D. Simon Evans, *LlLl*, Haf (1980), 17; *Y Traethodydd*, 136(1981), 54-5.

1400   HUGHES, GARFIELD H. (GOL.): *Rhagymadroddion 1547-1659.* Caerdydd: Gwasg Prifysgol Cymru, 1976. xiii, 166tt. (Arg. cyntaf, 1951).

(ii)   Astudiaethau

(a)   Cyffredinol

1401   JONES, J. GWYNFOR: Thomas Davies and William Hughes — two Reformation Bishops of St. Asaph. *BBCS*, 29(1981), 320-35.

(b)   Llenyddiaeth y Protestaniaid

(1)   Cyfieithu'r Ysgrythurau a'r Llyfr Gweddi

Cynhwysir yn yr adran hon drafodaethau ar *Y Beibl Cymraeg Newydd, Y Testament Newydd, 1975.*

1402   ASHTON, GLYN M.: Braslun o gefndir cyhoeddi'r Ysgrythurau yn y Gymraeg. *Diwinyddiaeth*, 26(1975), 22-33.

1403   GRIFFITHS, D.N.: Four centuries of the Welsh Prayer Book. *THSC*, 1974/75, 162-90.

1404   THOMAS, ISAAC: *Y Testament Newydd Cymraeg 1551-1620.* Caerdydd: Gwasg Prifysgol Cymru, 1976. xii, 488tt. *Adol.:* Glyn M. Ashton, *Diwinyddiaeth*, 28(1977), 63-6; D. Simon Evans, *Barn*, 167(1976), 403-4; R. Geraint Gruffydd, *SC*, 12/13(1977/78), 476-7; Aneirin Lewis, *LIC*, 13(1980/81), 293-8. *Rev.:* Geraint H. Jenkins, *CHC*, 9(1978), 216-17.

Y Beibl Cymraeg Newydd, Y Testament Newydd, 1975

1405 EVANS, OWEN E.: Cyfieithu'r Gair i iaith y genedl: Testament Newydd 1975. [Yn] *Y Gair a'r genedl* . . . tt. 47-62. *Gw.* rhif 2887.

1406 —— *Cyfieithu'r Testament Newydd i Gymraeg yn yr ugeinfed ganrif.* Abertawe: Coleg y Brifysgol Abertawe, 1976. 33tt. (Darlith goffa Henry Lewis; 1975). *Adol.:* Llewelyn Jones, *Porfeydd*, 8(1976), 190-2; *Taliesin*, 33(1976), 135-7.

1407 GRIFFITHS, J. GWYN: Y cyfieithiad Cymraeg newydd o'r Testament Newydd. *SG*, 67(1975), 49-58, 74-9.

1408 JONES, EMRYS: Testament Newydd 1975. *Taliesin*, 31(1975), 42-51.

1409 ROBERTS, GRIFFITH T.: Y Testament Cymraeg Newydd. *Yr Eurgrawn*, 167(1975), 118-22.

1410 THOMAS, CEINWEN H.: Y Beibl Cymraeg: Y Testament Newydd. *Diwinyddiaeth*, 26(1975), 34-41.

1411 THOMAS, ISAAC: Cyflwyno Testament Newydd 1975. *Diwinyddiaeth*, 27(1976), 33-43.

1412 TILSLEY, GWILYM R.: Nodiadau'r golygydd. *Yr Eurgrawn*, 167(1975), 49-55.

(2) Y Cyfieithwyr

Richard Davies

1413 WILLIAMS, GLANMOR: Yr Esgob Richard Davies (? 1501-1581). [Yn] *Grym tafodau tân* . . . tt. 102-17. *Gw.* rhif 1392. (Cyhoeddwyd gyntaf yn 1967).

William Morgan

1414 GRIFFITHS, J. GWYN: Hebraeg yr Esgob William Morgan. *Barn*, 270(1985), 256-7.

1415 THOMAS, ISAAC: Yr Apocryffa ym Meiblau 1588 a 1620. *CLIGC*, 24(1985), 164-209.

1416 —— Cyfieithu'r Gair i iaith y genedl: Hen Destament Beibl William Morgan. [Yn] *Y Gair a'r genedl* . . . tt. 28-46. *Gw.* rhif 2887.

1417 —— Fersiwn William Morgan o'r Hen Destament Hebraeg. *CLIGC*, 23(1984), 209-91.

1418 —— Salmau William Morgan. *CLIGC*, 23(1983), 89-129.

1419 WILLIAMS, GLANMOR: Bishop William Morgan (1545-1604) and the first Welsh Bible. *CCHChSF*, 7(1976), 347-72.

1420 WILLIAMS, GRUFFYDD ALED: William Morgan ac Edmwnd Prys yng Nghaer-grawnt: (i) Morgan a Phrys a helynt 1565 yng Ngholeg Ieuan Sant. (ii) Athrawon Hebraeg Morgan a Phrys. *BBCS*, 29(1981), 296-300.

Richard Parry

1421 JONES, J. GWYNFOR: Richard Parry, Bishop of St. Asaph: some aspects of his career. *BBCS*, 26(1975), 175-90.

1422 THOMAS, ISAAC: Yr Apocryffa ym Meiblau 1588 a 1620. *CLIGC*, 24(1985), 164-209.

1423 —— Y fersiwn o'r Hen Destament Hebraeg ym Meibl Cymraeg 1620. *CLIGC*, 24(1985), 1-45.

William Salesbury

1424 FYCHAN, CLEDWYN: William Salesbury a Llansannan. *TCHSDd*, 25(1976), 191-9. *Gw. hefyd* GRUFFYDD ALED WILLIAMS: Claddu tad William Salesbury yn Llansannan. *TCHSDd*, 27(1978), 202.

1425 HUGHES, A. LLOYD: Copi ychwanegol o *Kynniver Llith a Ban. JWBS*, 12(1983/84), 67-9.

1426 IWAN EDGAR: Ail-gloriannu William Salesbury. *Y Faner*, 4.5.84, 12-13.

1427 JONES, GLYN E.: William Salesbury a chynaniad Groeg a Lladin yn yr unfed ganrif ar bymtheg. *Y Traethodydd*, 138(1983), 40-3.

1428 REES, D. BEN: William Salesbury (1520?—1584?). *Y Genhinen*, 26(1976), 97-101.

1429 THOMAS, ISAAC: Yr 'Epistolau' o'r Hen Destament yn *Kynniver Llith a Ban. CLIGC*, 22(1982), 254-76.

1430 —— Yr 'Epistolau' o'r Hen Destament yn Llyfr Gweddi Gyffredin 1567. *CLIGC*, 23(1983), 17-36.

1431 —— Sallwyr Llyfr Gweddi Gyffredin 1567. *CLIGC*, 22(1982), 353-405.

(4) Y Salmau Cân

1432 POLIN, CLAIRE: The earliest musical Psalm-Book of Wales. *CLIGC*, 21(1980), 257-9.
Gw. hefyd EDMWND PRYS, rhifau 1445-1450.

(c) Llenyddiaeth y Catholigion
(1) Cyffredinol

1433 BOWEN, GERAINT: Rhyddiaith Reciwsantiaid Cymru. (Traethawd Ph.D.). Aberystwyth, 1978.

(2)   Llyfrau unigol

1434   BURDETT-JONES, M.T.: 'Sacrafen Penyd'. *YB,* 13(1985), 227-31.

> *Sacrafen Penyd,* Llsgr. 80 o eiddo Thomas Lloyd y geiriadurwr = llawysgrif goll o waith Thomas Wiliems o Drefriw "y lhyuran or Sacrauen o Benyt"?

1435   GRUFFYDD, R. GERAINT: Gweddi St. Thomas More yn Gymraeg, 1587. *HG,* Gwanwyn (1978), 23-7.

(3)   Awduron unigol
Rhosier Smyth

1436   RYAN, JOHN: The sources of the Welsh translation of the Catechism of St. Peter Canisius. [*Crynnodeb o addysc Cristnogawl* gan Rhosier Smyth]. *JWBS,* 11(1975/76), 225-32.

(ch)   Llenyddiaeth y Dadeni Dysg
(1)   Cyffredinol

1437   DAVIES, CERI: Erasmus and Welsh Renaissance learning. *THSC,* 1983, 48-55.

1438   —— *Latin writers of the Renaissance.* Cardiff: University of Wales Press on behalf of the Welsh Arts Council, 1981. 67pp. (Writers of Wales). *Rev.:* John FitzGerald, *LILI,* Winter(1981), 10; John Simons, *AWR,* 70(1982), 113-14; Glanmor Williams, *CHC,* 11(1982), 255-6.

1439   JONES, R. BRINLEY: Geirfa Rhethreg 1552-1632. *YB,* 9(1976), 118-46.

1440   WILLIAMS, GLANMOR: Dadeni, diwygiad a diwylliant Cymru. [Yn] *Grym tafodau tân* . . . tt. 63-86. *Gw.* rhif 1392. (Cyhoeddwyd gyntaf yn 1964).

1441   WILLIAMS, J.E. CAERWYN: *Geiriadurwyr y Gymraeg yng nghyfnod y Dadeni.* Caerdydd: Amgueddfa Genedlaethol Cymru/Amgueddfa Werin Cymru, 1983. 52tt.

1442   —— Thomas Wiliems, y Geiriadurwr. *SC,* 16/17(1981/82), 280-316.

(2)   Awduron unigol
William Midleton

1443   WILLIAMS, GRIFFITH JOHN: Hugh a William Myddelton. *Y Genhinen,* 28(1978), 71-2.

1444   WILLIAMS, GRUFFYDD ALED: William Midleton, Elizabethan poet and privateer. *MW,* 1(1976), 11-21.

Edmwnd Prys

1445   GRIFFITH, T. CEIRI: Cysylltiadau crefyddol teulu Edmund Prys, Archddiacon Meironnydd, yn Ffestiniog a Beddgelert. *CCHChSF,* 7(1976), 404-15.

1446 POLIN, CLAIRE: The earliest musical Psalm-Book of Wales. *CLIGC*, 21(1980), 257-9.

1447 ROBERTS, O. E.: Dau lenor ar gyfeiliorn. *Y Genhinen*, 28(1978), 82-4. [Edmwnd Prys a Morgan Llwyd.]

1448 WILLIAMS, GRUFFYDD ALED: Edmwnd Prys (1543/4—1623): dyneiddiwr Protestannaidd. *CCHChSF*, 8(1980), 349-68. *Gw. hefyd* Salmau Çân Edmwnd Prys a'u cefndir. *BCEC*, 2(1982), 142-5.

1449 —— Edmwnd Prys ac Ardudwy. *CLIGC*, 22(1982), 282-303.

1450 —— William Morgan ac Edmwnd Prys yng Nghaer-grawnt: (i) Morgan a Phrys a helynt 1565 yng Ngholeg Ieuan Sant. (ii) Athrawon Hebraeg Morgan a Phrys. *BBCS*, 29(1981), 296-300.

Siôn Dafydd Rhys

1451 JONES, BEDWYR L.: Bibliographical note: Siôn Dafydd Rhys. *TCHNM*, 1979, 102-3.

1452 MELCHIOR, A.B.: Siôn Dafydd Rhys, M.D. (Siena). *Sudhoffs Archiv*, 60/3(1976), 289-94.

1453 WILLIAMS, IWAN LLWYD: Tri chyfeiriad yn ymwneud â Siôn Dafydd Rhys. *CLIGC*, 22(1982), 348.
'Yng nghywyddau marwnad Huw Pennant, Huw Machno a Siôn Philip i Elis ap Cadwaladr o Ystumllyn'.

IV. AMRYWIOL

1454 AINSWORTH, JEANETTE THERESE: The Welsh "Troelus a Chresyd": toward a better understanding. London: University Microfilms International, 1982. 229pp. (Rutgers, The State University of New Jersey, Ph.D. Thesis, 1979).

1455 CLARK, STUART and MORGAN, PRYS: Religion and magic in Elizabethan Wales: Robert Holland's dialogue on witchcraft [*Tudor and Gronw* c. 1595]. *JEH*, 27(1976), 31-46.

1456 DAVIES, W. BEYNON (GOL.): *Troelus a Chresyd o lawysgrif Peniarth 106.* Caerdydd: Gwasg Prifysgol Cymru ar ran Bwrdd Gwybodau Celtaidd Prifysgol Cymru, 1976. 161tt. *Adol.:* Gruffydd Aled Williams, *Barn*, 162/163(1976), 269-70.

1457 FORD, PATRICK K.: A fragment of the *Hanes Taliesin* [from Llanover MS B17, a version by Llywelyn Siôn]. *EC*, 14(1975), 451-60.

1458 HARRIES, W. GERALLT: Fersiwn Cymraeg o ragair cyntaf *The Kalender of Shepherdes* [Fersiwn Syr Thomas ab Ieuan ap Deicws *c.* 1520]. *BBCS*, 27(1976), 65-80.

1459 JARVIS, BRANWEN: *Dysgeidiaeth Cristnoges o ferch* a'i gefndir. *YB*, 13(1985), 219-26.
Cyfieithiad Richard Owen (fl. 1552) o *De Instructione Feminae Christianae* (Juan Luis Vives).

1460 —— A note on a Welsh version of *Thesaurus Pauperum*. *SC*, 10/11(1975/76), 256-60.
Siôn ab Ifan's translation of selections from the English version of a 13th-c. medical treatise, *The Treasury of Health*, by Humphrey Llwyd.

1461 JONES, R.I. STEPHENS: The authorship of *Troelus a Chresyd*. *BBCS*, 28(1979), 223-8.

1462 —— The date of *Troelus a Chresyd* (Peniarth MS. 106). *BBCS*, 26(1976), 430-9.

1463 —— *Troelus a Chresyd* as drama. *BBCS*, 27(1977), 399-405.

1464 JONES, THOMAS a WILLIAMS, J. E. CAERWYN: Ystori Alexander a Lodwig (Llanover MS. B17). *SC*, 10/11(1975/76), 261-304.

1465 LINNARD, WILLIAM: The Nine Huntings: a re-examination of *Y Naw Helwriaeth*. *BBCS*, 31(1984), 119-32.

1466 PRITCHARD, R. TELFRYN: Aristotle's advice to Alexander - Welsh version of an Alexander passage. *CLlGC*, 24(1986), 295-308.
Yn llawysgrifau Llanstephan 171B, Mostyn 159 (NLW 3055D), NLW 13075 (Llanover B. 17), Peniarth 216.

1467 PRITCHARD, R. TELFRYN: Ystori y Gŵr Moel o Sythia. *SC*, 18/19 (1983/84), 216-33.

1468 WILLIAMS, GWYN (GOL.): *Troelus a Chresyd: trasiedi;* wedi ei olygu a'i ddiweddaru gan Gwyn Williams. Llandysul: Gwasg Gomer, 1976. 110tt.

ADRAN Dd
YR AIL GANRIF AR BYMTHEG
I. CYFFREDINOL

1469 EVANS, E.D.: *A history of Wales 1660-1815.* Cardiff: University of Wales Press, 1976. 267pp.

1470 GIBBARD, NOEL A.: *Elusen i'r enaid: arweiniad i weithiau'r Piwritaniaid Cymreig, 1630-1689.* Pen-y-bont ar Ogwr: Llyfrgell Efengylaidd Cymru, 1979. 67tt.

1471 GRUFFYDD, R. GERAINT: Hanesydd y Piwritaniaid a'r Hen Anghydffurfwyr yng Nghymru [R. Tudur Jones]. [Yn] *Y Gair a'r genedl . . .* tt 19-27. *Gw.* rhif 2887.

1472 —— *'In that gentile country . . . ':* The beginnings of Puritan Nonconformity in Wales. Bridgend: The Evangelical Library of Wales, 1976. 31pp. (Annual lecture; 1975). *Adol.:* Llewelyn Jones, *Y Traethodydd,* 132(1977), 160-2.

1473 JENKINS, GERAINT H.: *Hanes Cymru yn y cyfnod modern cynnar 1530-1760.* Caerdydd: Gwasg Prifysgol Cymru, 1983. xi, 358tt.

1474 —— *Literature, religion and society in Wales, 1660-1730.* Cardiff: University of Wales Press, 1978. [10], 351pp. (Studies in Welsh history; 2). *Adol.:* Mary Ellis, *HG,* Gaeaf (1978), 30-2; E.D. Jones, *Y Faner,* 14.7.78, 16-17; R. Tudur Jones, *Barn,* 186/187(1978), 306-7. *Rev.:* Ivor Davies, *AWR,* 63(1978), 182-4; Christopher Hill, *CHC,* 9(1979), 370-2; J. Gwynfor Jones, *CCHChSF,* 8(1978), 218-21; Geoffrey F. Nuttall, *CH(MC),* 2(1978), 52-4; Eiluned Rees, *ArchC,* 127(1978), 143-5.

1475 —— Llenyddiaeth, crefydd a'r gymdeithas yng Nghymru, 1660-1730. *EA,* 41(1978), 36-52.

1476 —— Popular beliefs in Wales from the Restoration to Methodism. *BBCS,* 27(1977), 440-62.

1477 —— Rhyfel yr Oen — y mudiad heddwch yng Nghymru, 1653-1816. [Yn] *Cof cenedl: ysgrifau ar hanes Cymru . . .* tt. 65-94. *Gw.* rhif 1391.

1478 —— 'The Sweating Astrologer' - Thomas Jones the almanacer. [In] *Welsh society and nationhood . . .* pp. 161-77. *Gw.* rhif 2915.

1479 —— *Thomas Jones yr almanaciwr 1648-1713.* Caerdydd: Gwasg Prifysgol Cymru, 1980. ix, 162tt. *Adol.:* Prys Morgan, *Barn,* 217(1981), 75; Gwyn Thomas, *LlLl,* Gaeaf (1980), 24. *Rev.:* J. Gwynfor Jones, *CHC,* 10(1981), 568-9.
Yn cynnwys penodau ar Thomas Jones: (i) Y diwygiwr crefyddol. (ii) Yr almanaciwr. (iii) Yr argraffwr.

1480 JONES, GWERFYL PIERCE: Agweddau ar gefndir syniadau yng Nghymru yn ystod ail hanner yr ail ganrif ar bymtheg (1660-1710) - astudiaeth o'r llyfrau print. (Traethawd M.A.). Bangor, 1974.

1481 —— Lle'r Gymraeg yng ngweithiau llenyddol 1660-1710. *YB*, 9(1976), 163-90.

1482 JONES, R. TUDUR: The Puritan contribution. [In] *The history of education in Wales, vol. 1 . . .* pp. 28-44. *Gw.* rhif 155.

1483 ——Relations between Anglicans and Dissenters: the promotion of piety, 1670-1730. [In] *A history of the Church in Wales;* edited by David Walker. Penarth: Church in Wales Publications, 1976. pp. 79-102.

1484 KNOX, R. BUICK: The Bible in Wales: the life and labours of Thomas Gouge. *CH(MC)*, 2(1978), 38-43.

1485 POWELL, W. EIFION: Llenyddiaeth ddefosiynol Cymru, 1630-1730. *Porfeydd*, 12(1980), 54-9; 13(1981), 16-22.

1486 REES, EILUNED and MORGAN, GERALD: Welsh almanacks, 1680-1835: problems of piracy. *The Library* (sixth series), 1(1979), 144-63.

1487 WATTS, MICHAEL R.: *The Dissenters from the Reformation to the French Revolution.* Oxford: Claredon Press, 1978. xvii, 543pp.

1488 WILLIAMS, J. GWYNN: Crynwyr cynnar Cymru: cipolwg. [Yn] *Y Gair a'r genedl . . .* tt. 127-42. *Gw.* rhif 2887.

1489 —— The Quakers of Meironeth during the seventeenth century. *CCHChSF*, 8(1978) 122-56; 8(1979), 312=39.

II. BARDDONIAETH

Rhestrir gwaith beirdd y canu caeth ymysg 'Beirdd yr Uchelwyr' (Adran Ch)

(ii) Astudiaethau
(a) Cyffredinol

1490 ROBERTS, BRYNLEY F.: Cerddi Cymraeg Blodeugerddi Rhydychen [1654-1761]. *YB*, 11(1979), 139-64.

1491 THOMAS, GWYN: Golwg ar gyfundrefn y beirdd yn yr ail ganrif ar bymtheg. [Yn] *Bardos: penodau ar y traddodiad barddol Cymreig a Cheltaidd . . .* tt. 76-94. *Gw.* rhif 95.

1492 WILLIAMS, GLANMOR: Yr hanesydd a'r canu rhydd cynnar. [Yn] *Grym tafodau tân . . .* tt. 140-63. *Gw.* rhif 1392.

(b) Beirdd Unigol
Huw Morys

1493 WILIAM, DAFYDD WYN: Llyfryn gwrth-Ymneilltuol o Fôn. *Y Cofiadur,* 44(1979), 16-33.

Yn cynnwys 'Ymddiddanion rhwng Protestant ac Eglwys Loegr . . .'

Rhys Prichard

1494 WILLIAMS, GLANMOR: Yr hen ficer a'r hen feddwyn. *Barn,* 255(1984), 123-4.

III. RHYDDIAITH
(i) Detholion

1495 DAVIES, CERI: *Rhagymadroddion a chyflwyniadau Lladin 1551-1632;* cyfieithwyd ynghyd â rhagymadrodd a nodiadau. Caerdydd: Gwasg Prifysgol Cymru, 1980. xi, 196tt. *Adol.:* D. Simon Evans, *LlLl,* Haf (1980), 17; *Y Traethodydd,* 136(1981), 54-5.

1496 HUGHES, GARFIELD H. (GOL.): *Rhagymadroddion 1547-1659.* Caerdydd: Gwasg Prifysgol Cymru, 1976. xiii, 166tt. (Arg. cyntaf, 1951).

(ii) Awduron Unigol
Charles Edwards

1497 GRUFFYDD, R. GERAINT: Gwrando ar Charles Edwards. [Yn] *Ysgrifau diwinyddol, 1;* golygwyd gan Noel Gibbard. Pen-y-bont ar Ogwr: Gwasg Efengylaidd Cymru, 1979. tt. 74-83.

1498 JONES, R.M.: Athrawiaeth hanes Charles Edwards. [Yn] *Llên Cymru a chrefydd* . . . tt. 341-58. *Gw.* rhif 117.

1499 MORGAN, DEREC LLWYD, Argraffiadau'r 18g a'r 19g o *Y Ffydd Ddiffuant. JWBS,* 11(1975/76), 193-200.

1500 —— *Y Ffydd Ddiffuant. Y Casglwr,* 2(1977), 16.

Morgan Llwyd

1501 DONOVAN, P.J. (GOL.): *Ysgrifeniadau byrion Morgan Llwyd.* Caerdydd: Gwasg Prifysgol Cymru ar ran Yr Academi Gymreig, 1985. ix, 66tt. *Adol.:* R. Geraint Gruffydd, *Taliesin,* 57(1986), 86-7; Gwyn Thomas, *Y Faner,* 7.2.86, 14.

1502 GRUFFYDD, R. GERAINT: Marwnad Morus Wiliam Powel. *CEf,* 19/2(1980), 19.

1503 —— Morgan Llwyd. [Yn] *Cwmwl o dystion;* golygydd E. Wyn James. Abertawe: Christopher Davies, 1977. tt. 52-9.

1504 HUGHES, MEDWIN: Defnydd meddwl Morgan Llwyd. *Diwinyddiaeth,* 34(1983), 94-109.

1505 JONES, R.M.: Caniad Morgan Llwyd. [Yn] *Llên Cymru a chrefydd* . . . tt. 322-40. *Gw.* rhif 117.

1506 JONES, R. TUDUR: The healing herb and the rose of love: the piety of two Welsh Puritans. [In] *Reformation, Conformity and Dissent: essays in honour of Geoffrey Nuttall;* edited by R. Buick Knox. London: Epworth Press, 1977. pp. 154-79.

1507 OWEN, GORONWY WYN: Astudiaeth hanesyddol a beirniadol o weithiau Morgan Llwyd o Wynedd (1619-1659). (Traethawd Ph.D.). Bangor, 1982.

1508 —— Cosmoleg Morgan Llwyd o Wynedd. *Y Traethodydd,* 138(1983), 72-80.

1509 —— Morgan Llwyd a Jakob Böhme. *Y Traethodydd,* 139(1984), 14-18.

1510 —— Morgan Llwyd a Peter Sterry. *Y Traethodydd,* 141(1986), 128-32.

1511 ROBERTS, O.E.: Dau lenor ar gyfeiliorn. *Y Genhinen,* 28(1978), 82-4. [Edmund Prys a Morgan Llwyd.]

1512 THOMAS, M. WYNN: Agweddau pellach ar Gymreigrwydd Morgan Llwyd. *Y Traethodydd,* 137(1982), 141-53.

1513 —— Ann Griffiths and Morgan Llwyd: a comparative study of two Welsh mystics. *SML,* 3(1983), 23-39.

1514 —— *Morgan Llwyd.* Cardiff: University of Wales Press on behalf of the Welsh Arts Council, 1984. 85pp. (Writers of Wales). *Adol.:* Derec Llwyd Morgan, *Y Traethodydd,* 140(1985), 54-6. *Rev.:* Geraint H. Jenkins, *AWR,* 79(1985) 116-17; R. Tudor Jones, *LILI,* Winter (1984), 9.

1515 —— Sisial y Sarff: ymryson oddi mewn i Forgan Llwyd. *Y Traethodydd,* 138(1983), 173-83.

Oliver Thomas

1516 MORGAN, MERFYN (GOL.): *Gweithiau Oliver Thomas ac Evan Roberts — dau Biwritan cynnar;* golygwyd gyda rhagymadrodd. Caerdydd: Cyhoeddwyd ar ran Bwrdd Gwybodau Celtaidd Prifysgol Cymru gan Wasg Prifysgol Cymru, 1981. lxxxix, 318tt. *Adol.:* Goronwy Wyn Owen, *Y Traethodydd,* 137(1982), 166-8.

(iii)   Llyfrau amrywiol
(Cyfieithiadau, etc)

1517 DAVIES, MARIANNE CYNTHIA: Astudiaeth o gyfieithiadau Richard Jones o Ddinbych o dri o weithiau Richard Baxter. (Traethawd M.A.). Aberystwyth, 1979.

Cynnwys: *Galwad i'r Annychweledig*, 1659; *Amdo i Babyddiaeth*, 1670; *Bellach neu byth*, 1677. Atodiad III, Llyfryddiaeth o'r cyfieithiadau Cymraeg o weithiau Richard Baxter mewn trefn amseryddol.

1518 JENKINS, GERAINT H.: From Ysgeifiog to Pennsylvania: the rise of Thomas Wynne, Quaker barber - surgeon. *JFHS*, 28(1977/78), 39-61.

1519 JONES, EMYR WYN: Dau grynwr a'u dwy gyfrol. [Yn] *Cyndyn ddorau ac ysgrifau eraill.* Y Bala: Y Faner, 1978. tt. 127-45.
Sylwadau ar fywyd a gwaith Richard Davies (1635-1708) ac Ellis Pugh (1656-1718) - awdur *Annerch i'r Cymru.*

1520 MORGAN, MERFYN: *Amryw Reolau Duwiol. JWBS*, 11(1975/76), 201-6.

1521 WILLIAMS, GLANMOR: Edward James a *Llyfr yr Homiliau. Morgannwg*, 25(1981), 79-99. Cyhoeddwyd hefyd yn *Grym tafodau tân . . .* tt. 180-98. *Gw.* rhif 1392.

IV. HYNAFIAETHWYR AC YSGOLHEIGION
William Bodwrda

1522 IFANS, DAFYDD: William Bodwrda (1593-1660). *CLIGC*, 19(1975/76), 88-102, 300-10.

John Davies, Mallwyd

1523 DAVIES, CERI: Y berthynas rhwng 'Geirfa tafod Cymraeg' Henry Salesbury a'r 'Dictionarium Duplex'. *BBCS*, 28(1979), 399-40.

Edward Lhuyd

1524 CHATER, A.O.: *Lloydia serotina. Y Naturiaethwr.* 7(1982), 2-7.

1525 —— Nodlyfr llysieuol anghyhoeddedig Edward Llwyd. *Y Naturiaethwr*, 10(1983), 1-13.

1526 EMERY, FRANK: Edward Lhuyd and *A natural history* of *Wales. SC*, 12/13(1977/78), 247-58.

1527 FLEURIOT, LÉON: Edward Lhuyd et l'histoire du breton. *EC*, 20(1983), 104-8.

1528 HARRISON, ALAN: Who wrote to Edward Lhwyd? *Celtica*, 16(1984), 175-8.

1529 HINCKS, RHISIART: Edward Llwyd a'r Llydaweg. *Y Naturiaethwr*, 11(1984), 2-8.

1530 IFANS, DAFYDD and THOMSON, R.L.: Edward Lhuyd's *Geirieu Manaweg. SC*, 14/15(1979/80), 129-67.

1531 ROBERTS, BRYNLEY F.: Barddoniaeth Edward Lhwyd. *BBCS*, 27(1976), 31-44.

1532 ROBERTS, BRYNLEY F.: Coffáu Edward Lhuyd. *Y Faner*, 12.2.82, 17.

1533 —— Cyfrol fawr Edward Lhuyd - *Archaeologia Britannica*. *Y Casglwr*, 20(1983), 13. *Gw. hefyd* M. T. BURDETT-JONES, *Y Casglwr*, 22(1984), 20.

1534 —— Cyfrol gyntaf Edward Lhuyd [*Lithophylacii Britannici Ichnographia*]. *Y Casglwr*, 22(1984), 10-11.

1535 —— *Edward Lhuyd: the making of a scientist.* Cardiff: University of Wales Press, 1980. 21pp. (G.J. Williams memorial lecture; 1979). *Rev.:* Gwyn Walters and Eiluned Rees, *CHC*, 10(1980), 246-8.

1536 —— Edward Lhwyd's collection of printed books. *BLR*, 10(1979), 112-27.

1537 —— Edward Lhuyd's debts. *BBCS*, 26(1975), 353-9.

1538 —— Edward Lhuyd-Welshman. (English translation by T.J. Rhys Jones). *NIW* (n.s.)2/1-2 (1984), 42-56.

1539 —— Edward Lhuyd y Cymro. *CLIGC*, 24(1985), 63-83.

1540 —— Edward Llwyd y gwyddonydd. *Y Naturiaethwr*, 2(1979), 2-4.

1541 —— 'Memoirs of Edward Llwyd, antiquary' and Nicholas Owen's *British Remains, 1777*. *CLIGC*, 19(1975), 67-87.

1542 —— *Papurau Richard Ellis—llawlyfr a rhestr. The Richard Ellis papers—handbook and schedule.* Trefnwyd gan Brynley F. Roberts. Aberystwyth: Llyfrgell Coleg Prifysgol Cymru, 1983. 28tt. *Gw.* rhif 1544.

1543 —— Pedwar portread o Edward Lhuyd. *CLIGC*, 21(1979), 40-2.

1544 —— Richard Ellis, M.A. (Edward Lhuyd and the Cymmrodorion). *THSC*, 1977, 131-72. *Gw. hefyd* 'Llafur perffeithydd', *Y Casglwr*, 7(1979), 13.

1545 WILLIAMS, GRIFFITH JOHN: Edward Lhuyd yr ysgolhaig Celtaidd. *Y Traethodydd*, 130(1975), 53-69.

Meredith Lloyd

1546 FORD, PATRICK K.: Meredith Lloyd, Dr. Davies, and the *Hanes Taliesin*. *CLIGC*, 21(1979), 27-39.

1547 LLOYD, NESTA: Meredith Lloyd. *JWBS*, 11(1975/6), 133-92.

Henry Rowlands

1548 ROBERTS, TOMOS: Campwaith y 'Derwydd'. *Y Casglwr*, 23(1984), 19.

Robert Vaughan

1549 MORGAN, RICHARD: Robert Vaughan of Hengwrt (1592-1667). *CCHChSF*, 8(1980), 397-408.

Thomas Wiliems

1550 THOMAS, GRAHAM: Dau gyfeiriad at Syr Tomas Wiliems, Trefriw, ym mhapurau'r sesiwn fawr am swydd Ddinbych. *CLlGC*, 23(1984), 425-7.

1551 Williams, J. E. Caerwyn: Thomas Wiliems y Geiriadurwr. *SC*, 16/17(1981/82), 280-316.

ADRAN E

Y DDEUNAWFED GANRIF

I. CYFFREDINOL

1552 DAVIES, J. IORWERTH: The history of printing in Montgomeryshire, 1789-1960. *MC*, 65(1977), 57-66; 66(1978), 7-28; 68(1980), 67-85; 70(1982), 71-98; 71(1983), 48-60; 72(1984), 37-44; 73(1985), 38-53.

1553 EDWARDS, HUW: Yn y dechreuad. *Y Casglwr*, 3(1977), 13.

Sylwadau ar yr argraffydd Isaac Carter, 'Trefhedyn' Llandyfrïog, Ceredigion, ynghyd â rhestr o'r llyfrau a argraffwyd yno.

1554 ELLIS, MARY: Eglwys y Plwyf, Llanymawddwy. *CCHChSF*, 7(1975), 231-50.

Cofnodir hanes rhai o'r gwŷr blaenllaw a wasanaethodd yn y plwyf yn ystod y ganrif.

1555 EVANS, E.D.: *A history of Wales 1660-1815*. Cardiff: University of Wales Press, 1976. 267pp.

1556 EVANS, EIFION: Early Methodist apologetic. *CH(MC)*, 3(1979), 33-42.

1557 JENKINS, GERAINT H.: Bywiogrwydd crefyddol a llenyddol Dyffryn Teifi, 1689-1740. *Ceredigion*, 8(1979), 439-77.

1558 ——Yr eglwys 'wiwlwys olau' a'i beirniaid. *Ceredigion*, 10(1985), 131-46.

1559 ——*Hanes Cymru yn y cyfnod modern cynnar 1530-1760*. Caerdydd: Gwasg Prifysgol Cymru, 1983. xi, 358tt.

1560 ——*Literature, religion and society in Wales, 1660-1730* . . . *Gw*. rhif 1474.

1561 ——Llenyddiaeth, crefydd a'r gymdeithas yng Nghymru, 1660-1730. *EA*, 41(1978), 36-52.

1562 ——Quaker and anti-Quaker literature in Welsh from the Restoration to Methodism. *CHC*, 7(1975), 403-26.

1563 ——Rhyfel yr Oen — y mudiad heddwch yng Nghymru, 1653-1816. [Yn] *Cof cenedl — ysgrifau ar hanes Cymru* . . . tt. 65-94. *Gw. rhif 1391*.

1564 MILLWARD, E.G.: Gwerineiddio llenyddiaeth Gymraeg. [Yn] *Bardos: penodau ar y traddodiad barddol Cymreig a Cheltaidd* . . . tt. 95-110. *Gw*. rhif 95.

1565 ——Rhai agweddau ar lenyddiaeth wrth-Fethodistaidd y ddeunawfed ganrif. *CCHMC*, 60(1975), 1-9, 52-9.

1566 Morgan, Derec Llwyd: *Y Diwygiad Mawr.* Llandysul: Gwasg Gomer, 1981. xi, 320tt. *Adol.:* Dewi Eirug Davies, *Y Traethodydd,* 138(1983), 52-3; Bobi Jones, *Y Faner,* 12.3.82, 12-13; Elfed ap Nefydd Roberts, *LlLl,* Haf (1982), 17-18; J.E. Caerwyn Williams, *Taliesin,* 46(1983), 118-20. *Gw. hefyd* Derec Llwyd Morgan, 'Crefydd y galon', *Porfeydd,* 13(1981), 145-52.

1567 —— Llenyddiaeth y Methodistiaid, 1763-1814. [Yn] *Hanes Methodistiaeth Galfinaidd Cymru. Cyfrol 2, Cynnydd y corff;* golygydd Gomer M. Roberts. Caernarfon: Llyfrfa'r Methodistiaid Calfinaidd, 1978. tt. 456-528.

1568 —— *Pobl Pantycelyn.* Llandysul: Gwasg Gomer, 1986. x, 156tt.
Yn cynnwys: John Thomas, awdur *Rhad ras (gw. hefyd* 1720). Ann Griffiths yn ei dydd *(gw. hefyd* 1688). 'Ysgolion Sabbothol' Thomas Charles *(gw. hefyd* 1584).

1569 Morgan, Dyfnallt (gol.): *Gŵyr llên y ddeunawfed ganrif a'u cefndir: pedair ar hugain o sgyrsiau radio.* Abertawe: Christopher Davies, 1977. 215tt. (Arg. cyntaf, 1966).

1570 Morgan, Gerald: Helyntion yr almanaciau. *Y Casglwr,* 17(1982), 12; 18(1982), 11.

1571 Morgan, Prys: *The Eighteenth Century Renaissance.* Llandybïe: Christopher Davies, 1981. 174pp. (A new history of Wales). *Rev.:* John Rosselli, *CHC,* 11(1983), 418-19.

1572 —— From a death to a view: the hunt for the Welsh past in the Romantic period. [In] *The invention of tradition;* edited by Eric Hobsbawn and Terence Ranger. Cambridge: Cambridge University Press, 1983. pp. 43-100.

1573 Powell, W. Eifion: Llenyddiaeth ddefosiynol Cymru, 1630-1730. *Porfeydd,* 12(1980), 54-9; 13(1981), 16-22.

1574 Rees, Eiluned and Morgan, Gerald: Welsh almanacks, 1680-1835: problems of piracy. *The Library* (sixth series), 1(1979), 144-63.

1575 Richards, Gwynfryn: The diocese of Bangor during the rise of Welsh Methodism. *CLIGC,* 21(1979), 179-224.

1576 Wicklen, S.I.: The growth and development of printing in the Wrexham area. *TCHSDd,* 35(1986), 39-60.

1577 —— *History of printers and printing in Llanrwst.* Conway: Cader Idris Books, [1986]. 29pp. (Cyhoeddwyd gyntaf yn *TCHSDd,* 33(1984), 26-47).

1578 WICKLEN, S.I.: A history of printing in the Conway Valley up to 1914. (M.A. Thesis). Bangor, 1984.

1579 WILIAM, DAFYDD WYN: Almanacwyr Caergybi. *TCHNM*, 1980, 67-100; 1981, 29-56; 1984, 74-92.

1981, tt. 51-6. Rhestr o'r llyfrau a ysgrifennwyd neu a gyhoeddwyd gan John Robert Lewis (1760-?1830). 1984, tt. 90-2. Rhestr o almanaciau 'Caergybi' (1761-1850).

II.   AGWEDDAU ARBENNIG
(i)   Crefydd ac addysg
S.P.C.K.

1580 CLEMENT, MARY: Eighteenth century charity schools. [In] *The history of education in Wales. Volume 1* . . . pp. 45-56. *Gw.* rhif 155.

Thomas Charles o'r Bala

1581 JONES, R. TUDUR: *Thomas Charles o'r Bala: gwas y Gair a chyfaill cenedl.* Caerdydd: Gwasg Prifysgol Cymru, 1979. 44tt. *Adol.:* Dewi Eirug Davies, *Barn*, 198/199(1979), 103.

1582 JONES, THOMAS PRYS: Ail-gloriannu Thomas Charles. *Y Faner*, 22.6.84, 12-13.

1583 MORGAN, DEREC LLWYD: Thomas Charles 'math newydd ar Fethodist'. [Yn] *Y Gair a'r genedl* . . . tt. 172-84. *Gw.* rhif 2887.

1584 —— *"Ysgolion Sabbothol" Thomas Charles.* Sain Ffagan: Amgueddfa Werin Cymru, 1985. 22tt.

1585 THOMAS, BERYL: Mudiadau addysg Thomas Charles. [Yn] *Hanes Methodistiaeth Galfinaidd Cymru. Cyfrol 2, Cynnydd y corff* . . . tt. 431-55. *Gw.* rhif 1567.

Griffith Jones, Llandowror

1586 CLEMENT, MARY: The Welsh circulating schools. [In] *The history of education in Wales. Volume 1* . . . pp. 57-69. *Gw.* rhif 155.

1587 DAVIES, GWYN: *Griffith Jones, Llanddowror, athro cenedl.* Pen-y-bont ar Ogwr: Gwasg Efengylaidd Cymru, 1984. 120tt. *Adol.:* J. E. Wynne Davies, *CH(MC)*, 9/10 (1985/86), 97-100; Goronwy P. Owen, *Cristion*, Mai/Meh. (1985), 19-20; Glanmor Williams, *CHC*, 12(1985), 598-9.

1588 DOLE, EMLYN: Trichanmlwyddiant geni Griffith Jones. *Y Traethodydd*, 139(1984), 196-9.

1589 JENKINS, GERAINT H.: Ail-gloriannu Griffith Jones, Llanddowror. *Y Faner*, 29.7.83, 12-13.

1590 JENKINS, GERAINT H.: 'An old and much honoured soldier': Griffith Jones, Llanddowror. *CHC*, 11(1983), 449-68.

1591 —— *Hen filwr dros Grist: Griffith Jones, Llanddowror.* [s.l.]: Adran Gwasanaethau Diwylliannol Dyfed, 1983. 20tt.

1592 WILLIAMS, GLANMOR: Religion, language and the circulating schools of Griffith Jones, Llanddowror (1683-1761). [In] *Religion, language and nationality in Wales* . . . pp. 200-16. *Gw*. rhif 156.

(ii) Hynafiaethau ac Ysgolheictod

Gweler hefyd yr Adran ar 'Gylch y Morrisiaid'.

(a) Cyffredinol

1593 JENKINS, J.P.: From Edward Lhuyd to Iolo Morganwg: the death and rebirth of Glamorgan antiquarianism in the eighteenth century. *Morgannwg*, 23(1979), 29-47.

(b) Unigolion

Dafydd Jones o Drefriw

1594 HARRIES, W. GERALLT: Un arall o lawysgrifau Dewi Fardd (BM Add. 10313 a 10314). *BBCS*, 26(1975), 161-8.

1595 JENKINS, GERAINT H.: 'Dyn glew iawn' - Dafydd Jones o Drefriw, 1703-1785. *TCHSG*, 47(1986), 71-95.

1596 WICKLEN, S. I.: Dau ganmlwyddiant yr arloeswr o Drefriw. *Y Casglwr*, 27(1985), 16-17.

1597 —— Editions of *Y Dadl* (1776) of Dafydd Jones of Trefriw. *TCHSG*, 46(1985), 15-21.

Edward Jones, Bardd y Brenin

1598 IFANS, DAFYDD: Edward Jones, 'Bardd y Brenin' a John F. M. Dovaston. *CLlGC*, 24(1986), 441-7.

William Owen-Pughe

1599 ASHTON, GLYN M.: Geirfa *The heroic elegies of Llywarch Hen*. [Yn] *Astudiaethau ar yr Hengerdd* . . . tt.356-83. *Gw*. rhif 290.

1600 CARR, GLENDA: *William Owen Pughe*. Caerdydd: Gwasg Prifysgol Cymru, 1983. 320tt. *Gw. hefyd* LILI, Haf(1983) 4-5. *Adol.*: T.R.Chapman, *Taliesin*, 50(1984), 78-81; Dafydd Ifans, *LILI*, Gaeaf(1983), 13-14; E. G. Millward, *Y Faner*, 11.11.83, 7; Prys Morgan, *CHC*, 12(1985), 443-5.

1601 —— William Owen Pughe yn Llundain. *THSC*, 1982, 53-73.

William Vaughan, Corsygedol

1602 THOMAS, MARGARET RHIANNON: William Vaughan, Corsygedol, 1707-1775, noddwr llên. (Traethawd M.A.). Bangor, 1986.

(iii) Y Cymdeithasau a'r Eisteddfod

1603 BOWEN, GERAINT: Beirdd Ynys Prydain ac Eisteddfod Caerwys. *Taliesin*, 52(1985), 44-52.

1604 MILLWARD, E.G.: Cymdeithas y Cymreigyddion a'r Methodistiaid. *CLlGC*, 21(1979), 103-10.
Yn cynnwys cerdd ddi-deitl gan Hugh Maurice (1775-1825).

1605 THOMAS, GRAHAM: Gwallter Mechain ac Eisteddfod Corwen, 1789. *CLlGC*, 20(1978), 408.

(iv) Rhyddiaith Wleidyddol
John Jones, Glan-y-gors

1606 MILLWARD, E.G.: Ychwanegiadau at brydyddiaeth Jac Glan-y-gors. *BBCS*, 29(1982), 666-73.

Morgan John Rhys

1607 DAVIES, HYWEL M.: Morgan John Rhys and James Bicheno: Anti-Christ and the French Revolution in England and Wales. *BBCS*, 29(1980), 111-27.

1608 —— Morgan John Rhys a'r Bedyddwyr. *TCHBC*, 1982, 13-37.

1609 —— 'Transatlantic Brethren' a study of English, Welsh, and American Baptists with particular reference to Morgan John Rhys (1760-1804) and his friends. (Ph.D. Thesis). Cardiff, 1985.

III. BARDDONIAETH
(i) Cyffredinol

1610 MILLWARD, E.G.: Canu ar ddamhegion. *Y Traethodydd*, 131(1976), 24-31.

1611 —— Delweddau'r canu gwerin. (The imagery of folk song). *CG*, 3(1980), 11-21.

1612 —— Ymweliad Howel Harris â'r Bala, 1741. *CCHMC*, 60(1976), 82-5.
Yn cynnwys rhai cerddi gwrth-Fethodistaidd.

1613 PARRY, THOMAS: Yr hen ryfeddod o Langwm [Huw Jones]. *Y Casglwr*, 16(1982), 16.
Awdur: *Dewisol ganiadau yr oes hon* (1759); *Diddanwch teuluaidd* (1763).

1614 Roberts, Brynley F.: Cerddi Cymraeg Blodeugerddi Rhydychen [1654-1761]. *YB*, 11(1979), 139-64.

1615 Roberts, Gomer M.: Yr hen farwnadau. *Y Casglwr*, 11(1980), 11.

1616 Wiliam, Dafydd Wyn: Dwy gerdd wrth-Ymneilltuol o Fôn. *Y Cofiadur*, 43(1978), 23-4.

(ii) Casgliadau a detholion

1617 Jones, D. Gwenallt: *Blodeugerdd o'r ddeunawfed ganrif: detholiad o farddoniaeth glasurol y ganrif.* Caerdydd: Gwasg Prifysgol Cymru, 1953. Adargraffiad 1980. lx, 159tt.

(iii) Beirdd unigol

Am Lewis Morris, Evan Evans, Goronwy Owen ac Edward Richard *gweler* yr adran ar 'Gylch y Morrisiaid'.

1618 Fychan, Cledwyn: Tri chymydog llengar. *CLlGC*, 22(1981), 187-213. Yn cynnwys sylwadau ar Salbri Pywel a Siôn Byrcinsha.

1619 Wyn, Linda Caroline: Astudiaeth o waith tri bardd o Forgannwg yn y ddeunawfed ganrif: Dafydd Nicolas, Lewis Hopkin ac Edward Evan. (Traethawd M.A.). Aberystwyth, 1983.

Wil Hopcyn

1620 Richards, Brinley: *Wil Hopcyn a'r ferch o Gefn Ydfa.* Abertawe: Tŷ John Penry, 1977. 94tt. *Adol.:* Caradog Prichard, *Y Genhinen*, 28(1978), 49-50.

Robert Humphrey

1621 Wiliam, Dafydd Wyn: Cerdd Robert Humphrey i'r Schismaticiaid. *Y Cofiadur*, 50(1985), 12-17.

Rolant Huw

1622 Gruffydd, R. Geraint: Marwnad Rhys Morus. *CEf*, 19/4(1981), 21.

John Jenkin (Ioan Siencyn)

1623 Roberts, Elizabeth Gloria: Bywyd a gwaith Ioan Siencyn, (1716-1796). (Traethawd M.A.). Aberystwyth, 1984.

William Jones, Dolhywel

1624 Roberts, Enid: William Jones, Dolhywel. *MC*, 70(1982), 40-6.

John Owen

1625 Morgan, Derec Llwyd: Cofio llenor a anghofiwyd. *Y Casglwr*, 4(1978), 10.

1626 MORGAN, DEREC LLWYD: *Y Diwygiad Mawr* . . . Gw. rhif 1566.
tt. 224-37 *Troedigaeth Atheos* gan John Owen.

David Thomas (Dafydd Ddu Eryri)

1627 BOWEN, GERAINT: Gorsedd Dinorwig (1799) a'r elyniaeth rhwng Dafydd Ddu Eryri a Iolo Morganwg. *Barddas*, 98(1985), 5-7.

1628 PARRY, THOMAS: Dafydd Ddu Eryri, 1759-1822. *TCHSG*, 41(1980), 59-81.

Lewis Wiliam

1629 JONES, TEGWYN: Yr hoywal newydd. *Y Genhinen*, 28(1978), 170-2.

(iv) Baledi

1630 OWEN, DAFYDD: *I fyd y faled*. Dinbych: Gwasg Gee, 1986. 320tt. Adol.: Meredydd Evans, *LlLl*, Gaeaf (1986), 25-6.
Yn cynnwys: (i) Y cefndir yn Lloegr. (ii) Y cefndir yng Nghymru (hyd y ddeunawfed ganrif). (iii) Y ddeunawfed ganrif.

1631 PARRY, THOMAS: *Baledi'r ddeunawfed ganrif*. Ail arg. Caerdydd: Gwasg Prifysgol Cymru, 1986. [viii], 170tt.
Arg. cyntaf, 1935. Cynnwys yr ail arg. fynegai a rhai diwygiadau.

IV. ANTERLIWTIAU

1632 EVANS, G.G.: Er mwyniant i'r cwmpeini mwynion: sylwadau ar yr anterliwtiau. *Taliesin*, 51(1985), 31-43.
Yn cynnwys disgrifiad o draean cyntaf chwarae a luniwyd ar y cyd gan Huw Jones o Langwm a Siôn Cadwaladr o'r Bala.

1633 —— Henaint a thranc yr anterliwt. *Taliesin*, 54(1985), 14-29.

1634 JAMES, E. WYN: Rhai Methodistiaid a'r anterliwt. *Taliesin*, 57(1986), 8-19.
Traethir ar John Hughes, Pontrobert, Twm o'r Nant ac Ann Griffiths.

1635 JONES, EMYR WYN: Twm o'r Nant and Sion Dafydd Berson. *TCHSDd*, 30(1981), 45-72.

1636 JONES, EMYR WYN (GOL.): *Yr anterliwt goll - barn ar egwyddorion y llywodraeth* . . . gan fardd anadnabyddus o Wynedd. Aberystwyth: Llyfrgell Genedlaethol Cymru, 1984. xl, [5]—[67] tt. Adol.: G.G. Evans, *Taliesin*, 51 (1985), 94-6; E.G. Millward, *LlLl*, Hydref (1985), 13.

1637 THOMAS, J. W.: A study of language, metre, and style in the writings of Thomas Edwards (Twm o'r Nant), 1737-1810. (B. Litt. Thesis). Oxford, 1974-6.

1638 WILLIAMS, GARETH HAULFRYN: Anterliwt Derwyn Fechan, 1654. *TCHSG*, 44 (1983), 53-8.

V. EMYNYDDIAETH

Rhestrwyd yr emynwyr oll gyda'i gilydd yn yr adran hon, er bod rhai ohonynt yn perthyn i gyfnodau diweddarach. Am gyfeiriadau at y gweithiau nas cynhwyswyd gweler "Lloffa" gan E. Wyn James, *Bwletin Cymdeithas Emynau Cymru*, cyfrol 1, rhifau 9-10 (1976-77); cyfrol 2, rhifau 1-8 (1978-86).

(i) Cyffredinol

1639 BASSETT, T.M.: *Bedyddwyr Cymru*. Abertawe: Tŷ Ilston, 1977. 395tt.

1640 ——— *The Welsh Baptists*. Swansea: Ilston House, 1977. 414pp.

1641 EVANS, H. TURNER: *A bibliography of Welsh hymnology to 1960*. [s.l.]: Welsh Library Association, 1977. 206pp. (FLA Thesis, 1964).

1642 GRIFFITHS, DAVID: Emynyddiaeth. [Yn] *Llythyr Cymanfa Bedyddwyr Caerfyrddin a Cheredigion, 1978*. tt. 8-21. (Llandysul: Gwasg Gomer).

1643 JAMES, E. WYN: Cymru a'r Cymdeithasau Emynau. *BCEC*, 2/7(1984), 209-14.

1644 JONES, BOBI: Miwsig geiriau'n hemynau. *BCEC*, 2/5(1982), 146-9.

1645 JONES, F.M.: Dysgu adnod. *HG*, Gwanwyn (1978), 2-6.

1646 JONES, JOHN GWILYM: Yr emyn fel llenyddiaeth. [Yn] *Swyddogaeth beirniadaeth ac ysgrifau eraill . . .* tt. 156-81. *Gw.* rhif 113. [Cyhoeddwyd gyntaf yn *BCEC*, 1/5 (1972), 113-32].

1647 LEWIS, HYWEL D.: Y gwir mewn cân ac emyn. [Yn] *Pwy yw Iesu Grist? ac anerchiadau eraill*. Dinbych: Gwasg Gee, 1979. tt. 81-123.

1648 LLOYD, D. MYRDDIN: 'Nid rhag ofn y gosb a ddêl'. *BCEC*, 2/4(1981), 113-15.

1649 MORGAN, D. EIRWYN: Craig yr Oesoedd. *Barn*, 159(1976), 114-15.
Trosiadau Cymraeg o'r emyn 'Rock of Ages' (Montague Toplady).

1650 MORGAN, DEREC LLWYD: *Y Diwygiad Mawr . . .* tt. 279-308 *Gw.* rhif 1566.
Cynnwys: "Hymnau Melus". i. Mabwysiadu'r emyn. ii. Rhai emynwyr unigol. iii. Gwerth a grym yr emynau.

1651 ———Llenyddiaeth y Methodistiaid, 1763-1814. [Yn] *Hanes Methodistiaeth Galfinaidd Cymru*. Cyfrol 2, tt. 456-528. *Gw.* rhif 1567.

1652 OWEN, DAFYDD: Symboliaeth emynwyr. *Y Traethodydd*, 130(1975), 105-12.

1653 ROBERTS, GOMER M.: Awduron 'Swn y Juwbili'. *BCEC*, 2/7(1984), 201-5.

1654 DAVIES, D. ELWYN: *Y smotiau duon: braslun o hanes y traddodiad rhydd-frydol ac Undodiaeth*. Llandysul: Gwasg Gomer, 1981. 179tt.
Rhestrir prif gasgliadau emynau Cymraeg yr Undodiaid.

1655 EDWARDS, ERIC: Llyfr Emynau newydd? *Yr Eurgrawn*, 172(1980), 11-14.
Sylwadau ar lyfrau emynau'r Methodistiaid.

1656 JAMES, E. WYN: Casgliad S.R. [Samuel Roberts] i hen ac ieuainc [*Casgliad o dros ddwy fil o hymnau*]. *BCEC*, 2/8(1985/86), 246-7.

1657 —— Mynegai i gyfieithiadau ac efelychiadau 'Y Llawlyfr Moliant Newydd'. *BCEC*, 2/6(1983), 186-9.

1658 JONES, BEDWYR L.: Pedwar llyfr emynau Eglwysig o Lannerch-y-medd, 1817-1824 [a argraffwyd gan Enoch Jones]. *BCEC*, 2/3(1980), 83-5.

1659 MORGAN, D. EIRWYN: 'Molwch Ef'. (Sylwadau ar *Molwch Ef!* - casgliad o emynau at wasanaeth yr Eglwys Apostolaidd; arg. gan y *Mercury*, Llanelli, yn enw 'Yr Eglwys Apostolaidd', Penygroes, ger Llanelli, 1936). *BCEC*, 1/9(1976), 262-4.

1660 WILIAM, DAFYDD WYN: Llyfrau emynau Eglwys y Plwyf, Biwmares. *BCEC*, 2/4(1981), 124.

1661 —— Pedwar casgliad emynau John Robert Lewis. *BCEC*, 2/2(1979), 52-3. *Hefyd* E. WYN JAMES: Pumed casgliad emynau John Robert Lewis? *BCEC*, 2/2(1979), 53-4.

(iii)   Yr Emynwyr
(a)   Cyffredinol

Ceir llawer o wybodaeth am emynwyr unigol yn yr eitemau isod.

1662 HOUGHTON, ELSIE: *Christian hymn-writers*. Bridgend: Evangelical Press of Wales, 1982. 288pp.

1663 PARRY, THOMAS: Emynwyr Eifionydd. *BCEC*, 1/9(1976), 245-57.

1664 POWELL, W. EIFION: Emynwyr Bro Maelor (1500-1900). *BCEC*, 2/1(1978), 3-18.

1665 ROBERTS, BRYNLEY F.: Emynwyr Abertawe. *BCEC*, 2/6(1983), 161-85.

1666 ROBERTS, EMYR: Emynwyr Dyffryn Clwyd. *BCEC*, 2/8(1985/86), 233-45.

1667 ROBERTS, JOHN: Emynwyr tref Caernarfon. *BCEC*, 2/3(1980), 72-6; 2/4(1981), 116-20; 2/5(1982), 133-8.

1668 TILSLEY, GWILYM R.: Emynwyr Bro Ddyfi. *Yr Eurgrawn*, 172(1980), 139-43.

(b) Emynwyr unigol
Ben Bowen

1669 EVANS, TREVOR: Ben Bowen, 1878-1903. *SG*, 70(1978), 115-26.

1670 LEWIS, MENNA: Emynau Ben Bowen. *BCEC*, 2/1(1978), 21-3.

David Charles (Hynaf ac Ieuengaf)

1671 DAVIES, J. E. WYNNE: David Charles (1762-1834), Caerfyrddin. *CCHMC*, 60/2(1975), 31-44; 60/3(1976), 61-72.

1672 OWEN, GORONWY P. (GOL.): *Ffrydiau gorfoledd: emynau'r ddau David Charles.* Caerfyrddin: Eglwys Heol Dŵr, 1977. 56tt. *Ysgrif adolygiadol:* E. Wyn James, *CEf*, 17(1978), 92-4.

1673 TILSLEY, GWILYM R: Emynau David Charles (Ieu). *Yr Eurgrawn*, 172(1980), 34-6.

1674 WILIAM, DAFYDD WYN: Y ddau David Charles — emynwyr tref Caer-fyrddin. *BCEC*, 1/8(1975), 213-31.

Thomas Charles

1675 GRUFFYDD, R. GERAINT: Thomas Charles yr emynydd. *BCEC*, 2/3(1980), 77-80.
Trafodaeth ar yr emyn 'Dyfais fawr tragwyddol gariad'.

Daniel Silvan Evans

1676 JONES, IORWERTH: D. Silvan Evans: emynydd. *BCEC*, 1/8(1975), 239-41.

Benjamin Francis

1677 JONES, BEDWYR L.: Benjamin Francis: yr alltud 'ymhlith y Saeson'. *YB*, 13(1985), 232-46.

Samuel Jonathan Griffith (Morswyn)

1678 JONES, LLEWELYN: Mwy am Morswyn (1850-93). [Awdur 'Arglwydd Iesu, arwain f'enaid']. *BCEC*, 1/10(1977), 296-8.

Ann Griffiths

1679 ALLCHIN, A.M.: *Ann Griffiths.* Cardiff: University of Wales Press on behalf of the Welsh Arts Council, 1976. [4], 72pp. (Writers of Wales). *Rev.*: Dafydd Owen, *AWR*, 59(1977), 100-3; Meirion Pennar, *PW*, 13/1(1977), 95-7.

1680 —— 'Ann Griffiths — mystic and theologian'. [In] *The kingdom of love and knowledge: the encounter between orthodoxy and the West.* London: Darton, Longman and Todd, 1979. pp. 54-70.

1681 GRUFFYDD, R. GERAINT: Ann Griffiths: llenor. *Taliesin*, 43(1981), 76-84.

1682 JAMES, E. WYN: Ann Griffiths. [Yn] *Cwmwl o dystion;* golygydd E. Wyn James. Abertawe: Christopher Davies, 1977. tt. 99-113.

1683 JONES, R.M.: Ann Griffiths. *HG*, Haf (1976), 13-18.

1684 —— Ann Griffiths (1776-1805): scriptural mystic. *EMW*, 24/2(1985), 14-16.

1685 —— *Ann Griffiths: y cyfrinydd sylweddol;* ynghyd â braslun o fywyd yr emynyddes, gan E. Wyn James. Pen-y-bont ar Ogwr: Llyfrgell Efengylaidd Cymru, 1977. 48tt. (Darlith flynyddol Llyfrgell Efengylaidd Cymru; 1976). *Adol.:* J.E. Wynne Davies, *CH(MC)*, 2(1978), 55-7; Pennar Davies, *Diwinyddiaeth*, 29(1978), 61-2; Emlyn G. Jenkins, *Porfeydd*, 10(1978), 190-1.

1686 ——'Cyfriniaeth' Ann Griffiths. [Yn] *Llên Cymru a chrefydd* . . . tt. 470-6. *Gw.* rhif 117.

1687 LEWIS, D. GLYN: Ann Griffiths, Dolwar Fach (1776-1805). *Yr Eurgrawn*, 168(1976), 52-5.

1688 MORGAN, DEREC LLWYD: Ann yn ei dydd. *Taliesin*, 32(1976), 40-57.
Cynnwys: (i) Cywiro rhai camsyniadau. (ii) Agweddau at y Methodistiaid. (iii) Ymuno â'r Methodistiaid. (iv) Gair am Ann Griffiths a'i hemynau.

1689 —— Emynau'r cariad tragwyddol. [OBWV, rhifau 194, 195]. Barddas, 94(1985), 6-7.

1690 MORGAN, DYFNALLT (GOL.): *Y ferch o Ddolwar Fach.* Nant Peris, Caernarfon: Gwasg Gwynedd, 1977. ix, 103tt. (Darlithoedd Gregynog, 1976). *Adol.:* Rhiannon Davies Jones, *Barn*, 183(1978), 141-3; Dafydd Densil Morgan, *BDiw*, 1(1978), 14-16.
Y cefndir cymdeithasol (Helen Ramage). Cefndir meddyliol a diwinyddol y cyfnod (R. Geraint Gruffydd). Seicoleg Ann Griffiths (Harri Pritchard Jones). Diwinydd a chyfrinydd, tystiolaeth ei llythyrau a'i hemynau (A.M. Allchin). Delweddau ei barddoniaeth (Euros Bowen). Ann yn ei dydd (Derec Llwyd Morgan).

1691 PRITCHARD, ELIZABETH: New light on the family of Ann Griffiths. *CLIGC*, 22(1982), 351-2.

1692 RAMAGE, HELEN: Teulu Dolwar Fach. [Yn] *Bro'r Eisteddfod (cyflwyniad i Faldwyn a'i chyffiniau)* . . . tt. 213-28. *Gw.* rhif 2929.

1693 ROBERTS, GOMER M.: Mesur wyth saith clonciog Ann Griffiths. *BCEC*, 1/9(1976), 258-61.

1694 RYAN, JOHN: *The hymns of Ann Griffiths; critical Welsh edition with intro-duction and notes;* English translation by Robert O.F. Wynne and John Ryan. Porthmadog: Tŷ ar y Graig, 1980. 187pp. *Adol.:* Rhiannon Ifans, *CH(MC),* 4(1980), 60-3. *Rev.:* Jane Aaron, *AWR,* 69(1981), 91-2; Bobi Jones, *LILI,* Spring (1981), 8.

1695 SIÂN MEGAN: *Gwaith Ann Griffiths.* Llandybïe: Gwasg Christopher Davies, 1982. 190tt. *Adol.:* Dafydd Ifans, *LILI,* Gaeaf (1982), 22.

1696 —— Gwaith Ann Griffiths—testun a chefndir. (Traethawd M.A.). Llanbedr Pont Steffan, 1981.

1697 THOMAS, M. WYNN: Ann Griffiths and Morgan Llwyd — a comparative study of two Welsh mystics. *SML,* 3(1983), 23-39.

1698 WILLIAMS, J. PRICE: Amau awduriaeth emyn ['Gwna fi fel pren planedig, O! fy Nuw']. *Porfeydd,* 8(1976), 86-8.

David George Jones

1699 PERKINS, RONALD: Gof y gynau gwynion. [Awdur 'Bydd myrdd o ryfeddodau']. *BCEC,* 2/3(1980), 81-2.

Peter Jones (Pedr Fardd)

1700 GRIFFITHS, DAVID CAREY: Bywyd a gwaith Pedr Fardd. (Traethawd M.A.). Bangor, 1985.

1701 —— Emynau Pedr Fardd. *Y Traethodydd,* 140(1985), 124-36.

1702 JAMES, E. WYN: Pedr Fardd yn y glorian. *Y Casglwr,* 26(1985), 18-19.

1703 JONES, EMRYS: Pedr Fardd, 1775-1845. *Y Casglwr,* 23(1984), 13.

1704 JONES, GWILYM R.: Pedr Fardd (Peter Jones). [Yn] *Dynion dawnus* . . . Y Bala: Llyfrau'r Faner, 1980. tt. 9-23.

Thomas Jones, Dinbych

1705 JONES, GWILYM R.: Crefftwr o emynydd. [Yn] *Dynion dawnus* . . . tt. 1-7. *Gw.* rhif 1704.

William Jones (Ehedydd Iâl)

1706 JONES, BOBI: Emyn Ehedydd Iâl ['Er nad yw 'nghnawd ond gwellt']. *CEf,* 18(1979), 207-9.

1707 JONES, GWILYM R.: Ehedydd Iâl. [Yn] *Dynion dawnus* . . . tt. 43-7. *Gw.* rhif 1704.

Mary Owen

1708 JARVIS, BRANWEN: Mary Owen yr emynyddes. [Yn] *Undeb yr Annibynwyr Cymraeg. Adroddiad Cyfarfodydd Dyffryn Conwy a'r Glannau, Hen Golwyn, Mai, 1983.* Abertawe: Tŷ John Penry, 1984. tt. 57-63.

Phylip Pugh

1709 EVANS, EIFION: Phylip Pugh, 1679-1760. *CEf,* 18(1979), 140-5.

1710 JONES, E.D.: Emynau Phylip Pugh. *BCEC,* 2/2(1979), 45-7.

John Roberts (Minimus)

1711 GRIFFITHS, R.L.: 'Llawn llafur yw Llynlleifiad'. *BCEC,* 2/3(1980), 86-8.
Cyfeirir at John Roberts, 'Minimus', awdur 'Bywha dy waith, O! Arglwydd mawr'.

Daniel Rowland

1712 EVANS, EIFION: Daniel Rowland. [Yn] *Cwmwl o dystion* . . . tt. 60-7. *Gw.* rhif 1682.

Morgan Rhys

1713 EVANS, D. SIMON: 'Well done, Morgan Rhys!' *YB,* 11(1979), 177-88.

1714 IFANS, RHIANNON: 'Deuwch holl hiliogaeth Adda . . . ' *BCEC,* 2/2(1979), 48-51.

1715 JONES, D. HUGHES: Emynau Morgan Rhys. *Yr Eurgrawn,* 173(1981), 83-7.

1716 JONES, S.C.: Morgan Rhys. *Porfeydd,* 12(1980), 28-30.

Dafydd Thomas

1717 EDWARDS, W.J.: Dewi ab Didymus (1782-1863). *BCEC,* 2/8 (1985/86), 251-4. *Gw hefyd* E. WYN JAMES: Nodiadau pellach ar emynau Dewi ab Didymus. *BCEC,* 2/8 (1985/86), 254-9.

John Thomas, Rhaeadr Gwy

1718 GUTO PRYS AP GWYNFOR: John Thomas, Rhaeadr Gwy. *BCEC,* 2/4(1981), 101-12.

1719 JONES, R. TUDUR: Arogl nefol. *CEf,* 19/2(1980), 14.
Gwerthfawrogiad o'i hunangofiant *Rhad ras.*

1720 MORGAN, DEREC LLWYD: John Thomas, awdur 'Rhad ras'. *Porfeydd,* 10(1978), 140-6.

William Thomas (Islwyn)

1721 DAVIES, GWYN: Islwyn fel emynydd. *BCEC,* 2/1(1978), 23-5.

Dafydd William, Llandeilo-fach

1722 BOWEN, D.A.: Dafydd William, Llandeilo Tal-y-bont. *TCHBC*, 1984, 12-16.

1723 HUGHES, ANN: Bywyd a gwaith Dafydd William, Llandeilo-fach. (Traethawd M.A.). Bangor, 1980.

1724 JAMES, E. WYN: Emyn y glowyr ['Yn y dyfroedd mawr a'r tonnau']. *CEf*, 19/1(1980), 14-15.

Thomas William, Bethesda'r Fro

1725 GRIFFITHS, D.R.: Thomas William, Bethesda'r Fro. *Barn*, 272(1985), 354-5.

Thomas Williams (Eos Gwynfa)

1726 ROBERTS, GOMER M.: Emyn Thomas Williams (Eos Gwynfa). ['O! cenwch fawl i Dduw . . . ']. *BCEC*, 1/10(1977), 299-300.

William Williams, Pantycelyn

1727 EVANS, EIFION: The sweet singer of Wales. *EMW*, 22/3 (1983), 11-12; 22/4(1983), 12-14.

1728 GRUFFYDD, R. GERAINT: 'Drws y Society Profiad' Pantycelyn. [Yn] *Undeb yr Annibynwyr Cymraeg. Adroddiad Cyfarfodydd Caerdydd, Mehefin, 1984.* Abertawe: Tŷ John Penry, 1985. tt. 66-75.

1729 HODGES, H.A.: Over the distant hills: thoughts on Williams Pantycelyn. *Brycheiniog*, 17(1976/77), 6-16.

1730 HOUGHTON, ELSIE: William Williams (Pantycelyn). [In] *Christian hymn-writers* . . . pp.113-19. *Gw*. rhif 1662.

1731 HUGHES, ANN: Marwnad i'r Perganiedydd (gan Dafydd William, Llandeilo-fach). *CH(MC)*, 7(1983), 30-4.

1732 HUGHES, GLYN TEGAI: Delweddau Pantycelyn. [Yn] *Undeb yr Annibynwyr Cymraeg. Adroddiad Cyfarfodydd Caerdydd, Mehefin, 1984.* Abertawe: Tŷ John Penry, 1985. tt. 75-9.

1733 —— *William Williams.* Cardiff: University of Wales Press on behalf of the Welsh Arts Council, 1983. 139pp. (Writers of Wales). *Adol.*: Noel A. Gibbard, *BCEC*, 2/7(1984), 223-5; E.D. Jones, *CHC*, 12(1984), 273-4; Derec Llwyd Morgan, *Y Traethodydd*, 139(1984), 107-9. *Rev.*: David Fanning, *AWR*, 78(1985), 98-9; Robert O. Jones, *PW*, 19/4(1984), 85-7.

1734 JONES, GWILYM R.: Williams, Bardd y Seiat. *Barddas*, 43(1980), 5-6.

1735 JONES, L.: The influence of the Methodist Revival on Welsh hymnology, with particular reference to the hymns of William Williams of Pantycelyn. (B. Litt. Thesis). Oxford, 1922.

1736 JONES, R.M.: Pantycelyn yn ystod deng mlynedd: 1762-1772. [Yn] *Cwmwl o dystion* . . . tt. 85-98. *Gw.* rhif 1682.

1737 —— William Williams. (i) 'Byd' Pantycelyn. (ii) Deng mlynedd (1762-1772). [Yn] *Llên Cymru a chrefydd* . . . tt. 372-99. *Gw.* rhif 117.

1738 JONES, R. STEPHENS: Dylanwad *Paradise Lost* Milton ar *Golwg ar Deyrnas Crist* Pantycelyn. *YB,* 11(1979), 165-76.

1739 JONES, R. TUDUR: Rhyfel a gorfoledd yng ngwaith William Williams, Pantycelyn. [Yn] *Gwanwyn Duw: diwygwyr a diwygiadau* . . . tt. 143-63. *Gw.* rhif 2911.

1740 MORGAN, DEREC LLWYD: *Y Diwygiad Mawr* . . . *Gw.* rhif 1566.

1741 —— Emynau'r cariad tragwyddol. [OBWV,rhifau 174, 175, 178]. *Barddas,* 94(1985), 6-7.

1742 —— Pantycelyn a gwyddoniaeth. [Yn] *Gwanwyn Duw: diwygwyr a diwygiadau* . . . tt. 164-83. *Gw.* rhif 2911.

1743 —— *Williams Pantycelyn.* Caernarfon: Gwasg Pantycelyn, 1983. 66tt. (Llên y llenor). *Adol.:* Noel A. Gibbard, *BCEC,* 2/7(1984), 223-5; Kathryn Jenkins, *Y Traethodydd,* 139(1984), 110-12, 109 (h.y. 166-8, 165); Bobi Jones, *LILI,* Gwanwyn(1984), 19-20.

1744 OWEN, DAVID ALWYN: Argraffiad beirniadol gyda rhagymadrodd, amrywiadau a nodiadau o 'Caniadau, y rhai sydd ar y Môr o Wydr, etc i Frenhin y Saint: ynghyd â rhai hymnau a chaniadau duwiol ar amryw ystyriaethau', William Williams, Pantycelyn. (Traethawd M.A.). Aberystwyth, 1981.

1745 ROBERTS, EMYR and GRUFFYDD, R. GERAINT: *Revival and its fruit.* Bridgend: Evangelical Library of Wales, 1981. Reprinted, 1982.
pp.19-40 'The Revival of 1762 and William Williams of Pantycelyn' by R. Geraint Gruffydd.

1746 TURNER, STEPHEN JAMES: Theological themes in the English works of Williams Pantycelyn. (M. Th. Thesis). Aberystwyth, 1982.

1747 WILLIAMS, ROBIN: Mynydd yr emynydd. *Taliesin,* 34(1977), 111-20.

Emynwyr eraill

1748 BENNETT, ANGELA: *Josiah Brynmair. BCEC,* 2/8(1985/86), 248-9.

1749 EDWARDS, W.J.: *Dewi ab Didymus* [*Dafydd Thomas*, 1782-1863]. *BCEC*, 2/8(1985/86), 251-4. *Gw hefyd* rif 1717.

1750 —— Emynydd Derwen-las [*W.J. Richards*, 1901-51]. *Porfeydd*, 14(1982), 11-16.

1751 GRIFFITHS, RONALD: [*David Tecwyn Evans*]: emynydd a chyfieithydd. *Yr Eurgrawn*, 168(1976), 189-92.

1752 JAMES, E. WYN: Nodiadau pellach ar emynau *Dewi ab Didymus*. *BCEC*, 2/8(1985/86), 254-9. *Gw. hefyd* rif 1717.

1753 JENKINS, KATHRYN: 'A chydgenwch deulu'r llawr'. [*J.T. Jôb*]. *Y Traethodydd*, 140(1985), 16-29.

1754 —— *J. T. Jôb* a diwygiad 1904. *CH(MC)*, 8(1984), 37-44.

1755 JONES, BOBI: *Elfed*, llofrudd yr emyn? *Barn*, 182(1978), 83-5.

1756 JONES, GERAINT ELFYN: *Mynyddog* [*Richard Davies*, 1833-1877]. *CEf*, 16/3(1977), 12-14.

1757 JONES, IORWERTH: Beirniadu difeddwl ar un o emynau *Elfed* ['Hwn yw y sanctaidd ddydd']. *Porfeydd*, 10(1978), 72-6.

1758 OWEN, DAFYDD: Emyn *Pari Huws* ['Arglwydd Iesu, llanw d'Eglwys . . . ']. *BCEC*, 2/4(1981), 121-3. *Gw. ymhellach* D. J. ROBERTS 'Emyn Pari Huws: y gwir', *BCEC*, 2/6(1983), 190.

1759 OWEN, GORONWY P.: Achub ein gwlad. *Porfeydd*, 8(1976), 140-5.
Ymdriniaeth â'r emyn 'Ein hadfyd gwêl, O! Arglwydd Dduw.' [*Elfed*].

1760 REES, D. BEN: Alltud trist — *Evan Evans* (1795-1855). *Porfeydd*, 14(1982), 61-2.

VI. RHYDDIAITH
(ii) Awduron unigol
Hugh Jones, Maesglasau

1761 DAVIES, J.E. WYNNE: *Gair yn ei amser* Hugh Jones, Maesglasau. *CH(MC)*, 6(1982), 35-60.

1762 TIBBOTT, GILDAS: Hugh Jones, Maesglasau. *CCHChSF*, 7(1974), 121-39.

Thomas Jones, Dinbych

1763 JONES, R.M.: Bronfraith Thomas Jones. [Yn] *Llên Cymru a chrefydd* . . . tt. 400-11. *Gw.* rhif 117.

1764 LEWIS, SAUNDERS: Cywydd gan Thomas Jones, Dinbych. [Yn] *Meistri a'u crefft: ysgrifau llenyddol*. . . tt. 87-96. *Gw.* rhif 125. (Cyhoeddwyd gyntaf yn *Y Llenor*, 12 (1933), 133-43).

1765 WILLIAMS, ARTHUR TUDNO: Diwylliant Thomas Jones o Ddinbych. *Porfeydd,* 13(1981), 54-61, 84-91.

Jeremi Owen

1766 THOMAS, MARION GWENFAIR: Astudiaeth o waith Jeremi Owen. (Traethawd M.A.). Aberystwyth, 1976.

Ellis Wynne

1767 JONES, R.M.: Angau Ellis Wynne. [Yn] *Llên Cymru a chrefydd* . . . tt. 359-71. *Gw.* rhif 117.

1768 —— Moddau llenyddol. *Y Traethodydd,* 136(1981), 93-104.
Trafodir *Gweledigaeth Cwrs y Byd.*

1769 MORGAN, DEREC LLWYD: Darllen 'Cwrs y Byd'. *YB,* 10(1977), 257-66.

1770 MORRIS, OWEN: Ail briodas Ellis Wynne o Lasynys. *CCHChSF,* 9(1984), 472-3.

1771 THOMAS, GWYN: *Ellis Wynne.* Cardiff: University of Wales Press on behalf of the Welsh Arts Council, 1984. 69pp. (Writers of Wales). *Adol.:* Bobi Jones, Cristion, Tach./Rhag. (1984), 10; Aneirin Lewis, *LIC,*15 (1984/86), 196-7; Robert Rhys, *Y Traethodydd,* 141(1986), 133-4. *Rev.:* D. Simon Evans, *CHC,* 12(1985), 593-5; D. Tecwyn Lloyd, *LILI,* Autumn (1984), 8.

1772 WYNNE, ELLIS: *Gweledigaethau y Bardd Cwsc;* gyda rhagymadrodd gan Aneirin Lewis. Ail arg. gydag ychwanegiadau. Caerdydd: Gwasg Prifysgol Cymru, 1976. xxiv, 153tt. (Arg. cyntaf, 1960).

VII. CYLCH Y MORRISIAID

(i) Y Brodyr

(b) Unigol

Lewis Morris

1773 BEVAN, HUGH: Lewis Morris. [Yn] *Beirniadaeth lenyddol: erthyglau.* . . tt. 91-9. Gw. rhif 87. (Cyhoeddwyd gyntaf yn *Gwŷr llên y ddeunawfed ganrif;* golygydd Dyfnallt Morgan, 1966).

1774 DAVIES, PHILIP WYN: Astudiaeth o ysgolheictod hynafiaethol Lewis Morris (1701-1765). (Traethawd M.A.). Caerdydd, 1982.

1775 IFANS, DAFYDD: Lewis Morris ac arferion priodi yng Ngheredigion. *Ceredigion,* 8(1977), 193-203.

1776 JONES, BEDWYR L.: Lewis Morris a Goronwy Owen —'digrifwch llawen' a 'sobrwydd synhwyrol'. *YB,* 10(1977), 290-308.

1777   Jones, R. Gerallt: Lewis Morris — cyfweliad. *Taliesin*, 37(1978), 48-54.

1778   Jones, Tegwyn: *Y llew a'i deulu*. Talybont: Y Lolfa, 1982. 144tt. *Adol.:* Bedwyr L. Jones, *LILI*, Gwanwyn(1983), 10-11.

Richard Morris

1779   Evans, Meredydd: Y canu gwasael yn *Llawysgrif Richard Morris o gerddi*. *LIC*, 13(1980/81), 207-35.

1780   Jones, Bedwyr L.: Hen anrheg i'r hen fam. *Y Casglwr*, 12(1980), 9.
Gwaith Richard Morris yn golygu, rhwng 1744-1770, ddau argraffiad newydd o'r Beibl a phedwar argraffiad o'r Llyfr Gweddi Gyffredin.

William Morris

1781   Linnard, William and Robin Gwyndaf: William Morris of Anglesey: a unique gardening book and a new manuscript of horticultural interest. *THSC*, 1979, 7-30.

1782   Ramage, Helen: William Morris. *TCHNM*, 1986, 159-92.

(ii)   Evan Evans (Ieuan Fardd)

1783   Johnston, Charlotte: Evan Evans — *Dissertatio de Bardis*. *CLIGC*, 22(1981), 64-91.

1784   Jones, John Gwilym: Edward Richard ac Evan Evans (Ieuan Fardd). [Yn] *Swyddogaeth beirniadaeth ac ysgrifau eraill. . .* tt. 56-65. *Gw.* rhif 113. (Cyhoeddwyd gyntaf yn *Gwŷr llên y ddeunawfed ganrif*; golygydd Dyfnallt Morgan, 1966).

1785   Lewis, Aneirin: Edward Richard ac Ieuan Fardd. *YB*, 10(1977), 267-89.

1786   Morgan, Gerald: Cerddi Ieuan Fardd. *Y Traethodydd*, 137(1982), 69-79.

(iii)   Goronwy Owen

1787   Cross, Tom Peete: Goronwy Owen in Colonial Virginia; edited by Raymond J. Cormier. *AWR*, 60(1978), 80-6.

1788   Jarvis, Branwen: *Goronwy Owen*. Cardiff: University of Wales Press on behalf of the Welsh Arts Council, 1986. 93pp. (Writers of Wales). *Adol.:* Richard Owen, *Barn*, 285(1986), 358.

1789   Jones, Bedwyr L.: Amddiffyn Goronwy druan! *Barddas*, 25(1978), 1, 3. *Gw.* rhif 2767 *ac ateb* Alan Llwyd, *Barddas*, 27(1979), 2-3, 6.

1790   —— Goronwy Owen yn Virginia. *Barn*, 157(1976), 43-5; 158(1976), 74-5; 159(1976), 116-18.

1791 JONES, BEDWYR L.: Lewis Morris a Goronwy Owen —'digrifwch llawen' a 'sobrwydd synhwyrol'. *YB*, 10(1977), 290-308.

1792 JONES, J. HOPKIN: Goronwy Owen yn America. *Barn*, 203/204 (1979), 271-2.

1793 LEWIS, HAYDN: Cofio Goronwy Owen 1723-1769. *Y Faner*, 16. 9. 77, 20.

1794 ROBERTS, BRYNLEY F.: Gramadeg Goronwy. *Barn*, 218(1981), 97-8.

(iv) Edward Richard

1795 ELLIS, MARY: Edward Richard, Ystradmeurig. *HG*, Gwanwyn (1977), 25-34.

1796 HOWELLS, WILLIAM H.: The library of Edward Richard, Ystradmeurig. *Ceredigion*, 9(1982), 227-44.

1797 JONES, JOHN GWILYM: Edward Richard ac Evan Evans (Ieuan Fardd). [Yn] *Swyddogaeth beirniadaeth ac ysgrifau eraill. . .* tt. 56-65. *Gw.* rhif 113.

1798 LEWIS, ANEIRIN: Edward Richard ac Ieuan Fardd. *YB*, 10(1977), 267-89.

VIII. EDWARD WILLIAMS (IOLO MORGANWG)

1799 BOWEN, GERAINT: Gorsedd Dinorwig (1799) a'r elyniaeth rhwng Dafydd Ddu Eryri a Iolo Morganwg. *Barddas*, 98(1985), 5-6, 7.

1800 ――― Gorseddau cynnar Morgannwg. I, 1795-1797. *Barn*, 266(1985), 116-18. II, 1798. *Barn*, 269(1985), 231-3.

1801 DAVIES, D. ELWYN: Astudiaeth o feddwl a chyfraniad Iolo Morganwg fel rhesymolwr ac Undodwr. (Traethawd Ph. D). Abertawe, 1975.

1802 DONOVAN, P.J. (GOL.): *Cerddi rhydd Iolo Morganwg.* Caerdydd: Gwasg Prifysgol Cymru, 1980. xii, 175tt. *Adol.:* D. Myrddin Lloyd, *Y Traethodydd*, 137(1982), 37-8; E.G. Millward, *LILI*, Haf (1981), 18-19.

1803 GREENE, DAVID: *Makers and forgers.* Cardiff: University of Wales Press, 1975. 22pp. (G.J. Williams memorial lecture; 1975).

1804 JONES, TEGWYN (GOL.): *Y gwir degwch: detholiad o gywyddau serch Iolo Morganwg;* detholwyd gan Tegwyn Jones. [Pen-y-garn]: Gwasg y Wern, 1980. 80tt.

1805 MORGAN, PRYS: The historical significance of Iolo Morganwg. *TPTHS*, 3/2(1981), 59-68.

1806 ――― *Iolo Morganwg.* Cardiff: University of Wales Press on behalf of the Welsh Arts Council, 1975. [4], 98pp. (Writers of Wales). *Rev.:* Glyn M. Ashton, *AWR*, 57(1976), 208-10; Rachel Bromwich, *CHC*, 8(1977), 486-8; Gwyn Williams, *PW*, 11/4(1976), 105-7.

1807 PAGE, ALUN: Meddwl am Iolo. *Y Genhinen,* 28(1978), 158-60.

1808 RICHARDS, BRINLEY: *Golwg newydd ar Iolo Morganwg.* Abertawe: Tŷ John Penry, 1979. 256tt. *Adol.:* Glyn M. Ashton, *LIC,* 14(1981/82), 148-59; P.J. Donovan, *Y Traethodydd,* 136(1981), 167-8 (*gw. hefyd* Ceinwen H. Thomas, *Y Traethodydd,* 137(1982), 35-6); Bobi Jones, *LILI,* Gwanwyn (1980), 20; Thomas Parry, *Y Faner,* 29.2.80, 10-11 (*gw.* ateb Brinley Richards, *Y Faner,* 28.3.80, 10-11); Gwyn Thomas, *Taliesin,* 40(1980), 84-6.

1809 —— Iolo Morganwg. *Y Faner,* 20.1.78, 8-11.

1810 ROBERTS, RHIANNON F.: Cyfeiriadau G.J. Williams at 'IAW'. *CLIGC,* 22(1982), 475-80.

Cyfeiriadau G.J. Williams (*Iolo Morganwg,* y gyfrol gyntaf. Caerdydd, 1956), at y papurau sydd yng nghasgliad Mr Iolo Aneurin Williams [IAW] yn y Llyfrgell Genedlaethol.

1811 TAYLOR, CLARE: Edward Williams ('Iolo Morganwg') and his brothers: a Jamaican inheritance. *THSC,* 1980, 35-43.

1812 THOMAS, DEWI WYN: Iolo Morganwg: saer maen. *Barn,* 212(1980), 274.

ADRAN F

Y BEDWAREDD GANRIF AR BYMTHEG

I. CYFFREDINOL

1813 ASHTON, GLYN M.: Dechrau cyfnod. *Y Traethodydd*, 131(1976), 68-79.

1814 BENNETT, ANGELA: Astudiaeth o waith llenorion plwyf Llanbryn-mair a'r cylch 1850-1914. (Traethawd M.A.). Aberystwyth, 1984.

1815 DAVIES, E.T.: *Religion and society in the nineteenth century.* Llandybïe: Christopher Davies, 1981. 102pp. (A new history of Wales).

1816 EDWARDS, HYWEL TEIFI: *Baich y bardd (darn o'i brofiad yng Nghymru'r ganrif ddiwethaf).* [s.l.]: Llys yr Eisteddfod Genedlaethol, 1978. 38tt. (Y ddarlith lenyddol flynyddol; 1978).

1817 ELLIS, MARY: Eglwys y Plwyf, Llanymawddwy. *CCHChSF*, 7(1975), 231-50.

Cofnodir hanes rhai o'r gwŷr blaenllaw a wasanaethodd yn y plwyf yn ystod y ganrif, yn arbennig John Williams ab Ithel, Glasynys a Daniel Silvan Evans.

1818 GRUFFUDD, HEINI: *Achub Cymru: golwg ar gan mlynedd o ysgrifennu am Gymru.* Talybont: Y Lolfa, 1983. 176tt.

1819 GWILYM, LOWRI: Theory and criticism in the Welsh literary revival with special reference to contemporary periodicals, 1891-1919. (M. Litt. Thesis). Oxford, 1979.

1820 JONES, FRANK PRICE: *Radicaliaeth a'r werin Gymreig yn y bedwaredd ganrif ar bymtheg: casgliad o ysgrifau* . . . golygwyd gan Alun Llywelyn-Williams ac Elfed ap Nefydd Roberts. Caerdydd: Gwasg Prifysgol Cymru, 1977. 211tt.

1821 JONES, IEUAN GWYNEDD: Language and community in nineteenth century Wales. [In] *A people and a proletariat: essays in the history of Wales, 1780-1980;* edited by David Smith. London: Pluto Press, 1980. pp. 47-71.

1822 JONES, R. TUDUR: Daearu'r angylion: sylwadau ar ferched mewn llenyddiaeth, 1860-1900. *YB*, 11(1979), 191-226.

1823 —— *Ffydd ac argyfwng cenedl: Cristnogaeth a diwylliant yng Nghymru, 1890-1914. Cyfrol 1. Prysurdeb a phryder.* Abertawe: Tŷ John Penry, 1981. 249tt. *Adol.:* Pennar Davies, *Barn*, 224(1981), 341; J. Gwynfor Jones, *Porfeydd*, 14(1982), 28-32; Harri Williams, *Y Traethodydd*, 137(1982), 40-3. *Rev.:* Emyr Humphreys, *Arcade*, 21(1981), 14-15.

1824 JONES, R. TUDUR: *Ffydd ac argyfwng cenedl: Cristnogaeth a diwylliant yng Nghymru, 1890-1914. Cyfrol 2. Dryswch a diwygiad.* Abertawe: Tŷ John Penry, 1982. 305tt. *Adol.:* Dewi Arwel Hughes, *CEf*, 20/4(1982), 20-1; Elwyn A. Jones, *Taliesin*, 45(1982), 97-106; Derec Llwyd Morgan, *LILl*, Hydref (1982), 16-17; W. Eifion Powell, *Porfeydd*, 14(1982), 123-6; Harri Williams, *Y Traethodydd*, 138(1983), 54-6.

1825 —— 'Hapus dyrfa': nefoedd oes Victoria. *LlC*, 13(1980/81), 236-77. (Darlith goffa Islwyn; 1976).

1826 MILLWARD, E.G.: Y Fictoriaid yn gwenu. *Y Casglwr*, 10(1980), 7.

1827 —— Gwerineiddio llenyddiaeth Gymraeg. [Yn] *Bardos: penodau ar y traddodiad barddol Cymreig a Cheltaidd.* . . tt. 95-110. *Gw.* rhif 95.

1828 MORGAN, DEREC LLWYD: Llenyddiaeth y Methodistiaid, 1763-1814. [Yn] *Hanes Methodistiaeth Galfinaidd Cymru. Cyfrol 2, Cynnydd y corff* . . . tt. 456-528. *Gw.* rhif 1567.

1829 MORGAN, KENNETH O.: *Rebirth of a nation—Wales 1880-1980.* Oxford: Clarendon Press; Cardiff: University of Wales Press, 1981. xiii, 463pp. (History of Wales; vi). Paperback ed., 1982.

1830 PRICE, D.T.W.: *A history of St. David's University College, Lampeter. Volume 1: to 1898.* Cardiff: University of Wales Press, 1977. xv, 222pp.

1831 REES, D BEN: Trem ar y bedwaredd ganrif ar bymtheg. *Barn*, 250(1983), 382-4; 251/252(1983/84), 460-4.

1832 REES, EILUNED and MORGAN, GERALD: Welsh almanacks, 1680-1835: problems of piracy. *The Library* (sixth series), 1(1979), 144-63.

1833 THOMAS, BEN BOWEN: Fferyllwyr llengar. *Y Genhinen*, 27(1977), 124-7. [Robert Isaac Jones, 'Alltud Eifion' (1815-1904); Richard Lewis (1817-1865); Thomas Stephens (1821-1875).]

1834 THOMAS, MAIR ELVET: *Afiaith yng Ngwent: hanes Cymdeithas Cymreig-yddion y Fenni, 1833-1854.* Caerdydd: Gwasg Prifysgol Cymru, 1978. xix, 149tt. *Adol.:*Keith Evans, *Y Genhinen*, 29/2 (1979), 88-9; Bobi Jones, *Taliesin*, 39(1979), 95-7; Helen Ramage, *Y Faner*, 16.3.79, 10. *Rev.:* D. Tibbott, *GLH*, 47(1979), 47-9.

1835 —— *Agweddau ar weithgarwch llenyddol Gwent yn y ganrif ddiwethaf.* Caerdydd: Gwasg Prifysgol Cymru, 1981. 36tt. (Darlith goffa Islwyn; 1980). *Adol.:* Gomer M. Roberts, *Barn*, 227/228(1981), 491-2.

1836 TURNER, CHRISTOPHER BEN: Revivals and popular religion in Victorian and Edwardian Wales. (Ph.D. Thesis). Aberystwyth, 1979.

1837 WALTERS, HUW: Gweithgarwch llenyddol Dyffryn Aman yn y bedwaredd ganrif ar bymtheg a dechrau'r ugeinfed ganrif. (Traethawd Ph.D.). Aberystwyth, 1985.

1838 WILLIAMS, STEPHEN J.: *Beirdd ac eisteddfodwyr: erthyglau. . .* wedi'u dethol a'u golygu gan Brynley F. Roberts. Abertawe: Pwyllgor Gwaith Eisteddfod Genedlaethol Abertawe a'r Cylch (1982), 1981. 137tt.
tt. 9-17 Gwerthfawrogiad gan Brynley F. Roberts. Am y cynnwys gw. y 'Mynegai Awduron'.

II. AGWEDDAU ARBENNIG

(i) Crefydd a Llenyddiaeth

1839 JONES, R. TUDUR: *Yr Ysgol Sul — coleg y werin.* [s.l.]: Gwasanaeth Archifau Gwynedd, 1985. 14tt.

1840 LLOYD, D TECWYN: Y Parchg. John Jones, Borthwnog. *Taliesin*, 37(1978), 114-37.

(iv) Y wasg

1841 ASHTON, GLYN M.: I ble ac i bwy yr âi'r *Gwyddoniadur? Taliesin*, 39(1979), 57-63.

1842 —— *Seren Gomer*, I a II, 1818-19. *TCHBC*, 1980, 13-31.

1843 BOWEN, ZONIA: Welsh women's magazines. [In] *For a Celtic future* . . . pp. 181-6. *Gw*. rhif 2196.

1844 DAFYDD GUTO: Cyhoeddiadau Alltud Eifion. *Y Casglwr*, 27(1985), 10-11.

1845 DAVIES, J. IORWERTH: *Argraffwyr sir Drefaldwyn o 1789 ymlaen.* [s.l.]: Cymdeithas Bob Owen, 1981. 15tt. (Darlith flynyddol Cymdeithas Bob Owen; 1981).

1846 —— Braslun o hanes argraffu masnachol yn sir Drefaldwyn. [Yn] *Bro'r Eisteddfod (cyflwyniad i Faldwyn a'i chyffiniau)* . . . tt. 187-201. Gw. rhif 2929.

1847 —— The history of printing in Mongomeryshire, 1789-1960. *MC*, 65(1977), 57-66; 66(1978), 7-28; 68(1980), 67-85; 70(1982), 71-98; 71(1983), 48-60; 72(1984), 37-44; 73(1985), 38-53.

1848 DAVIES, TUDOR: Gwŷr mawr bro Eifionydd: John Thomas (Golygydd *Y Geninen*, 1883-1922). *Yr Eurgrawn*, 168(1976), 82-7.

1849 EDWARDS, ERIC: *Y Cylchgrawn Chwarterol* (Cylchdaith Coedpoeth). *Yr Eurgrawn*, 167(1975), 80-3.

1850 ——*Yr Eurgrawn. Yr Eurgrawn*, 175(1983), 105-8.

1851 EDWARDS, W.J.: Jones & Co., Y Bala. *Y Casglwr*, 23(1984), 18.

1852 GRIFFITHS, RHIDIAN: Hen bapurau ac argraffwyr Abertawe. *Y Casglwr*, 17(1982), 13.

1853 HUGHES, D. G. LLOYD: Prifardd Pendant, cymeriad, casglwr [Gwilym Cowlyd.]. *Y Casglwr*, 25(1985), 7.

1854 —— Printio Pwllheli cyn 1900. *Y Casglwr*, 10(1980), 14-16.

1855 HUWS, RICHARD E.: Argraffwyr Tregaron. *Ceredigion*, 8(1977), 204-9.

1856 —— *A history of the House of Spurrell, Carmarthen, 1840-1969*. Ann Arbor, Michigan: University Microfilms International, 1985. 2 v.: (xliii, 352pp; 237pp.). (FLA Thesis, 1981).
Volume 2: A bibliography of works printed and/or published, or jointly published, by the House of Spurrell from 1840-1969.

1857 —— John Lewis Brigstocke, 1805-1865. *Y Genhinen*, 26(1976), 18-24.

1858 —— The Lawrence family of Carmarthen and their contribution to the book trade, 1796-1940. *JWBS*, 12(1983/84), 70-9.

1859 JAMES, M. EURONWY: Cofnodion Undodwyr [*Yr Ymofyn[n]ydd*]. *Y Casglwr*, 18(1982), 13.

1860 JONES, BEDWYR L.: *Argraffu a chyhoeddi ym Môn*. Llangefni: Gwasanaeth Llyfrgell Gwynedd, Rhanbarth Môn, 1976. [2], 18tt. (Cyfres darlith-oedd Môn; 1).

1861 —— Awduron Amlwch hyd at 1900. Atodiad: Gweithiau a argraffwyd yn Amlwch gan David Jones. *TCHNM*, 1977/78, 115-34.

1862 JONES, E. VERNON: William Spurrell, 1813-89. *CH*, 15(1978), 77-80.

1863 JONES, FRANK PRICE: Gwilym Hiraethog — 'tad y wasg Gymreig'. [Yn] *Radicaliaeth a'r werin Gymreig yn y bedwaredd ganrif ar bymtheg* . . . tt. 65-72. *Gw*. rhif 1820.

1864 JONES, J. TYSUL: Gwasg Gomer — hanes y wasg. *LILI*, Hydref (1977), 9-11.

1865 —— J.D. Lewis (1859-1914) a hanes Gwasg Gomer. *Ceredigion*, 8(1976), 26-49.

1866 JONES, OLIVE: Ceiniogwerth o ddosbarthu. [*Y Geiniogwerth*, 1847-1851]. *Y Casglwr*, 17(1982), 1.

1867 JONES, PHILIP HENRY: Cylchrediad *Y Faner*. *Y Casglwr*, 28(1986), 10-11.

1868 —— A nineteenth century Welsh publisher: Thomas Gee, 1815-1898. (FLA Thesis, 1977).

1869 LLOYD, D. TECWYN: Diwedd y bennod - a diwedd y llyfr: cyhoeddi yn Lerpwl. *Y Casglwr*, 2(1977), 2.

1870 —— *Gysfenu i'r wasg gynt.* Llundain: Y Gorfforaeth Ddarlledu Brydeinig, 1980. 35tt. (BBC Cymru, Darlith radio flynyddol; 1980).
Y wasg newyddiadurol yng Nghymru.

1871 —— John Griffith, y Gohebydd (1821-1877). *THSC*, 1977, 207-30.

1872 MADDEN, LIONEL: Blynyddoedd cynnar *Yr Eurgrawn*. *Yr Eurgrawn*, 174(1982), 52-8.

1873 MORGAN, GERALD: *Y dyn a wnaeth argraff - bywyd a gwaith yr argraffydd hynod John Jones, Llanrwst.* Llanrwst: Gwasg Carreg Gwalch, 1982. 40tt. *Adol.*: Philip Henry Jones, *Y Casglwr*, 18(1982), 9. [Sylwadau pellach gan yr awdur a'r adolygydd, *Y Casglwr*, 19(1983), 9; 20(1983), 3.

1874 —— Helyntion yr almanaciau. *Y Casglwr*, 17(1982), 12; 18(1982), 11.

1875 MORGAN, W. ISLWYN: Eira llynedd. (Cip ar hen rifynnau o'r *Gwyliedydd*). *Yr Eurgrawn*, 169(1977), 109-13, 148-52; 170(1978) 25-9, 73-7, 116-20, 163-7.

1876 —— *Yr Eurgrawn Wesleyaidd.* The Welsh Wesleyan Methodist Magazine, 1809-1983. *PWHS*, 44(1984), 168-73.

1877 —— Trem ar yrfa'r *Eurgrawn*. *Yr Eurgrawn*, 175(1983), 124-31.

1878 —— Tro trwy'r *Eurgrawn Wesleaidd*. *Yr Eurgrawn*, 174(1982), 170-5; 175(1983), 8-13.

1879 MORRIS, TABITHA ANNE: Astudiaeth o fywyd a gwaith Joseph Harris (1773-1825), 'Gomer', gyda mynegai i *Seren Gomer*, 1814-1825. (Traethawd M.A.). Aberystwyth, 1983.

1880 PARRY, CHARLES: Thomas Cowburne 1737? - 1815 ac argraffu yn Amlwch. *TCHNM*, 1984, 93-7.

1881 PARRY THOMAS: Gwella'r da yn America. *Y Casglwr*, 20(1983), 16.
Sylwadau ar argraffu yn Utica.

1882 —— Y seren fore. *Y Casglwr*, 9(1979), 14.
Seren y Mynydd ("Papur newydd at wasanaeth Llanuwchllyn a'r amgylchedd, 1895").

1883 PEATE, IORWERTH C.: *Y Gen(h)inen*, 1883-1980. *Y Genhinen*, 29(1979), 149-50.

1884 PHILLIPS, WILLIAM: *Mynegai i'r 'Traethodydd', cyfrolau i - l (1845-95).* 2 gyfrol. Caernarfon: Cymdeithas Llyfrgelloedd Cymru, 1976, 1978. 415tt.; tt.416-830.

1885 PHILLIPS, WILLIAM: *Mynegai i'r 'Traethodydd' 1896-1957.* Caernarfon: Cymdeithas Llyfrgelloedd Cymru, 1980. [7], 266tt.

1886 PRICE, EMYR: Lloyd George a'r wasg. *Barn,* 159(1976), 124-6.

1887 —— Newyddiadur cyntaf David Lloyd George [*Udgorn Rhyddid*]. *JWBS,* 11(1975/76), 207-15.

1888 —— *Thomas Gee.* [s.l.]: Cymdeithas Addysg y Gweithwyr, Rhanbarth Gogledd Cymru, 1978. 12tt. (Pamffledi Rhoslas; 1).

1889 —— *Udgorn Rhyddid:* papur cyntaf Lloyd George. *Y Casglwr,* 4(1978), 6-7.

1890 REES, D. BEN: Aspects of Welsh publishing (1780-1980). [In] *Wales: the cultural heritage.* Ormskirk: G.W. and A. Hesketh, 1981. pp. 61-70.

1891 —— Un o hen gyfrolau'r Ysgol Sul [*Yr Esboniwr*]. *Y Casglwr,* 26(1985), 13.

1892 REES, EILUNED and MORGAN, GERALD: Welsh almanacks, 1680-1835: problems of piracy. *The Library* (sixth series), 1(1979), 144-63.

1893 REES, R.D.: A history of the South Wales newspapers to 1855. (M.A. Thesis). Reading, 1954.

1894 ROBERTS, BRYNLEY F.: Argraffu yn Aberdâr. *JWBS,* 11(1973/74), 1-53.

1895 —— Printing at Aberdare, 1854-1974. *The Library,* 33(1978), 125-42. *Gw. hefyd: Old Aberdare, volume 3.* [s.l.]: Cynon Valley History Society, 1984. pp. 57-83. (Cynon Valley History Society. Occasional publications; iii).

1896 ROBERTS, D. HYWEL E.: The printing of Welsh books in the United States: an introductory survey. *JWBS,* 12(1983/84), 3-25.

1897 ROWLANDS, ERYL: Cyfrolau brau yr hen ganrif. *Y Casglwr,* 3(1977), 6. Sylwadau ar argraffu ym Môn yn ystod y ganrif.

1898 THOMAS, JOAN M.: *An index to "Wales" 1894-1897 (O. M. Edwards).* [s.l.]: Welsh Library Association, 1979. 119pp.

1899 THOMAS, R. MALDWYN: Brwydr dau bapur — *Caernarvon and Denbigh Herald* a'r *North Wales Chronicle. Y Casglwr,* 14(1981), 14.

1900 —— Cymraeg y *Nelson* [*The Nelson,* 1890-1897]. *Y Casglwr,* 1(1977), 9.

1901 —— Hen gefndir *Yr Herald Cymraeg* . . . ac inc Caernarfon yn sychu. *Y Casglwr,* 23 (1984), 10-11.

1902 —— Hen gofi'r inc — Peter Thomas 1787-1856. *Y Casglwr,* 15(1981), 8.

1903 —— Hugh Humphreys (Caernarfon), arglwydd yr inc. *Y Casglwr,* 8(1979), 13.

1904 THOMAS, R. MALDWYN: Hwyl yn y dyddiau gynt. *Y Casglwr,* 25(1985), 10.
Sylwadau ar rifyn cyntaf *Hwyl,* 8 Rhagfyr, 1883.

1905 —— Newyddiadur cyntaf Caernarfon — *The Caernarvon Advertiser, 1822.*
TCHSG, 42(1981), 117-28.

1906 —— *Y Papur Newydd Cymraeg* (Medi 1836—Mawrth 1837). *Y Casglwr,*
18(1982), 16.

1907 —— Y wasg gyfnodol yn nhref Caernarfon hyd 1875, gyda sylw
arbennig i argraffwyr a chyhoeddwyr. (Traethawd M.A.). Bangor,
1979.

1908 WALTERS, HUW: Gwawr Robyn Ddu Eryri [*Y Wawr*]. *Y Casglwr,* 11(1980),
3.

1909 —— Rhai o ohebwyr *Y Gwladgarwr. Taliesin,* 58(1986), 11-25.

1910 WATERS, IVOR: *Chepstow printers and newspapers.* Revised ed. Chepstow:
The Chepstow Society, 1977. iv, 40pp. (Chepstow Society pamphlet
series; 9).

1911 WICKLEN, S. I.: The growth and development of printing in the Wrexham
area. *TCHSDd,* 35(1986), 39-60.

1912 —— *History of printers and printing in Llanrwst.* Conway: Cader Idris
Books, 1986. 29pp. (Cyhoeddwyd gyntaf yn *TCHSDd,* 33(1984), 26-47.)

1913 —— A history of printing in the Conway Valley up to 1914. (M.A.
Thesis). Bangor, 1984.

1914 WILIAM, DAFYDD WYN: Almanacwyr Caergybi. *TCHNM,* 1980, 67-100;
1981, 29-56; 1984, 74-92.
1981, tt. 51-6 Rhestr o'r llyfrau a ysgrifennwyd neu a gyhoeddwyd gan John
Robert Lewis (1760-?1830). 1984, tt. 90-2 Rhestr o almanaciau 'Caergybi'
(1761-1850).

1915 —— Argraffwyr Caergybi. *Y Casglwr,* 24(1984), 19; 25(1985), 19.

1916 —— Hen argraffwyr Caergybi. *Y Casglwr,* 28(1986), 16.

1917 —— Yr inc yn Llannerch-y-medd. *Y Casglwr,* 19(1983), 15; 20(1983), 3;
21(1983), 13; 23(1984), 15. *Gw. hefyd* Margot Heywood, *Y Casglwr,*
24(1984), 9.

1918 —— Ym Môn — llenor cocos hefyd: Hugh Rowlands, *g.* 1816. *Y Casglwr,*
16(1982), 11.

1919 WILLIAMS, GLANMOR: Gomer 'sylfaenydd ein llenyddiaeth gyfnodol'. *THSC*, 1982, 111-38. Cyhoeddwyd hefyd yn *Grym tafodau tân* . . . tt. 237-67. *Gw*. rhif 1392.

1920 WILLIAMS, HARRI: *Duw, daeareg a Darwin (yn bennaf ar dudalennau'r 'Traethodydd', 1845-1900*. Llandysul: Gwasg Gomer, 1979. 100tt. (Darlith Davies; 1979).

1921 —— *Y Traethodydd* a gwleidyddiaeth, 1845-1850. *CH(MC)*, 5(1981), 25-44.

1922 —— *Y Traethodydd* a'r Gymraeg. *Taliesin*, 42(1981), 54-62.

1923 WILLIAMS, J.E. CAERWYN: Hanes cychwyn *Y Traethodydd*. *LIC*, 14(1981/82), 111-42.

1924 —— Hanes *Y Traethodydd*. *Y Traethodydd*, 136(1981), 34-49.

1925 WILLIAMS, ROGER JONES: Llew o blith llyfrau [*Y Gwyddoniadur Cymreig*]. *Y Casglwr*, 6(1978), 11.

1926 WILLIAMS, W.D.: John Griffith, Y Gohebydd (1821-77). *Y Faner*, 30.9.77, 14; 7.10.77, 12; 14.10.77, 14-16.

III. BARDDONIAETH
(i) Cyffredinol

1927 ASHTON, GLYN M.: Arolwg ar brydyddiaeth Gymraeg, 1801-1825. *LIC*, 14(1983/84), 224-52; 15(1984/86), 106-32.

1928 MILLWARD, E.G.: Canu'r byd i'w le. *Y Traethodydd*, 136(1981), 4-26.
Yn cynnwys: tt. 24-6, Rhest o'r llyfrau adrodd a'r blodeugerddi a oedd yn boblogaidd yn ail hanner y ganrif.

1929 —— Delweddau'r canu gwerin (The imagery of folk song). *CG*, 3(1980), 11-21.

1930 ROBERTS, GOMER M.: Yr hen farwnadau. *Y Casglwr*, 11(1980), 11.

(ii) Beirdd ardaloedd arbennig
Gweler Atodiad I
(iii) Detholion

1931 JONES BEDWYR L. (GOL.): *Blodeugerdd o'r bedwaredd ganrif ar bymtheg*. Aberystwyth: Cymdeithas Lyfrau Ceredigion, 1978. xl, 118tt. (Arg. cyntaf, 1965).

1932 MILLWARD, E.G.(GOL.): *Ceinion y gân — detholiad o ganeuon poblogaidd oes Victoria*. Llandysul: Gwasg Gomer, 1983. xxxi, 110tt. (Rhagymadrodd, tt. xiii—xxxi). *Adol*.: Meredydd Evans, *CG*, 7(1984), 58-64; Branwen Jarvis, *Y Traethodydd*, 139(1984), 105-7; Huw Williams, *LILI*, Gwanwyn (1984), 18-19.

(iv) Beirdd unigol

Ben Bowen

1933 DAVIES, MENNA: Ben Bowen (1878-1903). [Yn] Traddodiad llenyddol y Rhondda . . . tt. 182-219. *Gw.* rhif 2920.

1934 EVANS, TREFOR: *Ben Bowen, 1878-1903. SG,* 70(1978), 115-26.

1935 OWEN, DAFYDD: Ben Bowen (1878-1903). *Y Faner,* 20.10.78, 15-16.

Cosslett Cosslett (Carnelian)

1936 HARDING, JOAN N.: Dau frawd o sir Fynwy. *Barn,* 212(1980), 261-3.

William Cosslett (Gwilym Eilian)

1937 HARDING, JOAN N.: Dau frawd o sir Fynwy. *Barn,* 212(1980), 261-3.

Robert Davies (Bardd Nantglyn)

1938 ROBIN GWYNDAF: Robert Davies, Nantglyn, 1769-1835 - bardd, gramadegwr ac athro. *Y Genhinen,* 28(1978), 91-5.

Walter Davies (Gwallter Mechain)

1939 THOMAS, GRAHAM: Gwallter Mechain ac Eisteddfod Corwen, 1789. *CLIGC,* 20(1978), 408.

R. J. Derfel

1940 MORGAN, PRYS: Brad y Cyllyll Hirion a Brad y Llyfrau Gleision. *Y Cofiadur,* 51(1986), 3-17.
Yn cynnwys sylwadau ar *Brad y Llyfrau Gleision* (1854).

1941 —— From Long Knives to Blue Books. [In] *Welsh society and nationhood* . . . pp. 199-215. *Gw.* rhif 2915.

1942 —— Rhag pob brad. *Y Traethodydd,* 137(1982), 80-91.

1943 WILLIAMS, GWYN: R. J. Derfel. *Y Ddraig,* 1980, 8-10.

1944 WILLIAMS, SUSAN ELIZABETH: Astudiaeth o fywyd a phrydyddiaeth R. J. Derfel. (Traethawd M.A.). Aberystwyth, 1975.

Evan Evans (Ieuan Glan Geirionydd)

1945 REES, D. BEN: Alltud trist - Evan Evans (1795-1855). *Porfeydd,* 14(1982), 61-2.

Robert Griffith (Patrobas)

1946 MARGED DAFYDD: Yr athrylith colledig. *Taliesin,* 44(1982), 76-9.
Ymdriniaeth â'i gyfrol *Byr-ganeuon.*

John Ceiriog Hughes

1947 EDWARDS, HYWEL TEIFI: Ail-gloriannu Ceiriog, 1832-1887. *Y Faner*, 13.4.84, 12-13.

1948 —— 'Myfanwy Fychan' ac 'Alun Mabon' - golwg ar ddwy o gerddi Ceiriog. Aberteifi: Argraffwyd gan E. L. Jones, 1978. 20tt. (Darlith flynyddol Asgell Addysg Bellach y Preseli; 1977).

1949 —— Trafferthion Ceiriog. *Taliesin*, 46(1983), 76-83.

1950 LLYFRYNNAU LLENORION: *Ceiriog*. Ymchwilwyr — Lona Gwilym a June E. Jones. Caerdydd: Yr Academi Gymreig, [1983]. 21tt. (Llyfrynnau llenorion; 3).

John Henry Hughes (Ieuan o Lŷn)

1951 COLYER, RICHARD J.: Land of mud and mosquitoes: the Reverend John Hughes (*Ieuan o Lŷn*) in British Guiana, 1847. *CLIGC*, 20(1978), 313-28.

John Jenkins (Cerngoch)

1952 JONES, ISLWYN: Cerngoch, 1820-1894. [Yn] *Llanbedr Pont Steffan . . .* (Bro'r Eisteddfod; 4), tt. 92-106. *Gw.* rhif 2923.

1953 —— 'Yn ei glocs mewn brethyn gwlad' — y bardd gwlad Cerngoch. [Aberystwyth]: Gwasanaeth Diwylliant Llyfrgell Dyfed, 1981. 21tt. (Darlith flynyddol Gŵyl Lyfrau Llyfrgell Dyfed).

Dafydd Jones (Dafydd Siôn Siâms)

1954 IFANS, DAFYDD: Cog lawen Dafydd Siôn Siâms. *CLIGC*, 21(1980), 431-3.

Peter Jones (Pedr Fardd)

1955 GRIFFITHS, DAVID CAREY: Bywyd a gwaith Pedr Fardd. (Traethawd M.A.). Bangor, 1985.

1956 JAMES E. WYN: Holl lyfrau a llyfrynnau Pedr Fardd. *Y Casglwr*, 27(1985), 18-19.

1957 —— Pedr Fardd a'i argraffwyr. *Y Casglwr*, 28(1986), 18-19; 30(1986), 16-17.

1958 —— Pedr Fardd yn y glorian. *Y Casglwr*, 26(1985), 18-19.

1959 JONES, EMRYS: Pedr Fardd 1775—1845. *Y Casglwr*, 23(1984), 13.

1960 JONES, GWILYM R.: Pedr Fardd (Peter Jones). [Yn] *Dynion dawnus . . .* Y Bala: Llyfrau'r Faner, 1980. tt. 9-23.

Hugh Maurice

1961 MILLWARD, E.G.: Cymdeithas y Cymreigyddion a'r Methodistiaid. *CLIGC*, 21(1979), 103-10.
Yn cynnwys cerdd gan *Hugh Maurice*.

David Owen (Dewi Wyn o Eifion)

1962 LLWYD, RHEINALLT: Bywyd Dewi Wyn o Eifion (1784-1841) ac astudiaeth o'i weithiau a'i gysylltiadau llenyddol. (Traethawd M.A.). Aberystwyth, 1979.

1963 —— Ymhen dwy ganrif — Dewi Wyn o Eifion. *Barddas*, 86(1984), 1-2.

1964 WILLIAMS, STEPHEN J.: Robert ap Gwilym Ddu a Dewi Wyn o Eifion. [Yn] *Beirdd ac eisteddfodwyr: erthyglau. . .* tt. 99-112. *Gw.* rhif 1838. (Cyhoeddwyd gyntaf yn *Gwŷr llên y bedwaredd ganrif ar bymtheg a'u cefndir*; gol. Dyfnallt Morgan (1968)).

William Owen, Y Chwaen Wen

1965 WILLIAMS, HUW: William Owen, Y Chwaen Wen (1762-1853), bardd, llenor ac amaethwr. *Y Traethodydd*, 137(1982), 183-7.
Awdur *Lloffyn o Faes Boaz* . . . Caerlleon, [1813].

Evan Rees (Dyfed)

1966 RHYS, BETI: *Dyfed: bywyd a gwaith Evan Rees, 1850-1923.* Dinbych: Gwasg Gee, 1984. 116tt. *Adol.:* David Jenkins, *LILL,* Gaeaf(1984), 17-18; Gwyneth Morgan, *Taliesin*, 50(1984), 82-5.

Sarah Jane Rees (Cranogwen)

1967 JONES, GERALLT: *Cranogwen—portread newydd.* Llandysul: Gwasg Gomer, 1981. 97tt.

1968 ROBERTS, EIGRA LEWIS: *Cranogwen* — 'merch y graig a merch y lli'. *Y Faner*, 18.8.78, 9-12.

William Rees (Gwilym Hiraethog)

1969 JONES, R.M.: Gwilym Hiraethog. [Yn] *Llên Cymru a chrefydd* . . . tt. 431-58. *Gw.* rhif 117.

1970 REES, MEINWEN: Gwilym Hiraethog. *Barn*, 245(1983), 208-9.

David Roberts (Dewi Havhesp)

1971 ROBERTS, HAF HAVHESP: Dewi Havhesp (1831-1884) - yr englynwr afradlon. *Y Faner*, 21.8.84, 10-11.

1972 ROBERTS, O. TREFOR: Llanowain yn cofio canmlwyddiant marw Dewi Havhesp. *Barddas*, 87/88(1984), 2, 4.

William John Roberts (Gwilym Cowlyd)

1973 DAVIES, G. GERALLT: *Gwilym Cowlyd, 1828-1904.* Caernarfon: Llyfrfa'r M.C., 1976. 205tt. *Adol.:* Llewelyn Jones, *Porfeydd*, 9(1977), 44-5.

Ebenezer Thomas (Eben Fardd)

1974 DAVIES, TUDOR: Gwŷr mawr bro Eifionydd . . . *Yr Eurgrawn*, 167(1975), 111-15.

1975 HUGHES, A. LLOYD: Cywydd Eben Fardd i Elis Wyn o Wyrfai. *LIC,* 14(1983/84), 277.

1976 JONES, DAFYDD GLYN: Bosworth y llenorion. [Yn] *Bosworth a'r Tuduriaid* . . . tt. 65-79. *Gw.* rhif 1036.
Yn cynnwys sylwadau ar yr awdl "Brwydr Maes Bosworth".

1977 MILLWARD, E.G.: Agweddau ar waith Eben Fardd (Ebenezer Thomas, 1802-1863). *THSC,* 1980, 143-61.

1978 —— Eben Fardd. *Y Casglwr,* 21(1983), 2.

1979 PRITCHARD, R. TELFRYN: Dinistr Caerdroea a Dinistr Jerusalem: nodiadau ar draddodiad yr epig. *YB,* 9(1976), 13-32.

Robert Thomas (Ap Fychan)

1980 JONES, GWILYM R.: Tlodi *Ap Fychan* (Robert Thomas). [Yn] *Dynion dawnus* . . . tt. 37-41. *Gw.* rhif 1960.

William Thomas (Gwilym Marles)

1981 MARTIN, NANSI: *Gwilym Marles.* [s.l.]: Cymdeithas Undodiaid Deheudir Cymru, 1979. 119tt.

William Thomas (Islwyn)

1982 BEVAN, HUGH: Islwyn bardd y ffin. [Yn] *Beirniadaeth lenyddol: erthyglau* . . . tt. 100-10. *Gw.* rhif 87. (Cyhoeddwyd gyntaf yn *EA,* 21(1958), 16-23).

1983 DAVIES, GWYN: *Islwyn, y dyn bach mawr.* Pen-y-bont ar Ogwr: Llyfrgell Efengylaidd Cymru, 1979. 53tt. (Darlith flynyddol Llyfrgell Efengylaidd Cymru; 1978).

1984 GRIFFITHS, R. L.: Coffáu Islwyn ac adnewyddu'r ddelw ohono. *Barn,* 188(1978), 337-8.

1985 JONES, R. TUDUR: 'Hapus dyrfa' - nefoedd oes Victoria. *LIC,* 13(1980/81), 236-77. (Darlith goffa Islwyn; 1976).

1986 WALTERS, MEURIG: *Islwyn — man of the mountain.* [s.l.]: The Islwyn Memorial Society, 1983. 80pp.

1987 WALTERS, MEURIG (GOL.): *'Y Storm' gyntaf* gan Islwyn. Caerdydd: Gwasg Prifysgol Cymru ar ran yr Academi Gymreig, 1980. ix, 174tt. (Clasuron yr Academi; 1). *Adol.:* E.G. Millward, *CH(MC),* 4(1980), 37-45; J.E. Caerwyn Williams, *Y Traethodydd,* 137(1982), 211-12. *Rev.:* Huw Walters, *PW,* 17/2(1981), 117-20.

1988 WILLIAMS, TOM: Islwyn: caniadau'r 'Ystorm'. *Y Traethodydd*, 132(1977), 45-50.

Morris Williams (Nicander)

1989 DAVIES, TUDOR: Gwŷr mawr bro Eifionydd. *Yr Eurgrawn*, 167(1975), 187-92.

Robert Williams (Robert ap Gwilym Ddu)

1990 JONES, R. GERALLT: Sgwrs ddychmygol â Robert ap Gwilym Ddu. *Taliesin*, 36(1978), 9-16.

1991 LAKE, ALUN CYNFAEL: Gyrfa eisteddfodol Robert ap Gwilym Ddu. *Barddas*, 111/112(1986), 27-8.

1992 WILLIAMS, STEPHEN J.: Robert ap Gwilym Ddu. [Yn] *Beirdd ac eisteddfodwyr: erthyglau. . .* tt. 75-98. *Gw.* rhif 1838. (Cyhoeddwyd gyntaf yn 1948).

1993 —— Robert ap Gwilym Ddu a Dewi Wyn o Eifion. [Yn] *Beirdd ac eisteddfodwyr: erthyglau. . .* tt. 99-112. *Gw.* rhif 1838. (Cyhoeddwyd gyntaf yn *Gwŷr llên y bedwaredd ganrif ar bymtheg a'u cefndir;* gol. Dyfnallt Morgan (1968)).

Robert Williams (Trebor Mai)

1994 JONES, R.E.: Cofio Trebor Mai (1830-1877). *Barddas*, 10(1977), 5-6.

Rowland Williams (Hwfa Môn)

1995 RICHARDS, BRINLEY: *Hwfa Môn* (1823-1905). *Y Genhinen*, 25(1975), 66-70.

Watkin Hezekiah Williams (Watcyn Wyn)

1996 DAVIES, BRYAN MARTIN: *'Rwy'n gweld o bell . . .' bywyd a gwaith Watcyn Wyn.* [s.l.]: Gwasanaeth Diwylliant Llyfrgell Dyfed, 1980. 23tt. (Darlith flynyddol Gŵyl Lyfrau Llyfrgell Dyfed, Mawrth, 1980).

1997 PEREGRINE, T. J.: *Hyd hanner dydd: cyfrol deyrnged i'r diweddar Barchedig T. J. Peregrine;* golygyddion: Emlyn G. Jenkins a Gerallt Jones. Abertawe: Tŷ John Penry, 1980. tt. 57-72. Watcyn Wyn.

William Williams (Caledfryn)

1998 HUGHES, GWILYM REES: Astudiaeth o feirniadaeth newydd - glasurol Caledfryn. (Traethawd Ph.D.). Caerdydd, 1975.

1999 JARVIS, GWYNNE: Cysylltiadau llenyddol Caledfryn a'i waith fel bardd a beirniad. (Traethawd M.A.). Aberystwyth, 1976.

Robert M. Williamson

2000 CARR, GLENDA: Robert (Mona) Williamson, 1807-1852 'Bardd Du Môn'. *TCHNM*, 1982, 97-122.

(vi) Llenyddiaeth y Wladfa
(a) Cefndir

2001 DAVIES, GARETH ALBAN: *Tan tro nesaf: darlun o Wladfa Gymreig Patagonia.* Llandysul: Gwasg Gomer, 1976. 156tt. *Adol.:* Glyn Williams, *Barn,* 176(1977), 307-10; 177(1977), 340-2; W. Lliedi Williams, *Y Genhinen,* 27(1977), 110-12.

2002 JONES, R. OWEN: Crefydd a'r Bedyddwyr Cymraeg yn y Wladfa. *TCHBC,* 1975, 5-16.

2003 OWEN, GERAINT DYFNALLT: *Crisis in Chubut: a chapter in the history of the Welsh colony in Patagonia.* Swansea: Christopher Davies, 1977. [2], 161pp. *Rev.:* R. Bryn Williams, *AWR,* 27/60 (1978), 173-4.

2004 WILLIAMS, GLYN: Cwm Hyfryd: a Welsh settlement in the Patagonian Andes. *CHC,* 9(1978), 57-83.

2005 —— The desert and the dream: a study of Welsh colonization in Chubut, 1865-1915. Cardiff: University of Wales Press, 1975. xiii, 230pp.

2006 —— The structure and process of Welsh emigration to Patagonia. *CHC,* 8(1976), 42-74.

(b) Llenyddiaeth

2007 GEORGE, W.R.P.: 'Gyfaill hoff': atodiad. *Taliesin,* 36(1978), 52-9. (*Gw.* LILIG 4093).

2008 IFANS, DAFYDD (GOL.): *Tyred drosodd: gohebiaeth Eluned Morgan a Nantlais;* gyda rhagymadrodd a nodiadau. Pen-y-bont ar Ogwr: Gwasg Efengylaidd Cymru, 1977. 159tt. *Adol.:* Prys Morgan, *Taliesin,* 36(1978), 109-10; Brynley F. Roberts, *Y Traethodydd,* 133(1978), 226-8.

IV. RHYDDIAITH
(i) Cyffredinol

2009 ASHTON, GLYN M.: Llyfrau Cymraeg ar feddyginiaethau anifeiliaid, 1801-25. *LIC,* 12(1973), 216-43. Cywiriad, *LIC,* 14(1983/84), 277.

2010 MILLWARD, E.G.: Ffugchwedlau'r bedwaredd ganrif ar bymtheg. *LIC,* 12(1973), 244-64.
Yn cynnwys rhestr o'r ffugchwedlau a gyhoeddwyd yn ystod y ganrif.

2011 WALTERS, HUW: Rhai o ohebwyr *Y Gwladgarwr. Taliesin,* 58(1986), 11-25.
Atodiad: Rhestr o'r storïau a'r nofelau a gyhoeddwyd yn *Y Gwladgarwr* rhwng 4 Medi, 1858 ac 1 Medi, 1882.

(ii)   Gweithiau unigol

2012   DAVIES, RAYMOND B.: Robert Edward Williams; cyfieithydd *An history of the earth and animated nature* gan Oliver Goldsmith. *CLIGC*, 20(1978), 312.

(iii)   Awduron unigol
David Davies (Dewi Emlyn)

2013   DAVIES, D. ELWYN (GOL.): *Llythyrau Anna Beynon*. Llandysul: Gwasg Gomer, 1976. 96tt. *Adol.*: Gomer M. Roberts, *Y Genhinen*, 27(1977), 105-6.

Yn ôl pob tystiolaeth llythyrau ffug yw cynnwys y gyfrol hon, a David Davies, 1817-1888, 'Dewi Emlyn' oedd eu hawdur.

Morris Davies

2014   WILLIAMS, J.E. CAERWYN: Morris Davies, Bangor, 1796-1876. *SG*, 68(1976), 71-6.

Roger Edwards

2015   WILLIAMS, IOAN: Capel a chomin: astudiaeth o ffug-chwedlau pedwar llenor Fictoraidd. (Traethawd Ph.D.). Aberystwyth, 1985.

Edward Matthews o Ewenni, Roger Edwards, Gwilym Rees (Hiraethog) a Daniel Owen.

2016   WILLIAMS, J.E. CAERWYN: Roger Edwards, Yr Wyddgrug. *CH(MC)*, 4(1980), 4-21.

John P. Harris (Ieuan Ddu)

2017   GRIFFITHS, BRUCE: Arloeswr ym myd y ddrama. *JWBS*, 11(1975/76), 216-19.

Owen Wynne Jones (Glasynys)

2018   MORRIS, MARGARET ERINA: Bywyd a gwaith Owen Wynne Jones (Glasynys), 1828-1870. (Traethawd M.A.). Aberystwyth, 1985.

2019   WILLIAMS, ALED JONES: Miwsig moesol - astudiaeth o waith Glasynys. *HG*, Hydref (1982), 18-24; Gaeaf(1982), 8-14.

R. Ambrose Jones (Emrys ap Iwan)

2020   CYMDEITHAS EMRYS AP IWAN, ABERGELE: *Y ddarlith flynyddol, cyfrol 1 a 2, 1981 a 1982*. Yr Wyddgrug: Gwasanaeth Llyfrgell Clwyd, 1983. 41tt.

Cynnwys: Emrys ap Iwan (Ellis Wynne Williams). Ein dyled i Emrys ap Iwan (Gwynfor Evans).

2021 —— *Y ddarlith flynyddol, cyfrol 3 a 4, 1983 a 1984.* Yr Wyddgrug: Gwasanaeth Llyfrgelloedd ac Amgueddfeydd Clwyd, 1984. 19, 21tt.
Cynnwys: Ffydd Emrys ap Iwan (R. Tudur Jones). Emrys ap Iwan a'r iaith Gymraeg (Bobi Jones).

2022 EVANS, GWYNFOR: Emrys ap Iwan. *Barn,* 251/252 (1983/84), 422-3.

2023 JONES, DAFYDD GLYN: Criticism in Welsh. *PW,* 15/3(1979/80), 84-109.
Yn cynnwys sylwadau ar Emrys ap Iwan fel beirniad llenyddol.

2024 LLOYD, D. MYRDDIN: *Emrys ap Iwan.* Cardiff: University of Wales Press on behalf of the Welsh Arts Council, 1979. 61pp. *Adol.:* Gwilym R. Jones, *Y Genhinen,* 29(1979/80), 224-5. *Rev.:* Geraint H. Jenkins, *CHC,* 10(1980), 260-2; Meirion Pennar, *AWR,* 68(1981), 127-9.

2025 LLYWELYN-WILLIAMS, ALUN: Emrys ap Iwan. [Yn] *Y traddodiad rhyddiaith yn yr ugeinfed ganrif* . . . tt. 11-36. Gw. rhif 2116.

2026 MILLWARD, E. G.: Ail-gloriannu Emrys ap Iwan. *Y Faner,* 21.9.84, 12-13.

2027 MORGAN, DAFYDD DENSIL: Dau enaid dethol, cytun. *Barn,* 207/208(1980), 130-2.
Emrys ap Iwan a Dietrich Bonhoeffer.

2028 MORGAN, ENID: *Emrys ap Iwan: garddwr geiriau.* Bangor: Cymdeithas Theatr Cymru, 1980. 25tt. (Astudiaethau Theatr Cymru; 2). *Adol.:* Dafydd Densil Morgan, *Barn,* 210/211(1980), 249-50.

2029 —— Rhai agweddau ar waith Emrys ap Iwan. (Traethawd M.A.). Bangor, 1973.

2030 WILLIAMS, ELLIS WYNNE: Emrys ap Iwan. [Yn] *Y Rhyl a'r cyffiniau;* golygydd H. Desmond Healy. Llandybïe: Llyfrau'r Dryw, 1985 tt. 79-92. (Bro'r Eisteddfod; 5).

Edward Matthews o Ewenni

2031 DAVIES, ANEIRIN TALFAN: Edward Matthews, Ewenni. *Barn* 198/199(1979), 71-3; 200(1979), 122-5.

2032 WILLIAMS, IOAN: Capel a chomin: astudiaeth o ffug-chwedlau pedwar llenor Fictoraidd. (Traethawd Ph.D.). Aberystwyth, 1985.
Edward Matthews o Ewenni, Roger Edwards, Gwilym Rees (Hiraethog) a Daniel Owen.

Daniel Owen

2033 BEVAN, HUGH: Rhys Lewis. [Yn] *Beirniadaeth lenyddol: erthyglau* . . . tt. 45-52. *Gw.* rhif 87. (Cyhoeddwyd gyntaf yn *Barn,* Ebrill, Mai (1963), 191-3, 215-16).

2034 CHAPMAN, T.ROBIN: Cloriannu *Rhys Lewis. Taliesin,* 46(1983), 84-91.

2035 —— Enoc Huws a masnach. *Taliesin,* 50(1984), 56-69.

2036 —— Ysbïwr o fewn y muriau — Daniel Owen a'r *Dreflan. Taliesin,* 48(1984), 43-51.

2037 DAVIES, ELEISA: *Cofio Daniel Owen.* [Yr Wyddgrug]: Arg. gan Adran Gwasanaethau Gweinyddiaeth a Rheolaeth, Cyngor Sir Clwyd, 1975. [12]tt.

2038 EAMES, MARION: *Merched y nofelau* = *Women in the novels.* Yr Wyddgrug: Pwyllgor Ystafell Goffa Daniel Owen, [1983]. 12, 13tt. (Darlith goffa Daniel Owen; 8). *Adol.:* E.G. Millward, *LILI,* Hydref (1984), 17.

2039 EDWARDS, HYWEL TEIFI: *Daniel Owen a'r 'gwir'* = *Daniel Owen and the 'truth'.* Yr Wyddgrug: Pwyllgor Ystafell Goffa Daniel Owen, 1978. 27, 27tt. (Darlith goffa Daniel Owen; 3).

2040 ELIS, ISLWYN FFOWC: *Gwen Thomas* [*sic*]. *Bro,* 20(1982), 8-10.

2041 —— *'Straeon y Pentan' Daniel Owen* = *Daniel Owen's 'Straeon y Pentan'.* Yr Wyddgrug: Pwyllgor Ystafell Goffa Daniel Owen, 1981. 24, 24tt. (Darlith goffa Daniel Owen; 6). *Adol.:* E. G. Millward, *LILI,* Gwanwyn (1982), 18; John Rowlands, *Y Faner,* 20.11.81, 15.

2042 GRUFFYDD, R. GERAINT: *Daniel Owen a phregethu* = *Daniel Owen and preaching.* Yr Wyddgrug: Pwyllgor Ystafell Goffa Daniel Owen, 1980. 23, 23tt. (Darlith goffa Daniel Owen; 5). *Adol.:* R. Tudur Jones, *Barn,* 217(1981), 75; D. Ben Rees, *Y Faner,* 17.10.80, 13.

2043 HUGHES, R. ELWYN: Gŵr Gwen Tomos. *Y Faner,* 5.3.82, 5. *Gw.* ymhellach E.G. Millward, 'Daniel Owen a rhyw', *Y Faner,* 26.3.82, 10-11; John Gwilym Jones, 'Y dystiolaeth ddi-sail', *Y Faner,* 2.4.82, 12-13; R. Elwyn Hughes, 'Y cymhelliad cudd yn Gwen Tomos - barn bellach', *Y Faner,* 9.4.82, 21.

2044 JONES, BEDWYR L.: *Llenora a llenydda -dwy yrfa Daniel Owen* = *The two phases of Daniel Owen's career as a writer.* Yr Wyddgrug: Pwyllgor Ystafell Goffa Daniel Owen, 1982. 23, 23tt. (Darlith goffa Daniel Owen; 7).

2045 JONES, DAFYDD GLYN: Rhai storïau am blentyndod. *YB,* 9(1976), 255-73. [Trafodir *Rhys Lewis*].

2046 JONES, JOHN GWILYM: *Enoc Huws.* [Yn] *Swyddogaeth beirniadaeth ac ysgrifau eraill. . .* tt. 238-50. *Gw.* rhif 113. (Cyhoeddwyd gyntaf yn *YB,* 2(1966), 12-24).

2047 JONES, JOHN GWILYM: *Nofelydd yr Wyddgrug* = *The novelist from Mold*. Yr Wyddgrug: Pwyllgor Ystafell Goffa Daniel Owen, 1976. 20, 18tt. (Darlith goffa Daniel Owen; 1.) *Rev.:* Tudor Wilson Evans, *AWR*, 61(1978), 108-12.

2048 JONES, R.M.: Daniel Owen a'r trychineb mawr. [Yn] *Llên Cymru a chrefydd* . . . tt. 497-524. *Gw.* rhif 117.

2049 —— Tri mewn llenyddiaeth. *LIC*, 14(1981/82), 92-110.

2050 MILLWARD, E. G.: Teulu llenyddol Daniel Owen. *Y Faner*, 15.7.77, 13-14.

2051 —— *Tylwyth llenyddol Daniel Owen neu Yr artist yn ei gynefin* = *The literary relations of Daniel Owen or The artist in context*. Yr Wyddgrug: Pwyllgor Ystafell Goffa Daniel Owen, 1979. 20, 21tt. (Darlith goffa Daniel Owen; 4).

2052 —— Ysgrifau 'anhysbys' Daniel Owen. *LIC*, 14(1983/84), 253-76.

2053 MORGAN, DEREC LLWYD: *Daniel Owen a Methodistiaeth* = *Daniel Owen and Methodism*. Yr Wyddgrug: Pwyllgor Ystafell Goffa Daniel Owen, 1977. 24, 24tt. (Darlith goffa Daniel Owen; 2). Cyhoeddwyd hefyd yn *Pobl Pantycelyn* . . . tt. 111-30. *Gw.* rhif 1568. *Adol.:* E.G. Millward, *Y Faner*, 5.5.78, 19.

2054 OWEN, JAMES DEGWEL: Y plentyn mewn cymdeithas — astudiaeth o agweddau ar blentyndod yn ail hanner y bedwaredd ganrif ar bymtheg yng Nghymru, fel y'i amlygir mewn llenyddiaeth. (Traethawd M. Ed.). Abertawe, 1979. [Cyfeirir yn arbennig at weithiau Daniel Owen.]

2055 WILIAM, URIEN (GOL.): *Daniel Owen — detholiad o erthyglau. Cyfrol 1.* Llandybïe: Gwasg Christopher Davies, 1983. 310tt. (Cyfres y meistri; 4).

2056 ——*Daniel Owen — detholiad o erthyglau. Cyfrol 2.* Llandybïe: Gwasg Christopher Davies, 1983. tt. 311-574. (Cyfres y meistri; 5).

2057 WILLIAMS, IOAN: Capel a chomin: astudiaeth o ffug-chwedlau pedwar llenor Fictoraidd. (Traethawd Ph. D.). Aberystwyth, 1985.
Edward Matthews o Ewenni, Roger Edwards, Gwilym Rees (Hiraethog), a Daniel Owen.

2058 ——Rhoi pethau at ei gilydd: *Y Dreflan* a *Rhys Lewis*. [Yn] *Y nofel* . . . tt. 28-33. *Gw.* rhif 2808.

2059 WILLIAMS, J.E. CAERWYN: Daniel Owen — datblygiad cynnar y nofelydd. *LIC*, 15(1984/86), 133-58.

2060 WILLIAMS, J.E. CAERWYN: *Defnydd nofelydd = The makings of a novelist*. Yr Wyddgrug: Pwyllgor Ystafell Goffa Daniel Owen, 1984. 8, 8tt. (Darlith goffa Daniel Owen; 9).

2061 WILLIAMS, T. CEIRIOG: Y ffyrlong, ffrwythlon, ffraeth. *Barn*, 197(1979), 17-18.

2062 WYNNE-WOODHOUSE, BILL: Daniel Owen, the novelist - family history. *HA*, 12(1984), 11-17.

David Owen (Brutus)

2063 EDWARDS, HYWEL TEIFI: *Wil Brydydd y Coed*. *Barn*. 157(1976), 67-8; 158(1976), 96-7; 159(1976), 131-2; 160(1976), 165-6.

Samuel Roberts, Llanbrynmair

2064 EVANS, IFAN WYN: Samuel Roberts (S.R.) (1800-1885). [Yn] *Oriel o heddychwyr mawr y byd;* golygydd D. Ben Rees. Lerpwl: Cyhoeddiadau Modern Cymreig, 1983. tt. 9-17.

2065 REES, D. BEN: Samuel Roberts ('S.R.') Llanbrynmair (1800-1885). [Yn] *Dal i herio'r byd;* golygwyd gan D. Ben Rees. Lerpwl: Cyhoeddiadau Modern Cymreig, 1983. tt. 15-24.

Owen Thomas

2066 REES, D. BEN: *Pregethwr y bobl: bywyd a gwaith Dr. Owen Thomas*. Lerpwl: Cyhoeddiadau Modern Cymreig, 1979. 333tt. *Adol.:* E. H. Griffiths, *Yr Eurgrawn*, 171(1979), 164-8; E. R. Lloyd-Jones, *Taliesin*, 39(1979), 98-9; D. J. Roberts, *Barn*, 198/199(1979), 100-1; J.E. Caerwyn Williams, *Y Traethodydd*, 136(1981), 219-20.

V. YSGOLHEICTOD

(i) Cyffredinol

2067 THOMAS, BEN BOWEN: The Cambrians and the nineteenth-century crisis in Welsh studies, 1847-1870. *ArchC*, 127(1978), 1-15.

(ii) Ysgolheigion unigol
Charles Ashton

2068 ASHTON, GLYN M.: Charles Ashton (1848-99). *CCHChSF*, 8(1977), 61-70.

2069 —— Charles Ashton (1848-99). *MC*, 63(1973) [1974], 47-73.

Thomas Edwards (Caerfallwch)

2070 JONES, ELWYN L.: Dirgelwch Caerfallwch. *Y Casglwr*, 19(1983), 16.

Daniel Silvan Evans

2071 JONES, ELIZABETH G.: Daniel Silvan Evans a Bro Ddyfi. *Barn*, 194(1979), 564-6.

2072 PARRY, THOMAS: Daniel Silvan Evans, 1818-1903. *THSC*, 1981, 109-25.

Angharad Llwyd

2073 ELLIS, MARY: Angharad Llwyd, 1780-1866. *JFHS*, 26(1973/74), 52-95; 27(1975/76), 43-84.

2074 —— Angharad Llwyd, 1780-1866. *Taliesin*, 52(1985), 10-43; 53(1985), 20-31.

2075 —— Angharad Llwyd, 1780-1866. [Yn] *Y Rhyl a'r cyffiniau* . . . (Bro'r Eisteddfod; 5), tt. 60-78. *Gw.* rhif 2030.

2076 —— Angharad Llwyd a'r eisteddfod. *Barn*, 198/199(1979), 43-7

Thomas Price (Carnhuanawc)

2077 THOMAS, MAIR ELVET: Carnhuanawc: Y Parch. Thomas Price, Cwm-du. [Yn] *Afiaith yng Ngwent* . . . tt. 109-17. *Gw.* rhif 1834.

2078 WILLIAMS, STEPHEN J.: Carnhuanawc (1787-1848) eisteddfodwr ac ysgolhaig. [Yn] *Beirdd ac eisteddfodwyr: erthyglau*. . . tt. 47-74. *Gw.* rhif 1838. (Cyhoeddwyd gyntaf yn *THSC*, 1954, 18-30

Robert John Pryse (Gweirydd ap Rhys)

2079 RICHARDS, THOMAS: 'Gweirydd ap Rhys'. [Yn] *Rhwng y silffoedd: ysgrifau:* golygwyd gan Derwyn Jones a Gwilym B. Owen. Dinbych: Gwasg Gee, 1978. tt. 100-4.

2080 WILLIAMS, STEPHEN J.: Thomas Stephens a Gweirydd ap Rhys. [Yn] *Beirdd ac eisteddfodwyr: erthyglau*. . . tt. 113-27. *Gw.* rhif 1838. (Cyhoeddwyd gyntaf yn *Gwŷr llên y bedwaredd ganrif ar bymtheg a'u cefndir*; gol. Dyfnallt Morgan (1968)).

Ellis Roberts (Elis Wyn o Wyrfai)

2081 ELLIS, MARY: Ail-gloriannu Elis Wyn o Wyrfai. *Y Faner*, 30.3.84, 12-13. Awdur *Llanaber* a *Llan Cwm Awen*.

2082 —— *Llan Cwm Awen*. *HG*, Hydref (1982), 8-13; Gaeaf (1982), 5-8.

William Rowlands (Gwilym Lleyn)

2083 THOMAS, BENDI: Gwilym Lleyn and his family. *TCHSG*, 45(1984), 79-92.

Thomas Stephens

2084 THOMAS, MAIR ELVET: Thomas Stephens: hanes ei fywyd: *The Literature of the Kymry*. [Yn] *Afiaith yng Ngwent* . . . tt. 93-108. *Gw.* rhif 1834.

2085 WILLIAMS, STEPHEN J.: Thomas Stephens a Gweirydd ap Rhys. [Yn] *Beirdd ac eisteddfodwyr: erthyglau*. . . tt. 113-27. *Gw.* rhif 1838. (Cyhoeddwyd gyntaf yn *Gwŷr llên y bedwaredd ganrif ar bymtheg a'u cefndir*; gol. Dyfnallt Morgan (1968)).

John Williams ab Ithel

2086 ELLIS, MARY: John Williams ab Ithel (1811-1862). *HG*, Gwanwyn (1983), 25-30.

VI. CYMDEITHAS DAFYDD AP GWILYM

2087 WILLIAMS, ARTHUR TUDNO: Cymdeithas Dafydd ap Gwilym: yr ail gyfnod. *Y Traethodydd*, 135(1980), 176-203.

2088 WILLIAMS, J.E. CAERWYN: Cyfraniad Cymdeithas Dafydd ap Gwilym: y blynyddoedd cynnar. *Y Traethodydd*, 138(1983), 184-98. Cywiriad: *Y Traethodydd*, 139(1984), 65.

VII. CERDDI A BALEDI

(i) Cyffredinol

2089 CULE, JOHN: *Wales and medicine. A source-list for printed books and papers showing the history of medicine in relation to Wales and Welshmen*. pp. 3-13 Ballads. *Gw.* rhif 38.

2090 JAMES, ALLAN: Y gân werin a'r traddodiad llafar. *CLIGC*, 20(1978), 329-41.

2091 JONES, TEGWYN: *Tribannau Morgannwg*; casglwyd gan Tegwyn Jones; gyda nodiadau ar rai ceinciau triban gan Daniel Huws. Llandysul: Gwasg Gomer, 1976. 242tt.

2092 MILLWARD, E. G.: Byd y baledwr. *Y Faner*, 19.5.78, 17-18.

2093 MORGAN, GERALD: Baledi o'r hen ganrif. *Y Casglwr*, 13(1981), 8.

2094 —— Hela'r hen faledi. *Y Casglwr*, 7(1929), 5.

2095 —— Tranc y faled Gymraeg. *HG*, Gaeaf (1978), 27-34.

2096 OWEN, DAFYDD: *I fyd y faled*. Dinbych: Gwasg Gee, 1986. 320tt. *Gw.* rhif 1630.
tt. 109-245. Y bedwaredd ganrif ar bymtheg.

2097 ROBERTS, GOMER M.: Hen faledi'r glowyr. *Y Casglwr*, 15(1981), 13.

(ii)   Y baledwyr
Owen Griffith (Ywain Meirion)

2098   JONES, TEGWYN: *Baledi Ywain Meirion.* Y Bala: Llyfrau'r Faner, 1980. xxxv, 225tt. (Ceir nodiadau ar rai o'r alawon gan Daniel Huws.) *Adol.*: Meredydd Evans, *LILI,* Hydref (1980), 26; D. Roy Saer, *Y Faner,* 6.6.80, 16.

Dafydd Jones, Llanybydder

2099   JONES, D. J. ODWYN: Dafydd Jones o Lanybydder (1803-1868). *Y Faner,* 24.3.78, 10.

(iii)   Cerddi unigol

2100   ROBERTS, GOMER M.: Cân y mochyn du. [Yn] *Crogi Dic Penderyn: sgyrsiau ac ysgrifau.* Llandysul: Gwasg Gomer, 1977. tt. 58-60.

ADRAN Ff

I. CYFFREDINOL

2101 ALAN LLWYD: *Barddoniaeth y chwedegau — astudiaeth lenyddol-hanesyddol.* [s.l.]: Cyhoeddiadau Barddas, 1986. 646tt.

2102 —— Crefft y bardd. *Barn,* 201(1979), 190-1; 202(1979), 229-30; 203/204 (1979), 295-6; 205(1980), 32-3; 207/208(1980), 138-9.

2103 —— Golygyddol - Canu cynganeddol cyfoes. *Barddas,* 104/105 (1985/86), 8-9.

2104 —— Ieithwedd barddoniaeth gyfoes. *Barddas,* 86(1984), 4-5.

2105 —— Lle'r gynghanedd yn ein barddoniaeth. *Barn,* 198/199(1979), 105-7; 200(1979), 150-2.

2106 —— Mae'r tempo wedi newid (rhai agweddau ar y cefndir cymdeithasol i farddoniaeth y chwedegau). *Taliesin,* 49(1984), 9-48. *Gw.* rhif 2101.

2107 —— Moderniaeth a thraddodiad. (Anerchiad yng Nghynhadledd Barddas). *Barn,* 263(1984), 421-3.

2108 —— Y tir gelyniaethus — problemau'r bardd cyfoes. *Barddas,* 61(1982), 1-2, 7; 62(1982), 5-7; 65(1982), 8-12. *Gw. hefyd* T. Llew Jones, *Barddas,* 63(1982), 3.

2109 ALAN LLWYD (GOL.): *Trafod cerdd dafod y dydd.* [s.l.]: Cyhoeddiadau Barddas, 1984. 236tt. *Adol.:* J. Arwel Thomas, *Barddas,* 98(1985), 15; Gruffydd Aled Williams. *LILI,* Gwanwyn (1985), 13.

Yn cynnwys: Rhagymadrodd (Alan Llwyd). 'Plwc y gynghanedd' (Gareth Alban Davies, Euros Bowen, — o *Taliesin* 11(1965)). Diben ac estheteg y gynghanedd (Alan Llwyd). Apologia Pelagiws — golwg bersonol ar yr englyn (T. Arfon Williams). Arbrofi cyfoes â'r gynghanedd a'i mesurau (Emrys Roberts). Posibiliadau'r gynghanedd heddiw (Euros Bowen, — o *Taliesin* 35(1977)). Posibiliadau'r *Vers Libre* cynganeddol (Donald Evans). Cynghanedd a barddoniaeth fodern (Gwilym R. Jones). Cyfoesedd y gynghanedd (Gwyn Thomas). Gormes y gynghanedd (Thomas Parry, — o *Barddas* 13(1977)). Cyfrifoldeb yr Eisteddfod - a'i dyletswydd (Geraint Bowen, — o *Barddas* 37 (1980)). Nid gormes llên ond dadeni (Donald Evans, — o *Barddas* 26(1979)). Barddoniaeth gynganeddol 1969-1981 (Gwynn ap Gwilym). Barddoniaeth gynganeddol ddiweddar (Moses Glyn Jones).

2110 ALLCHIN, A.M.: *The dynamic of tradition.* London: Darton, Longman and Todd, 1981. viii, 151pp.

pp. 78-93, 134-5, 'Welsh tradition'.

2111　ALLCHIN, A.M.: 'Llun y gair oll yn agored': yr elfen sagrafennaidd mewn barddoniaeth Gymraeg ddiweddar. *Y Traethodydd*, 133(1978), 110-19. (Cyfieithwyd i'r Gymraeg gan Bedwyr L. Jones).

2112　—— Two worlds in one. [In] *The world is a wedding: explorations in Christian spirituality.* London: Darton, Longman, and Todd, 1978. pp. 38-52.
Trafodir gweithiau Bobi Jones, Waldo Williams, Euros Bowen a J. M. Edwards.

2113　BIANCHI, TONY: *Arolwg ar waith y Pwyllgor Llenyddiaeth, 1968 i 1983.* Caerdydd: Cyngor Celfyddydau Cymru, 1983. 64tt. (Teipsgript).

2114　BOWEN, EUROS: Barddoniaeth draddodiadol a barddoniaeth ddiweddar. *Y Genhinen*, 27(1977), 191-200.

2115　—— Posibiliadau'r gynghanedd heddiw. *Taliesin*, 35(1977), 36-52.

2116　BOWEN, GERAINT (GOL.): *Y traddodiad rhyddiaith yn yr ugeinfed ganrif.* Llandysul: Gwasg Gomer, 1976. 397tt. (Darlithiau Dewi Sant).
Cynnwys: Emrys ap Iwan (Alun Llywelyn-Williams). O. M. Edwards (E. G. Millward). John Morris-Jones (Geraint Bowen). Newyddiaduriaeth (D. Tecwyn Lloyd). Y nofel (Glyn Ashton). Cofiannau ac atgofiannau (Bedwyr L. Jones). Y stori fer (Derec Llwyd Morgan). Yr ysgrif (Emrys Parry). Y ddrama ryddiaith (Dafydd Glyn Jones). Rhyddiaith gwyddoniaeth (Eirwen Gwynn). Rhyddiaith athroniaeth a diwinyddiaeth (R. Tudur Jones). Rhyddiaith ysgolheigion a haneswyr (J.E. Caerwyn Williams). Safonau ysgrifennu rhyddiaith (T.J. Morgan). Rhai o dueddiadau rhyddiaith y ganrif (D. Myrddin Lloyd).

2117　CURTIS, KATHRYN et al.: Merched a llenyddiaeth. *Y Traethodydd*, 141(1986), 6-84.
Yn cynnwys: Beirdd benywaidd yng Nghymru cyn 1800. Traddodiad unllygeidiog. Beirniadaeth lenyddol ffeminist.

2118　DAFYDD, LOWRI A.: Moderniaeth mewn llenyddiaeth Gymraeg. (Traethawd M.A.). Aberystwyth, 1982.

2119　DAVIES, BRYAN MARTIN: Barddoniaeth Gymraeg yr wythdegau. *Barddas*, 104/105 (1985/86), 27-9.

2120　DAVIES, DEWI EIRUG: Yr adwaith i ryddfrydiaeth ddiwinyddol yng Nghymru 1927-77, gan roi pwyslais arbennig ar ddiwinyddiaeth Feiblaidd. (Traethawd Ph.D.). Aberystwyth, 1983.

2121　—— *Diwinyddiaeth yng Nghymru, 1927-1977.* Llandysul: Gwasg Gomer, 1984. xv, 358tt. *Adol.*: E. R. Lloyd-Jones, *Taliesin*, 50(1984), 90-3; Edwin Pryce Jones, *Y Traethodydd*, 140(1985), 106-12, 85.

2122　DAVIES, GARETH ALBAN: Y bardd a'i gynulleidfa. *Y Traethodydd*, 137(1982), 172-82.

2123 DAVIES, GARETH ALBAN: A poet and his audience. *PW*, 16/3(1981), 72-8.

2124 EDWARDS, ANEURIN O.: *Atgofion am bymtheg o wŷr llên yr ugeinfed ganrif.* Pontypridd: Cyhoeddiadau Modern Cymreig, 1975. 113tt.

2125 ENWOGION Tawe. *Barn*, 234/235(1982), 189-98.
Yn cynnwys sylwadau ar: T.J. Morgan (J. E. Caerwyn Williams); Stephen J. Williams a Henry Lewis (Pennar Davies); Crwys a J. J. Williams (Degwel Owen).

2126 EVANS, DONALD: Awdlau cadeiriol yr Eisteddfod Genedlaethol, 1900-1982. *Barn*, (Atodiad rhifyn yr Eisteddfod) 1983, 12-15.

2127 —— Barddoniaeth y saithdegau a'r wythdegau. *Barddas*, 106(1986), 6; 109(1986), 11.

2128 —— Pryddestau coronog yr Eisteddfod Genedlaethol, 1900-1983. *Barn*, 259(1984), 277-80.

2129 GARRETT, JEFFREY: Publishing for children in Celtic languages. *CCN*, 4(1986), 23-9.

2130 GRIFFITHS, BRUCE: Llên Cymru a rhyfel. *Y Casglwr*, 15(1981), 14-15.

2131 GRIFFITHS, J. GWYN: Y ffynhonnau ir. [Dathlu canmlwyddiant sefydlu Coleg y Brifysgol, Caerdydd]. *Barn*, 255(1984), 99-102; 256(1984), 147-50.
Trafodir cyfraniad Thomas Powel, W.J. Gruffydd, a G.J. Williams.

2132 GRUFFUDD, HEINI: *Achub Cymru: golwg ar gan mlynedd o ysgrifennu am Gymru.* Talybont: Y Lolfa, 1983. 176tt.

2133 —— Teyrngarwch cymysg rhai o lenorion Cymru. *Taliesin*, 33(1976), 29-37.

2134 GWILYM, LOWRI: Theory and criticism in the Welsh literary revival with special reference to contemporary periodicals, 1891-1919. (M. Litt. Thesis). Oxford, 1979.

2135 GWYNN AP GWILYM: Astudiaeth gymharol o farddoniaeth fodern Gymraeg a Gwyddeleg. (Traethawd M.A.). Bangor, 1976.

2136 —— Crist y bardd. *Barddas*, 104/105 (1985/86), 1-6.

2137 JAMES, LOWRI A.: Barddoniaeth 1984. *Barddas*, 92/93 (1984/85), 7-10.

2138 —— Moderniaeth mewn llenyddiaeth Gymraeg. (Traethawd M.A.). Aberystwyth, 1983.

2139 JARVIS, BRANWEN: Aspects of Welsh poetry in the twentieth century. *Caliban*, 18(1981), 7-20.

2140 JONES, BOBI: Y bardd-bregethwr, 1902-1936. *Barn,* 242(1983), 76-7.

2141 —— Cyweiriau'r iaith lenyddol. *Barddas,* 92/93(1984/85), 23-4.

2142 —— Vers Libre ac yn y blaen. *Barddas,* 90(1984), 1-2.

2143 JONES, DAFYDD GLYN: Criticism in Welsh. *PW,* 15/3(1979/80), 84-109.
John Morris-Jones, Saunders Lewis, W.J. Gruffydd, Bobi Jones, ac eraill, fel beirniaid llenyddol.

2144 JONES, DEWI STEPHEN: Y corwynt a'r anadl groyw. Barddoniaeth 1986. *Barddas,* 111/112(1986), 4-10.

2145 JONES, EINIR VAUGHAN: Datblygiad y Vers Libre yn Gymraeg. (Traethawd M.A.). Bangor, 1978.

2146 JONES, GLYN and ROWLANDS, JOHN: *Profiles: a visitor's guide to writing in twentieth century Wales.* Llandysul: Gomer Press, 1980. xxxi, 382pp.

2147 JONES, GWILYM R.: Mae'r wers rydd wedi ennill ei phlwyf. *Barddas,* 46(1980), 4-6; 47(1980), 3; 49/50(1981), 4-5; 54(1981), 14.

2148 —— Propaganda mewn llenyddiaeth. *Barddas,* 51(1981), 2-3.

2149 JONES, JOHN GWILYM: Y broses greadigol. *Y Traethodydd,* 135(1980), 62-72.
Cyfeirir yn arbennig at weithiau T. Gwynn Jones, R. Williams Parry, a T.H. Parry-Williams.

2150 —— *Crefft y llenor.* Dinbych: Gwasg Gee, 1977. 86tt. *Adol.:* H.J. Hughes, *Taliesin,* 36(1978), 107-8.

2151 —— Hunangofiant fel llenyddiaeth. [Yn] *Swyddogaeth beirniadaeth ac ysgrifau eraill. . .* tt. 182-98. *Gw.* rhif 113. [Cyhoeddwyd yn wreiddiol yn *YB,* 3(1967), 127-42].
Sylwir yn arbennig ar *Hen atgofion* (W. J. Gruffydd) a *Hen Dŷ Ffarm* (D. J. Williams).

2152 —— Moderniaeth mewn barddoniaeth. [Yn] *Swyddogaeth beirniadaeth ac ysgrifau eraill. . .* tt. 113-34. *Gw.* rhif 113. [Cyfuniad o ddwy ysgrif: *Y Traethodydd,* 123(1968), 1-11; *YB,* 5(1979), 167-80].

2153 JONES, MEINIR PIERCE: Yr awel o Ffrainc. *Y Traethodydd,* 141(1986), 178-95.
Sylwadau ar R.T. Jenkins, Saunders Lewis a W.J. Gruffydd.

2154 JONES, R. GERALLT: Contemporary writing in the Welsh language. [In] *For a Celtic future: a tribute to Alan Heusaff;* edited by Cathal Ó Luain. [s.l.]: The Celtic League, [1984]. pp. 155-71. Cyhoeddwyd hefyd yn *AWR,* 77(1984), 56-69.

2155 JONES, R. GERALLT (GOL.): *Dathlu: cynnyrch llenyddol dathliadau chwarter-can-mlwyddiant sefydlu'r Academi Gymreig.* Caerdydd: Yr Academi Gymreig, 1986. 158tt.

Yn cynnwys: Dechreuadau'r Academi (Bobi Jones). Naws llenyddol y pum-degau (R. Gerallt Jones). Cip ar ganu chwarter canrif (Bedwyr L. Jones). *Gw. hefyd* rif 2431.

2156 JONES, R.M.: Ail ymweld â llenyddiaeth, 1902-36. *Barn,* 177(1977)-210/211(1980). (21 o benodau).

2157 —— Dechrau'r ugeinfed ganrif *a* Y sefyllfa gyfoes. [Yn] *Llên Cymru a chrefydd* . . . tt. 525-55; 556-88. *Gw.* rhif 117.

2158 —— Order, purpose, and resurgence in poetry. *PW,* 11/1(1975), 1-9.

2159 JONES, R. TUDUR: *Ffydd ac argyfwng cenedl: Cristnogaeth a diwylliant yng Nghymru, 1890-1914. Cyfrol 1. Prysurdeb a phryder* . . . *Gw.* rhif 1823.

2160 —— *Ffydd ac argyfwng cenedl: Cristnogaeth a diwylliant yng Nghymru, 1890-1914. Cyfrol 2. Dryswch a diwygiad* . . . *Gw.* rhif 1824.

2161 LLOYD, D. TECWYN: T. Gwynn Jones fel cynghorwr llenyddol. *CLIGC,* 22(1981), 103-25.

2162 —— *Y wers rydd a'i hamserau.* [s.l.]: [Llys yr Eisteddfod Genedlaethol], 1979. 32tt. (Y ddarlith lenyddol flynyddol; 1979).

2163 MILLWARD, E.G.: The long poem in Welsh. *Planet,* 58(1986), 82-9.

2164 ——Rhamantiaeth eisteddfodol. *YB,* 10(1977), 343-56.

2165 MORGAN, DEREC LLWYD (GOL.): *Adnabod deg.* Dinbych: Gwasg Gee, 1977. 153tt. *Adol.:* John Davies, *Barn,* 182(1978), 99-100.

Yn cynnwys: Saunders Lewis (D. Tecwyn Lloyd). D.J. Williams (Harri Pritchard Jones). W. Ambrose Bebb (Gareth Miles). John Dyfnallt Owen (Emrys Jones).

2166 MORGAN, KENNETH O.: *Rebirth of a nation—Wales 1880-1980.* Oxford: Clarendon Press; Cardiff: University of Wales Press, 1981. xiii, 463pp. (History of Wales; vi). Paperback ed., 1982.

2167 MORGAN, PRYS: The character of Welsh society. [In] *Wales: a new study;* edited by David Thomas. Newton Abbot: David and Charles, 1977. 388pp.

pp. 272-90. Welsh literature; Religion and society; National Institutions.

2168 NICHOLAS, W. RHYS: *The folk poets.* Cardiff: University of Wales Press on behalf of the Welsh Arts Council, 1978. 4, [80] pp. (Writers of Wales). *Gw.* rhif 139.

2169 OWEN, DAFYDD: *I fyd y faled*. Dinbych: Gwasg Gee, 1986. 320tt. (tt. 246-307, Yr ugeinfed ganrif).

2170 —— *Ys-gwni*. Porthmadog: Gwasg Tŷ ar y Graig, 1976. 90tt. tt.51-65 'Ar hwyl naddwyr geiriau, anodd rhagori'. [Sylwadau ar gynganeddu'n grefftus].

2171 POWELL, J.G.F.: Dylanwadau clasurol mewn barddoniaeth Gymraeg ddiweddar. *LIC*, 15(1984/86), 159-71.

2172 POWELL, ROBAT: Awdlau'r Genedlaethol o 1945 ymlaen. *Barddas*, 99/100(1985), 21-2.

2173 PRITCHARD, MARGED: *Portreadau'r Faner. Cyfrol 3, Llenorion cyfoes*. Y Bala: Llyfrau'r Faner, 1976. [8], 196tt.

2174 REES, D. BEN: Y Bedyddwyr ac ymhel â llenyddiaeth. *TCHBC*, 1984, 21-9.

2175 —— *Cymry adnabyddus 1952-1972*. Lerpwl: Cyhoeddiadau Modern Cymreig, 1978. 213tt. *Adol.*: E.H. Griffiths, *Porfeydd*, 10(1978), 127-8; W.J. Jones, *Barn*, 186/187 (1978), 309-10; Huw Walters, *Y Genhinen*, 28(1978), 186-7; Gareth Williams, *Y Traethodydd*, 134(1979), 220-1.

2176 —— Profiadau rhai o feirdd crefyddol yr ugeinfed ganrif. *Y Genhinen*, 28(1978), 76-81.

2177 REES, D. BEN (GOL.): *Dyrnaid o awduron cyfoes;* rhagymadrodd gan Dafydd Glyn Jones. Pontypridd: Cyhoeddiadau Modern Cymreig, 1975. 222tt.

2178 ROBERTS, GOMER M.: Cwmgiedd. *Y Genhinen*, 28(1978), 100-2. Hanes diwylliant y fro, a chyfeiriadau at y Parch. William Griffiths 'Gwilym ap Lleision', Capel Iorath.

2179 ROBERTS, MANON WYN: Rhai agweddau ar Sioriaeth a Neo-Sioriaeth Gymraeg. (Traethawd Ph.D.). Aberystwyth, 1984.

2180 ROBIN GWYNDAF [GOL.]: *Gŵr y doniau da: cyfrol goffa i'r Parchedig J.T. Roberts*. Y Bala: Llyfrau'r Faner, 1978. xviii, [335]tt.

2181 ROWLANDS, JOHN: Ein duwiol brydyddion. *WB*, 1985, 13-15. *Gw. hefyd* Hywel D. Lewis, *Barddas*, 101(1985), 1-2; Dafydd Owen, *Barddas*, 101(1985), 9; Dafydd Densil Morgan, *Barddas*, 103(1985), 9-10; Gwilym R. Jones, *Barddas*, 104/105(1986), 15.

2182 —— Ein llenorion cerddorol. *YB*, 10(1977), 357-78.

2183 —— Literature in Welsh. [In] *The arts in Wales, 1950-75;* edited by Meic Stephens. Cardiff: Welsh Arts Council, 1979. pp. 167-206.

2184 —— Llenyddiaeth yn Gymraeg. [Yn] *Y celfyddydau yng Nghymru, 1950-75;* golygydd Meic Stephens. Caerdydd: Cyngor Celfyddydau Cymru, 1979. tt. 179-216. *Adol.*: Gwyn Erfyl, *Y Faner*, 5.10.79, 19.

2185 RHYS, ROBERT: Cyflwr ein llenyddiaeth - barddoniaeth. *LILI,* Gwanwyn (1982), 8-10.

2186 SIÔN ALED: Cynghanedd yn y ganrif hon. *Y Faner,* 3.11.78, 6-10.

2187 THOMAS, DAFYDD ELIS: *Traddodiadau fory.* [s.l.]: Llys yr Eisteddfod Genedlaethol, [1983]. 29tt. (Y ddarlith lenyddol flynyddol; 1983).

2188 THOMAS, GWYN: *Golwg ar farddoniaeth ddiweddar.* Llandysul: Gwasg Gomer, 1976. 24tt. (Darlith flynyddol Asgell Addysg Bellach y Preseli; 1975).
Cyfeirir yn arbennig at weithiau Bobi Jones, Euros Bowen, Harri Gwynn, a J. Glyn Davies.

2189 —— Some impressions of recent Welsh poetry. *Cahiers sur la Posie,* 3[1976], 31-43.

2190 THORNE, D.A. (GOL.): *Trafod llenyddiaeth.* Llandysul: Gwasg Gomer, 1977. 78tt.

2191 TILSLEY, GWILYM R.: Awdlau cadeiriol 1960-1980. *Barddas,* 99/100(1985), 1-5.

2192 —— *Crefydd y beirdd.* Abertawe: Tŷ John Penry, 1977. 38tt. (Darlith D.J. James; 1977). *Adol.:* Euros Bowen, *Y Faner,* 10.6.77, 19; R. Gwilym Hughes, *Y Traethodydd,* 132(1977), 159-60; Dafydd Densil Morgan, *CEf,* 16/4(1977), 28-31; Iorwerth C. Peate, *Diwinyddiaeth,* 28(1977), 71-2.
Rhoddir sylw arbennig i T. Gwynn Jones, T.H. Parry-Williams, Gwenallt, a Waldo.

2193 WILLIAMS, HUW LLEWELYN (GOL.): *Braslun o hanes Methodistiaeth Galfinaidd Môn, 1935-1970.* [s.l.]: Henaduriaeth Môn, 1977. 309tt.

2194 WILLIAMS, IWAN LLWYD: Pwysigrwydd 1936 fel trobwynt yn hanes barddoniaeth Gymraeg y ganrif hon. *Y Ddraig,* 1980, 2-5.

2195 WOOD, DOROTHY: Pŵer y gwynt (ym marddoniaeth Cymru). *Y Genhinen,* 29(1979), 119-23.
Cyfeirir at weithiau J. Morris-Jones, T. H. Parry-Williams, R. Williams Parry, Waldo Williams.

II. AGWEDDAU ARBENNIG
Y Wasg

2196 BOWEN, ZONIA: Welsh women's magazines. [In] *For a Celtic future: a tribute to Alan Heusaff;* edited by Cathal Ó Luain. [s.l.]: The Celtic League, 1983. pp. 181-6.

2197 CHAPMAN, T. ROBIN: Amcanion a chyraeddiadau *Y Llenor* W.J. Gruffydd. (Traethawd M.A.). Bangor, 1983.

2198 —— Gruffyddiaeth a'r *Llenor*. *Y Faner*, 20.2.81, 11.

2199 —— Tranc *'Y Llenor'*. *Y Traethodydd*, 139(1984), 59-65. *Gw. hefyd*. J. Gwyn Griffiths, *Y Traethodydd*, 140(1985), 48.

2200 DAVIES, J. IORWERTH: *Argraffwyr sir Drefaldwyn o 1789 ymlaen*. [s.l.]: Cymdeithas Bob Owen, 1981. 15tt. (Darlith flynyddol Cymdeithas Bob Owen; 1981).

2201 —— The history of printing in Montgomeryshire, 1789-1960. *MC*, 65(1977), 57-66; 66(1978), 7-28; 68(1980), 67-85; 70(1982), 71-98; 71(1983), 48-60; 72(1984), 37-44; 73(1985), 38-53.

2202 DAVIES, TUDOR: Gwŷr enwog Eifionydd: John Thomas (Golygydd *Y Geninen*, 1883-1922). *Yr Eurgrawn*, 168(1976), 82-7.

2203 EDWARDS, ERIC: *Y Cylchgrawn Chwarterol* (Cylchdaith Coedpoeth). *Yr Eurgrawn*, 167(1975), 80-3.

2204 GREEN, A.M.W.: *An index to the Transactions of the Carmarthenshire Antiquarian Society, 1905-1977*. Carmarthen: The Society, 1981. ix, 129pp.

2205 GRIFFITHS, J. GWYN: *Y Fflam* (1946-52). *Y Faner*, 9.3.79, 12-13.

2206 GRIFFITHS, RHIDIAN: 'Cyfres y Brifysgol a'r Werin'. *Y Casglwr*, 24(1984), 10.

2207 GRUFFYDD, W.J.: *Nodiadau'r golygydd W.J. Gruffydd — detholiad o nodiadau golygyddol 'Y Llenor'*, gyda rhagymadrodd a sylwadau gan T. Robin Chapman. Llandybïe: Christopher Davies, 1986. 158tt.

2208 GWYN ERFYL (GOL.): *Cyfrol deyrnged Jennie Eirian*. Porthmadog: Tŷ ar y Graig, 1985. 139tt. *Adol.*: Vaughan Hughes, *Y Faner*, 2.8.85, 6-7.
Yn cynnwys: Golygydd *Y Faner* (Emyr Price). Y gymwynas â'r *Faner* (Gwilym Prys Davies).

2209 HABERLY, LOYD: *An American bookbinder in England and Wales: reminiscences of the Seven Acres and Gregynog Presses*. London: Bertram Rota, 1979. 125pp.

2210 HARROP, DOROTHY A: The Gregynog Press. [In] *Gregynog*; edited by Glyn Tegai Hughes, Prys Morgan and J. Gareth Thomas. Cardiff: University of Wales Press, 1977. pp 95-118.

2211 —— *A history of the Gregynog Press*. Pinner, Middlesex: Private Libraries Association, 1980. xv, 266pp., 16p. of plates. *Rev.:* David Jenkins, *LlLl*, Spring (1981), 12-13.

2212 HINCKS, RHISIART: *E. Prosser Rhys, 1901-1945.* Llandysul: Gwasg Gomer, 1980. 201tt. *Adol.*: D.J. Bowen, *Y Cardi*, 16(1981), 50-2; D. Tecwyn Lloyd, *Y Faner*, 29.5.81, 16; Thomas Parry, *LILI*, Haf (1981), 19.
    tt. 143-53 Gwasg Aberystwyth. tt. 159-65 Prynu'r *Faner*. Gw. *hefyd* Rhidian Griffiths 'Rhestr o gyhoeddiadau'r Clwb Llyfrau Cymreig', *Y Casglwr*, 26(1985), 17; D. Myrddin Lloyd, Y Clwb Llyfrau Cymreig, (1937-1952), *LILI*, Haf (1981), 15-16.

2213 HUTCHINS, MICHAEL: *Printing at Gregynog: aspects of a great private press = Argraffu yng Ngregynog: agweddau ar wasg breifat fawr.* Welsh translation by David Jenkins. Cardiff: Welsh Arts Council, 1976. 39pp.

2214 HUWS, RICHARD E.: Argraffwyr Tregaron. *Ceredigion*, 8(1977), 204-9.

2215 —— Einioes y Gazette [*Carmarthen County Gazette*, 7 Hydref 1937-23 Rhagfyr 1937]. *Y Casglwr*, 24(1984), 16.

2216 —— *A history of the House of Spurrell, Carmarthen, 1840-1969.* Ann Arbor, Michigan: University Microfilms International, 1985. 2 vols: (xliii, 352pp; 237pp). (FLA Thesis, 1981).
    Volume 2: A bibliography of works printed and/or published, or jointly published, by the House of Spurrell from 1840-1969.

2217 —— The Lawrence family of Carmarthen and their contribution to the book trade, 1796-1940. *JWBS*, 12(1983/84), 70-9.

2218 IFANS, DAFYDD: R. Williams Parry a'r *Llenor*. *Taliesin*, 54(1985), 5-13; 55(1986), 8-19.

2219 JENKINS, BETHAN TEIFY: Arolwg o'r wasg gyfnodol Gymraeg yn yr ugeinfed ganrif. (Traethawd M.A.). Aberystwyth, 1977.

2220 JENKINS, GWYN: *The Welsh Outlook*, 1914-33. *CLIGC*, 24(1986), 463-92.

2221 JOHN EILIAN: Genedigaeth *Y Ford Gron* — yna'r *Cymro*. *Y Casglwr*, 2(1977), 8.

2222 JONES, BEDWYR L.: Blynyddoedd mawr John Eilian 1930-1934. *Y Faner*, 29.3.85, 18-19.
    Yn cynnwys sylwadau ar *Y Ford Gron* a *Y Cymro*.

2223 JONES, E. D.: Cefndir *Cyfres y Fil*. *Y Casglwr*, 1(1977), 12.

2224 —— Llyfrau Ab Owen - y rhestr lawn. *Y Casglwr*, 2(1977), 12.

2225 JONES, GWILYM R.: Yr hen Faner [*Baner ac Amserau Cymru.*] *Bro*, 2(1977), [8]-[13].

2226 JONES, J. TYSUL: Gwasg Gomer — hanes y wasg. *LILI*, Hydref (1977), 9-11.

2227 —— J.D. Lewis (1859-1914) a hanes Gwasg Gomer. *Ceredigion*, 8(1976), 26-49.

2228 JONES, J. TYSUL: 'Jones y printer' (1872-1955). *Y Faner*, 10.12.82, 8.

2229 JONES, MEINIR PIERCE: Y diddordeb yn Ffrainc ymhlith llenorion *Y Llenor* rhwng y ddau ryfel gyda sylw arbennig i W. Ambrose Bebb. (Traethawd M.A.). Bangor, 1981.

2230 LADIZESKY, KATHLEEN: Aspects of the Gregynog Press, 1930-3. *PL* (3rd series), 7/2(1984), 79-98.

2231 LLOYD, D. TECWYN: *Cymysgadw*. Dinbych: Gwasg Gee, 1986. 113tt. tt.71-5 'Ceidrych a'i gylchgrawn' [*Wales* Keidrych Rhys].

2232 —— Diwedd y bennod - a diwedd y llyfr: cyhoeddi yn Lerpwl. *Y Casglwr*, 2(1977), 2.

2233 —— Newyddiaduriaeth: rhagarweiniad. [Yn] *Y traddodiad rhyddiaith yn yr ugeinfed ganrif* . . . tt. 77-105. *Gw.* rhif 2116.

2234 —— W. J. Gruffydd, golygydd a beirniad diwylliant. *Taliesin*, 43(1981), 18-40.

2235 —— Yng nghwmni Hughes a'i fab. *Barn*, 170(1977), 76-9.

2236 MORGAN, T.J.: Machlud *Y Llenor. Y Traethodydd*, 137(1982), 3-6.

2237 MORGAN, W. ISLWYN: Eira llynedd. (Cip ar hen rifynnau o'r *Gwyliedydd*). *Yr Eurgrawn*, 169(1977), 109-13, 148-52; 170(1978), 25-9, 73-7, 116-20, 163-7.

2238 —— *Yr Eurgrawn Wesleyaidd*. The Welsh Wesleyan Methodist Magazine, 1809-1983. *PWHS*, 44/6(1984), 168-73.

2239 OWEN, IFOR: Y D. J. arall - D. J. Williams, Llanbedr, 1886-1986. *Y Faner*, 22.8.86, 14-15.

2240 OWENS, B.G.: Golygyddiaeth *Seren Gomer*, 1951-1974. *SG*, 70(1978), 2-11, 46-54.

2241 PARRY, THOMAS: 'Cyfres y Sant'. (Cyfres ddwyieithog Gŵyl Dewi, 1928-80). *Y Casglwr*, 10(1980), 5.

2242 PEATE, IORWERTH C.: *Y Gen(h)inen*, 1883-1980. *Y Genhinen*, 29(1979), 149-50.

2243 PRICE EMYR: Crynhoi'r perlau [*Y Crynhoad, 1949-1955*]. *Y Casglwr*, 14(1981), 15. *Gw. hefyd* Iorwerth Jones 'Crynhoad o hanes'. *Y Casglwr*, 16(1982), 14.

2244 PHILLIPS, WILLIAM: *Mynegai i'r 'Traethodydd' 1896-1957*. Caernarfon: Cymdeithas Llyfrgelloedd Cymru, 1980. [7], 266tt.

2245 REES, D. BEN: Aspects of Welsh publishing (1780-1980). [In] *Wales: the cultural heritage.* Ormskirk: G.W. and A. Hesketh, 1981. pp. 61-70.

2246 ROBERTS, BRYNLEY F.: Argraffu yn Aberdâr. *JWBS,* 11(1973/74), 1-53.

2247 ——*Y Casglwr: mynegai i rifynnau 1-25.* [s.l.]: Cymdeithas Bob Owen, 1985. 27tt. (Teipsgript).

2248 —— Printing at Aberdare, 1854-1974. *The Library,* 33(1978), 125-42. *Gw. hefyd: Old Aberdare, volume 3.* [s.l.]: Cynon Valley History Society, 1984. pp. 57-83. (Cynon Valley History Society. Occasional publications; iii.)

2249 ROBERTS, D. HYWEL E. a THOMAS, ELINOR: *Mynegai i 'Taliesin' 1-39(1961-1979).* [Aberystwyth]: Cymdeithas Llyfrgelloedd Cymru, 1982. x, 107tt. (Cyfres mynegeion Cymdeithas Llyfrgelloedd Cymru).

2250 ROBIN GWYNDAF: Y newyddiadurwr lleol: cyfraniad y Parchedig J.T. Roberts. *THSC,* 1977, 231-51.

2251 WICKLEN, S.I.: *History of printers and printing in Llanrwst.* Conway: Cader Idris Books, 1986. 29pp. [Cyhoeddwyd gyntaf yn *TCHSDd,* 33(1984), 26-47].

2252 —— A history of printing in the Conway Valley up to 1914. (M.A. Thesis). Bangor, 1984.

2253 WILLIAMS, J.E. CAERWYN: Hanes *Y Traethodydd. Y Traethodydd,* 136(1981), 34-49.

2254 WILLIAMS, TREFOR L.: Thomas Jones and the *Welsh Outlook. AWR, 64* (1979), 38-46.

III. ADFYWIAD DECHRAU'R GANRIF

2255 LLYWELYN-WILLIAMS, ALUN: *Y nos, y niwl a'r ynys: agweddau ar y profiad rhamantaidd yng Nghymru, 1890-1914.* Caerdydd: Gwasg Prifysgol Cymru, 1983. 191tt. (Adargraffiad clawr papur. Argraffiad cyntaf, 1960).

2256 WILLIAMS, J. E. CAERWYN: Y Marchogion, Y Macwyaid a'r Ford Gron. *YB,* 9(1976), 191-254.

2257 —— T. H. PARRY-WILLIAMS: *Oxoniensis. Y Traethodydd,* 130(1975), 330-9.

IV. CASGLIADAU A CHYFIEITHIADAU

2258 CLANCY, JOSEPH P.: *Twentieth century Welsh poems.* Llandysul: Gwasg Gomer, 1982. 253pp. Introduction, pp xiii-xlvii. *Adol.:* Gwynn ap Gwilym, *Barddas,* 76(1983), 5-7. *Rev.:* Anthony Conran, *PW,* 19/3(1984), 148-54; Idris Ll. Foster, *LILI,* Summer (1983), 8; M. Wynn Thomas, *AWR,* 75(1984), 88-92.

2259 CONRAN, ANTHONY: *Welsh verse.* Second revised ed. . . . *Gw.* rhif 169.

2260 JONES, GWYN: *The Oxford Book of Welsh verse in English* . . . *Gw.* rhif 170.

2261 JONES, R. GERALLT (ED.): *Poetry of Wales 1930-1970: a selection of poems with translations into English.* Llandysul: Gwasg Gomer, 1974. xxiv, 427pp. *Adol.*: Rachel Bromwich, *Barn,* 158(1976), 90-2. *Rev.*: Ioan Williams, *Planet,* 30(1976), 44-50.

2262 MENNA ELFYN (GOL.): *Hel dail gwyrdd.* Llandysul: Gwasg Gomer, 1985. xix, 70tt. *Adol.*: Wendy Lloyd Jones, *Barddas,* 102(1985), 16; Ceridwen Lloyd-Morgan, *LILI,* Haf(1985), 9-10; Gerwyn Williams, *LILI,* Gaeaf(1985), 22.
tt. xi-xvii Rhagymadrodd (i'r antholeg gyntaf o farddoniaeth gan ferched i ymddangos yn y Gymraeg). *Gw. hefyd LILI,* Gaeaf (1984), 6-7.

2263 WILLIAMS, GWYN: *To look for a word: collected translations from Welsh poetry* . . . *Gw.* rhif 171.

2264 WILLIAMS, J. E. CAERWYN *et al.* (GOL.): *Llywelyn y beirdd — blodeugerdd* . . . tt. 151-85. *Gw.* rhif 560.
Cerddi'r beirdd cyfoes wedi eu dethol a'u golygu (gyda rhagymadrodd) gan Alan Llwyd.

V.   AWDURON UNIGOL

2265 BEVAN, HUGH: Adennill tir. [Yn] *Beirniadaeth lenyddol: erthyglau* . . . tt. 82-90. *Gw.* rhif 87.
Sylwadau ar 'Plu'r Gweunydd' (*Yn y wlad,* O. M. Edwards). *Plu'r Gweunydd* (Iorwerth C. Peate), a cherddi J. M. Edwards. (Cyhoeddwyd gyntaf yn *Y Faner,* 14.11.57).

2266 EDWARDS, J.M.: Cwmni diddan. *Y Genhinen,* 26(1976), 137-40.
Henry Lloyd, 'Ap Hefin'; David Griffith, 'Dewi Aeron'.

2267 GWEITHDY'R bardd: bardd y mis. *Barddas,* 45-47(1980); 48-53(1981); 62(1982).
Trafodir y beirdd canlynol: Bryan Martin Davies, Derec Llwyd Morgan, Rhydwen Williams, Moses Glyn Jones, Euros Bowen, T. Llew Jones, Alun Llywelyn-Williams, Donald Evans, Dafydd Owen, Emrys Roberts.

2268 HUMPHREYS, EMYR: Poetry, prison and propaganda. *Planet,* 43(1978), 17-23.
Yn cynnwys sylwadau ar 'Dartmoor' (Gwenallt), 'Haf Bach Mihangel, 1941' (Saunders Lewis) a 'Pa beth yw dyn?' (Waldo), ynghyd â chyfieithiad.

2269 JARVIS, BRANWEN (GOL.): *Trafod cerddi.* Caerdydd: Gwasg Taf, 1985. 56tt. *Adol.*: Manon Wyn Roberts, *Barddas,* 103(1985), 14-15; Ifan Wyn Williams, *LIC,* 15(1984/86), 198-201.

Cynnwys: 'Drudwy Branwen' (R. Williams Parry) gan Bedwyr L. Jones. 'Y dilyw 1939' (Saunders Lewis) gan Gruffydd Aled Williams. 'Broseliawnd' (T. Gwynn Jones) gan Derec Llwyd Morgan. 'Y Gristionogaeth' (Gwenallt) gan Branwen Jarvis.

2270 JENKINS, WYNNE a CURTIS, KATHRYN: *O Fôn i Fynwy. Barn*, 156(1976), 31-2; 157(1976), 101-3.

Sylwadau ar rai o'r cerddi a gyhoeddwyd yn *O Fôn i Fynwy: detholiad o ryddiaith a barddoniaeth*; golygydd John Davies (1973).

2271 JONES, BEDWYR L.: Beirdd y Cilie. *Barddas*, 97(1985), 23.

2272 JONES, MAIRWEN a JONES, GWYNN (GOL.): *Dewiniaid difyr: llenorion plant Cymru hyd tua 1950.* Llandysul: Gwasg Gomer, 1983. xix, 156tt. *Adol.*: Islwyn Ffowc Elis, *Pori*, 2(1984), 16—18; Eleri Rogers, *LILI*, Gaeaf(1983), 12. *Gw. hefyd* 'Bagad gofalon athro' gan Mati Rees, *Taliesin*, 48(1984), 52—8.

Cynnwys: Rhagymadrodd (Mairwen Gwynn Jones). Y cychwyn (Norah Isaac). Thomas Levi (Nia Roberts). Anthropos (Glenys Howells). Winnie Parry (Margaret Hughes). Moelona (Roger Jones Williams). Daniel Williams (Richard Huws). E. Morgan Humphreys (Bedwyr L. Jones). Elizabeth Watkin Jones (R. Maldwyn Thomas). John Ellis Williams (Elfyn Prichard). Hugh Evans (Richard Huws). D.J. Williams (Rheinallt Llwyd). Y cylchgronau (Gwilym Hughes). O.M. Edwards (Gwilym A. Jones). Tegla Davies (Dyddgu Owen). Joseph Jenkins, R. Lloyd Jones a Meuryn (Gwynn Jones). Darluniau mewn llyfrau plant (Ifor Owen). Rhai awduron eraill (Mairwen Gwynn Jones): Hugh Brython Hughes, Lewis Davies, William Llywelyn Williams, Eluned Morgan, W.D. Owen, William Rowland, George Edward Breeze, Fanny Edwards, Jennie Thomas, W.T. Williams, John Pierce.

2273 JONES, T. LLEW: Bois y Cilie. *Bro*, 1(1977), [11]-[25]; 2(1977), [18]-[27]; 3(1978), [13]-[20]; 4(1978), 3-5.

2274 MORGAN, DAFYDD DENSIL: Awen yr ifanc. *Y Genhinen*, 27(1977), 33-8.

Sylwadau ar *Cerddi Alfred St* (Geraint Jarman); *Mwyara* (Menna Elfyn); *Plant Gadara* (Siôn Eirian).

2275 NICHOLAS, W. RHYS: Tri archdderwydd y fro: 1. Dyfed (Evan Rees, 1850-1923). 2. Trefin (Edgar Phillips, 1889-1962). 3. Jâms Niclas (James Nicholas, 1928-). [Yn] *Abergwaun a'r fro. . . (Bro'r Eisteddfod; 6)*, tt. 24-41. *Gw.* rhif 2927.

2276 OWEN, DAFYDD: *Ffurfiau'r awen. Barn*, 156(1976), 30-1; 157(1976), 69-70; 158(1976), 100-1; 159(1976), 135-6; 160(1976), 167-8; 164(1976), 300-1.

Sylwadau ar rai o'r cerddi a gyhoeddwyd yn *Ffurfiau'r awen : detholiad o farddoniaeth Gymraeg*; golygydd W. Leslie Richards (1961).

2277 REES, D. BEN: Profiadau rhai o feirdd crefyddol yr ugeinfed ganrif. *Y Genhinen*, 28(1978), 76-81.

Cyfeirir at Elfed, T.E. Nicholas, Eifion Wyn, Waldo Williams, Eirian Davies, Gwenallt, Pennar Davies, Saunders Lewis, R. Bryn Williams, T.H. Parry-Williams.

2278 REES, IFOR: *Ar glawr*. Llandybïe: Gwasg Christopher Davies, 1983. 165tt.

Cyfres o ysgrifau wedi eu seilio ar y gyfres deledu 'Ar glawr' yn ymdrin â'r canlynol: William Thomas Edwards 'Gwilym Deudraeth', R.G. Berry, T.E. Nicholas, Eifion Wyn, Dewi Emrys, Crwys, William Ambrose Bebb, D.T. Davies, T. Hughes Jones, William Jones(1896-1961), E. Prosser Rhys, James Kitchener Davies, Islwyn Williams, T. Rowland Hughes. Ceir llyfryddiaeth ar ddiwedd pob ysgrif gan B.G. Owens.

2279 THOMAS, GWYN: *Dadansoddi 14*. Llandysul: Gwasg Gomer, 1984. 110tt. *Adol.*: Gilbert E. Ruddock, *Barddas*, 90(1984), 7-8.

Trafodir y cerddi canlynol: 'Y saig' (T. Gwynn Jones); 'Canol oed' (R. Williams Parry); 'Dychwelyd' (T.H. Parry-Williams); 'Y meirwon' (D. Gwenallt Jones); 'Cwrel coch' (Euros Bowen); 'Mewn dau gae' (Waldo Williams); 'Y lleuad a'r tu hwnt' (Alun Llywelyn-Williams); 'Adfeilion' (T. Glynne Davies); 'Traeth y De' (Bobi Jones); 'Delyth (fy merch) yn ddeunaw oed' (Dic Jones); 'Dychwelyd' (Nesta Wyn Jones); 'Yr elyrch ar Lyn Margam' (Alan Llwyd); 'Tân yn y dŵr' (Einir Jones); 'Agro' (Siôn Eirian).

2280 WILLIAMS, ELIN MORRIS: Teulu'r Cilie: nythaid o feirdd gwlad. (Traethawd M.A.). Aberystwyth, 1983.

2281 WOOD, DOROTHY: Tair o gerddi. *Y Genhinen*, 25(1975), 120-3.

'Rhyfeddodau'r wawr' (R. Williams Parry); 'Difiau Dyrchafael' (Saunders Lewis); 'Mewn dau gae' (Waldo Williams).

* * * *

Alan Llwyd

2282 EVANS, DONALD: *Edrych trwy wydrau lledrith*. (Llandybïe, 1975). *Barn*, 231(1982), 100-1; 232(1982), 134-5; 233(1982), 171-2; 234/235(1982), 249-50.

2283 JONES, DERWYN: Barddoniaeth Alan Llwyd. [Yn] *Trafod cerdd dafod y dydd* . . . tt. 215-32. *Gw.* rhif 2109.

2284 MORGAN, DAFYDD DENSIL: Dwy gerdd am Dduw'n ymguddio. *Taliesin*, 44(1982), 18-25.

Trafodaeth ar y cerddi: 'Ein dyddiau didduw' (Alan Llwyd); 'Unigedd' (Alun Idris Jones, *Y Brawd Dewi*).

2285 ROWLANDS, JOHN: John Rowlands yn holi Alan Llwyd. *LILI*, Hydref(1980), 11-14.

W. Ambrose Bebb

2286 CHAPMAN, T. ROBIN: Dau geidwadwr - un ffydd? Tanseilio myth y cyswllt tybiedig rhwng Saunders Lewis ac Ambrose Bebb. *Y Faner,* 9.3.84, 8.

2287 GRIFFITHS, RHIDIAN: *Llyfryddiaeth William Ambrose Bebb: a bibliography.* Aberystwyth: Cymdeithas Llyfrgelloedd Cymru, 1982. viii, 23tt. (Cyfres llyfryddiaethau Cymdeithas Llyfrgelloedd Cymru.)

2288 JONES, EVAN: William Ambrose Bebb. *Y Genhinen,* 25(1975), 89-91.

2289 JONES, MEINIR PIERCE: Y diddordeb yn Ffrainc ymhlith llenorion *Y Llenor* rhwng y ddau ryfel gyda sylw arbennig i W. Ambrose Bebb. (Traethawd M.A.). Bangor, 1981.

2290 LEWIS, SAUNDERS: Llenor yr Hôtel Britannique. [Yn] *Meistri a'u crefft: ysgrifau llenyddol* . . . tt. 53-6. *Gw.* rhif 125. [Cyhoeddwyd yn wreiddiol yn *Gallica: essays presented to J. Haywood Thomas* . . . (Cardiff, 1969)].

2291 LLOYD, D. TECWYN: Taldir a Bebb. *Y Genhinen,* 25(1975), 202-5.

2292 MILES, GARETH: Ambrose Bebb. *Planet,* 37/38(1977), 70-9.

R.G. Berry

2293 CHAPMAN, T. ROBIN: Gwasgaru'r us: R.G. Berry a'r stori fer. *Taliesin,* 44(1982), 26-32.

2294 ETHALL, HUW: Ar drywydd R.G. Berry. *Taliesin,* 47(1983), 70-4.

2295 —— *R.G. Berry—dramodydd, llenor, gweinidog.* Abertawe: Tŷ John Penry, 1985. 133tt. *Adol.:* T. Robin Chapman, *LILl,* Haf(1985), 13; Gwilym R. Jones, *Cristion,* Medi/Hyd. (1985), 21-2.

2296 MILES, MEGAN HUGHES: *Gw.* rhif 2789, tt. 96-105.

Hugh Bevan

2297 GRIFFITHS, J. GWYN: Thomas Hugh Bevan, 1911-1979. *Barn,* 203/204 (1979), 242-4. *Gw. hefyd* rif 87.

Euros Bowen

2298 ALAN LLWYD: *Barddoniaeth Euros Bowen. Cyfrol 1, Cerddi 1946-57.* Abertawe: Christopher Davies, 1977. 324tt. (*Gw. ymhellach* Euros Bowen, *Trin cerddi,* rhif 2301). *Rev.:* Emrys Roberts, *PW,* 14/2 (1978), 121-4.

2299 BEVAN, HUGH: Myfyrio ym Mhenllyn. [Yn] *Beirniadaeth lenyddol: erthyglau* . . . tt.195-204. *Gw.* rhif 87.
Trafodaeth ar *Myfyrion* (1963). Cyhoeddwyd gyntaf yn *Yr Haul a'r Gangell,* (1963), 19-26.

2300 BOWEN, EUROS: From a poem to a poem. *PW*, 11/3(1975), 5-16.

2301 —— *Trin cerddi*. Y Bala: Llyfrau'r Faner, 1978. [ii], iv, 89tt. *Adol.*: Alan Llwyd, *Y Faner*, 13.4.79, 20. (*Gw.* rhif 2298, *ac ymhellach* 'Alan Llwyd yn ateb Euros Bowen', *Barddas*, 21(1978), 6,11.

2302 EARLEY, TOM: Notes on translating Euros Bowen. *PW*, 20/3(1985), 56-9.

2303 EDWARDS, J.M.: 'Difodiant' *a* Barddoniaeth yr 'Elfennau'. [Yn] *Y crefftwyr ac ysgrifau eraill*. Abertawe: Christopher Davies, 1976. tt. 85-95, 96-106.

2304 JONES, GWILYM R.: Trin dau ddarn. *Barddas*, 48(1981), 5.
Yn cynnwys sylwadau ar 'Brain'.

Dilys Cadwaladr

2305 ROBERTS, EIGRA LEWIS (GOL.): *Merch yr oriau mawr: Dilys Cadwaladr.* Caernarfon: Tŷ ar y Graig, 1981. 126tt. *Adol.*: Marged Dafydd, *LILI*, Gwanwyn(1982), 16-17; T. Llew Jones, *Y Faner*, 22.1.82, 12-13.

Aneirin Talfan Davies

2306 OLDFIELD-DAVIES, ALUN *et al.*: Er cof am Aneirin Talfan Davies, 1909-1980: teyrngedau. *Barn*, 210/211 (1980), 223-8.

Bryan Martin Davies

2307 EVANS, DONALD: *Darluniau ar gynfas* — trafodaeth. *Barddas*, 98(1985), 8-9.

2308 JOHNSTON, DAVID: Dadansoddi 'Y pocer'. (*Lleoedd*, 1984). *Barddas*, 111/112 (1986), 22-3.

2309 LLWYD, RHEINALLT: Rheinallt Llwyd yn holi'r bardd Bryan Martin Davies. *LILI*, Hydref (1984), 5-7.

D. Jacob Davies

2310 JONES, J. ERIC (GOL.): *Dyn bach o'r wlad - cyfrol deyrnged i D. Jacob Davies.* Caernarfon: Tŷ ar y Graig, 1984. 144tt.
Yn cynnwys: Y golygydd (Elwyn Davies). *Dyddiau main* (T. James Jones). Darnau digri (Eiry Palfrey). Ei farddoniaeth (Donald Evans). Emynau'r Fflam (J. Eric Jones).

E. Tegla Davies

2311 DAVIES, PENNAR: *E. Tegla Davies*. Cardiff: University of Wales Press on behalf of the Welsh Arts Council, 1983. 101pp. (Writers of Wales). *Adol.*: Islwyn Ffowc Elis, *Y Traethodydd*, 139(1984), 110-12; Huw Ethall, *Taliesin*, 53(1985), 71-2; *Rev.*: Bedwyr L. Jones, *CHC*, 12(1984), 285-7; M. Wynn Thomas, *AWR*, 77(1984), 113-14; Gwilym R. Tilsley, *LILI*, Spring (1984), 11.

2312 ELIS, ISLWYN FFOWC: *Dirgelwch Tegla.* [s. l.]: Eisteddfod Genedlaethol Cymru, Wrecsam a'r cylch, 1977. [4], 23tt. (Y ddarlith lenyddol flynyddol; 1977). *Gw. hefyd* E.H. Griffiths: 'Dirgelwch Tegla', *Yr Eurgrawn,* 169(1977), 165-70; *Y Faner,* 14.10.77, 11-12. *Adol.:* Huw Ethall, *Barn,* 177(1977), 343.

2313 ETHALL, HUW: *Tegla.* Abertawe: Tŷ John Penry, 1980. 237tt. *Adol.:* Gwyn Erfyl, *Barn,* 217(1981), 77-8; D. Eirwyn Morgan, *Porfeydd,* 13(1981), 29-31; W. Eifion Powell, *Y Faner,* 26.9.80, 17. *Ysgrifau adolygiadol:* Islwyn Ffowc Elis, *Y Traethodydd,* 137(1982), 133-40; Dafydd Jenkins, *Taliesin,* 42(1981), 9-24; Selyf Roberts, *Yr Eurgrawn,* 172(1980), 176-80.

2314 —— Tegla a byd natur. *Taliesin,* 45(1982), 53-9.

2315 GRIFFITHS, E.H.: Tegla — llenor mawr y plant. *Yr Eurgrawn,* 172(1980), 94-101, 104-20.

2316 HUGHES, GLYN TEGAI: Nodyn ar nofelau Tegla. *Yr Eurgrawn,* 172(1980), 86-94.

2317 LEWIS, RICHARD H.: Tegla - llenor y plant. *Barn,* 214(1980), 336-7.

2318 LLOYD, D. TECWYN: Anturiaethau hen ffrindiau. *Y Traethodydd,* 130(1975), 160-6.
   The Adventures of Mrs Wishing-to-be (Alice Corkran) a Hen ffrindiau (Tegla).

2319 MORGAN, DAFYDD DENSIL: Troedigaeth Gŵr Pen y Bryn. *Y Faner,* 9.9.77, 13-14.

2320 POWELL, W. EIFION: Cyfraniad Tegla. *Yr Eurgrawn,* 172(1980), 51-6.

2321 —— Diwinyddiaeth Tegla. *Diwinyddiaeth,* 31(1980), 66-75.

2322 ROBERTS, GRIFFITH T.: E. Tegla Davies: llenor ac athro. *Yr Eurgrawn,* 172(1980), 56-61.

2323 ROBERTS, SELYF: Ysgrifau Tegla. *Yr Eurgrawn,* 172(1980), 80-6.

J. Eirian Davies

2324 OWEN, DAFYDD: Awen J. Eirian Davies. *Barddas,* 114 (1986), 7-9.

James Kitchener Davies

2325 DAVIES, MAIR I.(GOL.): *Gwaith James Kitchener Davies.* Llandysul: Gwasg Gomer, 1980. 260tt. *Adol.:* Gwyn Erfyl, *Taliesin,* 42(1981), 103-5; Bobi Jones, *LILI,* Gaeaf(1980), 20; Gwilym R. Jones, *Barn,* 213(1980), 323. *Rev.:* Pennar Davies, *PW,* 17/3(1982), 36-9.

2326 JONES, GWYN: Three poetical prayer-makers of the Island of Britain. *PBA,* 67(1981)[1982], 249-65.
   Cynddelw Brydydd Mawr, James Kitchener Davies a Saunders Lewis.

2327 POETRY WALES — special feature on James Kitchener Davies. *PW*, 17/3(1982), 7-35.

Contents: 'The sound of the wind that is blowing'. (A translation by Joseph Clancy of 'Sŵn y gwynt sy'n chwythu'). Adfyw (J. Kitchener Davies). 'Treiddier trwy bob newid' (Ioan Williams). James Kitchener Davies (Rhydwen Williams). The metaphysic of the text: a consumer's guide to 'Sŵn y gwynt sy'n chwythu' (Tim Williams).

2328 WILLIAMS, IOAN: *Kitchener Davies.* Caernarfon: Gwasg Pantycelyn, 1984. 59tt. (Llên y llenor). *Adol.:* Rhisiart Hincks, *Y Traethodydd*, 141(1986), 134; John Rowlands, *LILI*, Gaeaf(1985), 11-12.

tt 57-9 Llyfryddiaeth: i. Storïau, erthyglau ac ysgrifau gan Kitchener Davies. ii. Adolygiadau ac erthyglau ar agweddau gwahanol o waith Kitchener Davies.

2329 —— Two Welsh poets—James Kitchener Davies and Idris Davies. *PW*, 16/4(1981), 104-11.

Janet Mitchell Davies

2330 THOMAS, B. P.: Canu cynnar Miss J. M. Davies. *Barn*, 181 (1978), 44-6. *Gw. hefyd* H. E. WILLIAMS, *Barn*, 177(1977), 329-30.

Pennar Davies

2331 ALAN LLWYD: Heilyn a'r efrydd - awen Pennar Davies. *Barddas*, 108(1986), 7-9.

Trafodir yn arbennig *Yr efrydd o Lyn Cynon* (1961).

2332 DAVIES, DEWI EIRUG (GOL.): *Pennar Davies — cyfrol deyrnged.* Abertawe: Tŷ John Penry, 1981. 151tt. *Adol.:* Branwen Jarvis, *Porfeydd*, 14(1982), 63-4; Bobi Jones, *LILI*, Gwanwyn (1982), 18-19; D. J. Roberts, *Taliesin*, 44(1982), 107-8.

Yn cynnwys: Y llenor enigmatig (John Rowlands). Menter ac antur, cariad a hedd (Gilbert E. Ruddock). Llyfryddiaeth o weithiau Pennar Davies.

2333 JENKINS, JOHN: John Jenkins yn sgwrsio gyda Pennar Davies. *Barn*, 213(1980), 317-20.

2334 SIÂN MEGAN: Astudiaeth feirniadol o weithiau llenyddol Pennar Davies. *YB*, 9(1976), 312-51.

T. Glynne Davies

2335 DAVIES, T. GLYNNE: 'Wynebau': pryddest; [y testun ynghyd â nodiadau'r awdur]. *Barddas*, 54(1981), 3, 6-8.

2336 JONES, R. GERALLT: T. Glynne Davies yn sgwrsio am *Marged* gydag R. Gerallt Jones. *Barn*, 182(1978), 114-16.

2337 ROWLANDS, JOHN: *Marged* T. Glynne Davies. (Sgwrs i ddisgyblion chweched dosbarth). *YB*, 11(1979), 264-78.

Marion Eames

2338 EAMES, MARION: Dirgelion *Y stafell ddirgel. Y Faner*, 10.2.84, 9.

2339 NICHOLAS, GARRY: *Y stafell ddirgel. Barn*, 219(1981), 154-5; 220(1981), 187; 221(1981), 233-4; 222/223(1981), 284; 227/228(1981), 490; 231(1982), 101; 232(1982), 135-6; 233(1982), 172-3; 234/235(1982), 250-1.

J.M. Edwards

2340 BEVAN, HUGH: Cerddi'r daith. [Yn] *Beirniadaeth lenyddol: erthyglau* . . . tt. 190-4. *Gw.* rhif 87.
Sylwadau ar *Cerddi'r daith* (1954). Cyhoeddwyd gyntaf yn *Y Genhinen*, 5(1955), 179-82.

2341 DAVIES, ITHEL: J.M. Edwards, 1903-1978. *Y Genhinen*, 29(1979), 22-5.

2342 JONES, GWILYM R.: J.M. Edwards, bardd cyfnod y trawsnewid. *Barn*, 246/247(1983), 249-50.

2343 ——Medel J.M. Edwards. *Barddas*, 24(1978), 3.

2344 OWEN, DAFYDD: Y saer llên. *Barddas*, 24(1978), 4.
Rhestrir buddugoliaethau eisteddfodol J.M. Edwards, (1921-1944).

2345 WILLIAMS, RHYDWEN: Bardd ddoe a heddiw. *Barn*, 246/247(1983), 251-3.

Jane Edwards

2346 DAVIES, JENNIE EIRIAN: Nofel y dwbwl [*Miriam*]. *Taliesin*, 36(1978), 91-5.

O.M. Edwards

2347 JONES, BOBI: Ail-ymweld â llenyddiaeth 1902-36. *Barn*, 183(1978), 136-8; 189(1978), 365-7.

2348 JONES, O.G.: Sylwadau Owen Morgan Edwards ar addysg. (Traethawd M.Ed.). Bangor, 1976.

2349 MILLWARD, E.G.: O.M. Edwards: rhai sylwadau ar ei waith llenyddol. [Yn] *Y traddodiad rhyddiaith yn yr ugeinfed ganrif* . . . tt. 37-54. *Gw.* rhif 2116.

William Thomas Edwards (Gwilym Deudraeth)

2350 ROBERTS, O. TREFOR: Canu llai digrif Gwilym Deudraeth. *Barddas*, 97(1985), 24.

Islwyn Ffowc Elis

2351 JONES, R. GERALLT: Islwyn Ffowc Elis yn trafod *Marwydos* gydag R. Gerallt Jones. *Barn*, 180(1978), 30-3.

2352 MORGAN, DEREC LLWYD: Hen ewythrod yr hen wraig o'r Bala. [Sylwadau ar *Marwydos*]. *Taliesin*, 38(1979), 24-9.

2353 ROBERTS, EIGRA LEWIS: Llenor wrth ei waith — Islwyn Ffowc Elis mewn sgwrs ag Eigra Lewis Roberts. *Y Genhinen*, 28(1978), 18-24.

2354 ROSSER, ANN: *Marwydos*. *Barn*, 171(1977), 138-9.

2355 WILLIAMS, IOAN: Dull a deunydd yng *Nghysgod y Cryman*. [Yn] *Y nofel* . . . tt. 34-9. *Gw.* rhif 2808.

Elis Aethwy

2356 HUGHES, MATHONWY: Barddoniaeth Elis Aethwy. *Barddas*, 53(1981), 4-6.

D. Tecwyn Evans

2357 GRIFFITHS, RONALD: [David Tecwyn Evans]: emynydd a chyfieithydd. *Yr Eurgrawn*, 168(1976), 189-92.

2358 PROFFIT, TUDOR: Tecwyn: y llenor llydan. *Yr Eurgrawn*, 169(1977), 44-7, 78-83.

2359 ROBERTS, GRIFFITH T.: David Tecwyn Evans, 1876-1957. *Yr Eurgrawn*, 168(1976), 148-62.

Donald Evans

2360 DAVIES, BRYAN MARTIN *et al.*: 'May Dolwilym' (*Eden*, tt. 46-7); sylwadau gan Bryan Martin Davies, Dafydd Owen, Alan Llwyd. *Barddas*, 73(1983), 6-8.

2361 STEPHENS, ROY: Rhai sylwadau gwerthfawrogol ar bryddest 'Hil' y Prifardd Donald Evans. *Y Cardi*, 15(1978), 11-13.

E.Gwyndaf Evans

2362 JONES, EMYR WYN: Gwyndaf 1913-1986. *Barn*, 280 (1986), 161-3.

2363 TILSLEY, GWILYM R.: Gwyndaf — bardd ac eisteddfodwr. *Barddas*, 109 (1986), 9-10.

Ellis Evans (Hedd Wyn)

2364 ALAN LLWYD: 'Yr arwr' - testament olaf Hedd Wyn. *Barn*, 191/192(1978/79), 488-92; 194(1979), 573-5; 195(1979), 609-14.

2365 EDWARDS, W.J.: Ffrind pennaf Hedd Wyn . . . ? *Barddas*, 25(1978), 4. *Gw. ymhellach* 'Nid J. Buckland Thomas a ysgrifennodd awdl "Yr arwr" ', gan Derwyn Jones. *Barddas*, 26(1979), 5.

2366 GWYNN AP GWILYM: Dau arwr — Pádraig Pearse a Hedd Wyn. *Barn,* 196(1979), 645-9.

2367 THOMAS, GWYN: Hedd Wyn. *EA,* 42(1979), 57-79.

Tomi Evans

2368 NICHOLAS, W. RHYS: Y Prifardd Tomi Evans. *Barddas,* 68(1982), 1-2.

William Evans (Wil Ifan)

2369 EVANS, ELWYN: Atgofion am Wil Ifan. *Barn,* (Atodiad rhifyn yr Eisteddfod), 1983, 19-22.

Richard Griffith (Carneddog)

2370 WILLIAMS, E. NAMORA: *Carneddog a'i deulu.* Dinbych: Gwasg Gee, [1985]. 127tt.

Robert Arthur Griffith (Elphin)

2371 HUGHES, ANN RHIAN: Bywyd a gwaith Robert Arthur Griffith (Elphin). (Traethawd M.A.). Aberystwyth, 1979.

W.J. Gruffydd

2372 ALAN LLWYD: W.J. Gruffydd a'r Eisteddfod. [Yn] *Eisteddfota 2,* tt. 109-28. *Gw.* rhif 2865.

2373 BEVAN, HUGH: Syniadau beirniadol W.J. Gruffydd a T. Gwynn Jones. [Yn] *Beirniadaeth lenyddol: erthyglau* . . . tt. 111-33. *Gw.* rhif 87. (Cyhoeddwyd gyntaf yn *LlC,* 9(1966), 19-32).

2374 BOWEN, GERAINT: W.J. Gruffydd a barddoniaeth. *Barn,* 224(1981), 332-5; 225(1981), 360-1. (Darlith a draddodwyd yn y Babell Lên yn Eisteddfod Maldwyn.)

2375 CHAPMAN, T. ROBIN: Ail-gloriannu W. J. Gruffydd. *Y Faner,* 22.7.83, 12-13.

2376 ——Gruffyddiaeth a'r *Llenor. Y Faner,* 20.2.81, 11.

2377 EVANS, MEREDYDD: Gwelodd hwn harddwch . . . cofio am W.J. *Y Casglwr,* 13(1981), 13.

2378 GORONWY-ROBERTS, MARIAN: *W.J. Gruffydd.* (Darlith ganmlwyddiant). [s.l.]: Cyhoeddiadau Barddas, 1981. 14tt.

2379 GRUFFYDD, W.J.: [*Hen atgofion: blynyddoedd y locust*]. *The year of the locust;* translated by D. Myrddin Lloyd (with Introduction and Appendix). Llandysul: Gomer Press, 1976. 207pp. *Adol.:* Stephen J. Williams, *Y Genhinen,* 26(1976), 185-6.

2380　Gruffydd, W.J.: *Nodiadau'r golygydd W.J. Gruffydd — detholiad o nodiadau golygyddol 'Y Llenor'*, gyda rhagymadrodd a sylwadau, gan T. Robin Chapman. Llandybïe: Christopher Davies, 1986. 158tt. *Adol.*: Hywel Teifi Edwards, *LILI*, Haf (1986), 10.

2381　John Emyr: *Dadl grefyddol Saunders Lewis ac W.J. Gruffydd*. Pen-y-bont ar Ogwr: Llyfrgell Efengylaidd Cymru, 1986. 48tt.

2382　Jones, Bobi: i. W. J. Gruffydd a'r dirywiad yn yr ugeinfed ganrif. *Barn*, 245(1983), 182-3. ii. Cerddi Bethel. *Barn*, 246/247(1983), 221-2. iii. Keats wedi blino? *Barn*, 248(1983), 317-19. Cywiriad, *Barn*, 249(1983), 367.

2383　Jones, Harri Pritchard: Y rhamantydd herfeiddiol. *Y Faner*, 27.2.81, 8.

2384　Jones, John Gwilym: Barddoniaeth gynnar W. J. Gruffydd. [Yn] *Swyddogaeth beirniadaeth ac ysgrifau eraill*. . . tt. 73-97. *Gw.* rhif 113. (Cyhoeddwyd gyntaf yn YB, 1(1965), 65-88).

2385　Jones, Moses Glyn: W. J. Gruffydd. *Barddas*, 54(1981), 11-12.

2386　Lloyd, D. Tecwyn: W. J. Gruffydd, golygydd a beirniad diwylliant. *Taliesin*, 43(1981), 18-40.

2387　Peate, Iorwerth C.: William John Gruffydd (1881-1954). *Y Faner*, 20.2.81, 10

2388　Rowlands, Bryn: Cyfodi proffwydi'r tadau. [*Beddau'r proffwydi*]. *Barn*, 227/228 (1981), 465-6.

2389　Rowlands, John: Y meddwyn llenyddol — W. J. Gruffydd. *Barddas*, 49/50(1981), 9-10. *Gw. ymhellach* Iorwerth C. Peate, *Y Faner*, 29.5.81, 5.

2390　Williams, David: Old man of the sea: W. J. Gruffydd. [In] *Fountains of praise, University College, Cardiff, 1883-1983;* edited by Gwyn Jones and Michael Quinn. Cardiff: University College Cardiff Press, 1983. pp. 101-4.

Harri Gwynn

2391　Gwynn ap Gwilym: Barddoniaeth Harri Gwynn. *Barddas*, 99/100(1985), 13-15.

I. D. Hooson

2392　Alan Llwyd: Trafod y meistri hyfedr: I. D. Hooson. *Barddas*, 43(1980), 3-4; 45(1980), 3-5.

2393　Bevan, Hugh: Barddoniaeth I. D. Hooson. [Yn] *Beirniadaeth lenyddol: erthyglau* . . . tt. 178-89. *Gw.* rhif 87. (Cyhoeddwyd gyntaf yn *Y Llenor*, 29(1950), 163-74).

2394 JONES, R. M.: Jam yng Nghymru annwyl (*I. D. Hooson*). *YB*, 13(1985), 247-55.

Arthur Hughes

2395 PARRY, THOMAS: Arthur Hughes 1878-1965. *Taliesin*, 38(1979), 6-23.

Beti Hughes

2396 JAMES, ELIN: Beti Hughes. *Taliesin*, 54(1985), 81-93.

John Gruffydd Hughes (Moelwyn)

2397 EVANS, MEREDYDD: *Moelwyn — y bardd*. [Caernarfon]: Cyngor Sir Gwynedd, Gwasanaeth Llyfrgell, 1982. 30tt. (Darlith flynyddol llyfr-gell Blaenau Ffestiniog; 1982).

T. Rowland Hughes

2398 BEASLEY, EILEEN: 'Harddwch'. [*Ffurfiau'r awen*; golygydd W. Leslie Richards]. *Barn*, 207/208(1980), 124-5.

2399 BEVAN, HUGH: Nofelau T. Rowland Hughes. [Yn] *Beirniadaeth lenyddol: erthyglau* . . . tt. 53-63. *Gw*. rhif 87. (Cyhoeddwyd gyntaf yn *Y Llenor*, 29(1950), 10-19).

2400 EAVES, STEVE: Nodyn ar *Yr Ogof. Y Traethodydd*, 134(1979), 142-50.

2401 REES, EDWARD: T. Rowland Hughes: teyrnged. *SG*, 70(1978), 22-6.

2402 ROWLANDS, JOHN: *T. Rowland Hughes*. Cardiff: University of Wales Press on behalf of the Welsh Arts Council, 1975. 95pp. (Writers of Wales).*Rev.:* Kathryn Curtis, *AWR*, 57(1976), 213-17.

2403 —— T. Rowland Hughes. *Y Traethodydd*, 140(1985), 64-79.

2404 WILLIAMS, IOAN: Cynllun a chrefft yng ngwaith T. Rowland Hughes. [Yn] *Y nofel* . . . tt. 40-7. *Gw*. rhif 2808.

W. Roger Hughes (Rhosier)

2405 NIA RHOSIER: *Rhosier — cyfrol goffa i W. Roger Hughes*. Dinbych: Gwasg Gee, 1983. 71tt. *Adol.:* J. E. Caerwyn Williams, *LILI*, Gwanwyn(1984), 15-16.
Yn cynnwys teyrngedau gan Syr Thomas Parry ac Euros Bowen.

David Emrys James (Dewi Emrys)

2406 JONES, T. LLEW: *Dewi Emrys*. [s.l.]: Cyhoeddiadau Barddas, [1981]. 29tt. (Darlith ganmlwyddiant).

2407 PHILLIPS, ELUNED: Dewi Emrys a'r 'Wennol Wen' [Yn] *Abergwaun a'r fro* . . . tt. 57-65. *Gw*. rhif 2927.

John Gwili Jenkins

2408 SMITH, J. BEVERLEY: John Gwili Jenkins, 1872-1936. *THSC*, 1974/75, 191-214.

R. T. Jenkins

2409 JONES, JOHN GWILYM: R. T. Jenkins - y llenor. [Yn] *Swyddogaeth beirniadaeth ac ysgrifau eraill. . .* tt. 207-13. *Gw.* rhif 113. [Cyhoeddwyd gyntaf yn *Y Traethodydd*, 125 (1970), 83-8].

2410 LLYWELYN-WILLIAMS, ALUN: Canmlwyddiant geni R. T. Jenkins. *Y Traethodydd*, 136(1981), 182-6.

2411 —— *R. T. Jenkins.* Cardiff: University of Wales Press on behalf of the Welsh Arts Council, 1977. [4], 70pp. (Writers of Wales). *Adol.:* Emlyn Evans, *Barn*, 182(1978), 100-2; *Y Genhinen*, 28(1978), 46-8.

2412 NUTTALL, GEOFFREY F. The genius of R. T. Jenkins. *THSC*, 1977, 181-94.

2413 PARRY, THOMAS: R. T. Jenkins — hanesydd a llenor. *Y Faner*, 31.7.81/ 7.8.81, 10-11.

J. T. Jôb

2414 JENKINS, KATHRYN: 'A chydgenwch deulu'r llawr'. *Y Traethodydd*, 140(1985), 16-29.

A. E. Jones (Cynan)

2415 EVANS, R. WALLIS: Cynan y sensor — 1931-1968. *Y Genhinen*, 27(1977), 81-6; 28(1978), 37-41, 112-18.

2416 JOHN EILIAN: Cynan a'i waith. *Taliesin*, 52(1985), 90-7. (Cyhoeddwyd gyntaf yn *Môn*, Haf 1971).

2417 JONES, BEDWYR L.: *Cynan — y llanc o dref Pwllheli.* Pwllheli: Clwb y Bont, [1981]. 18tt. (Darlith a draddodwyd dan nawdd Clwb y Bont; 1981).

2418 MORGAN, DEREC LLWYD: Cynan (adysgrif o raglen ar BBC Cymru). *Barn*, 186/187(1978), 270-5.

2419 OWEN, DAFYDD: *Cynan.* Cardiff: University of Wales Press on behalf of the Welsh Arts Council, 1979. 95pp. (Writers of Wales). *Adol.:* Gwilym R. Jones, *Barddas*, 34(1979), 4; Derec Llwyd Morgan, *Y Faner*, 20.4.79, 11. *Gw. hefyd* 'A phob beirniadaeth drosodd': adwaith Dafydd Owen i adolygiad Derec Llwyd Morgan, *Y Faner*, 18.5.79, 10-11. *Rev.:* Gareth A. Bevan, *AWR*, 66(1980), 126-9.

2420 REES, IFOR (GOL.): *Bro a bywyd Syr Cynan Evans-Jones 1895-1970.* Caerdydd: Cyngor Celfyddydau Cymru, 1982. 72tt. (Bro a bywyd; 4).

2421 RUDDOCK, GILBERT E.: Dwy bryddest orchestol. *Barddas*, 110(1986), 11-12.

Trafodir 'Y ddinas' (T. H. Parry-Williams) a 'Mab y Bwthyn' (Cynan).

Alun Idris Jones (Y Brawd Dewi)

2422 MORGAN, DAFYDD DENSIL: Dwy gerdd am Dduw'n ymguddio. *Taliesin*, 44(1982), 18-25.

Trafodaeth ar y cerddi: 'Ein dyddiau didduw' (Alan Llwyd); 'Unigedd' (Alun Idris Jones, *Y Brawd Dewi*).

Alun Jeremiah Jones (Alun Cilie)

2423 LEWIS, SAUNDERS: A member of our older breed. *Y Cardi*, 14(1977), 4-5.

2424 ROBERTS, D.J.: Alun Cilie — teyrnged. *Y Cardi*, 14(1977), 6-9.

Bobi Jones

2425 JONES, BOBI: Cyflwyno *Hunllef Arthur*. *Barddas*, 110(1986), 1-3.

2426 ——Order, purpose and resurgence in poetry. *PW*, 11/1(1975), 1-9.

2427 THOMAS, ANNETTE JOAN: For I behold them as trees, walking — a study of the poetry of Bobi Jones. (M.A. Thesis). Aberystwyth, 1981.

2428 WILLIAMS, J. E. CAERWYN: Bobi Jones yn ateb cwestiynau'r golygydd. *YB*, 9(1976), 376-407.

2429 —— Cyflwyniad i *Hunllef Arthur*. *Barddas*, 111/112 (1986), 11-13.

D. Gwenallt Jones

2430 ALAN LLWYD et al.: 'Ar gyfeiliorn' *(Ysgubau'r awen)*, sylwadau gan Alan Llwyd, Gwilym R. Jones, R. Geraint Gruffydd. *Barddas*, 54(1981), 6-8.

2431 ATGOFION personol am Gwenallt, gan Hywel Teifi Edwards, J. Gwyn Griffiths, W.R.P. George ac Ifor Enoch. [Yn] *Dathlu: cynnyrch llenyddol dathliadau chwarter-can-mlwyddiant sefydlu'r Academi Gymreig* . . . tt. 93-116. *Gw.* rhif 2155.

2432 DAVIES, B.M.: Awdlau Gwenallt. (Traethawd M.A.). Lerpwl, 1973-4.

2433 GRIFFITHS, J. GWYN: Gwenallt a Chymru. *Taliesin*, 51(1985), 74-8. (Rhan o'r ysgrif a draddodwyd yng Ngŵyl Gwenallt, 1984).

2434 HODGES, H.A.: Gwenallt — an English view of the poet. *Planet*, 29(1975), 24-9.

2435 HUGHES, R. IESTYN: *Llyfryddiaeth Gwenallt: an annotated bibliography.* [Aberystwyth]: Cymdeithas Llyfrgelloedd Cymru, 1983. 112tt. (Cyfres llyfryddiaethau Cymdeithas Llyfrgelloedd Cymru).

2436 JOHN, RHIAN DOROTHY MARY: Propaganda'r prydydd: astudiaeth o weithiau Gwenallt, Saunders Lewis, ac R. Williams Parry fel mynegiant o'u credoau crefyddol a gwleidyddol. (Traethawd M.A.). Llanbedr Pont Steffan, 1976.

2437 JONES, D. GWENALLT: *Ffwrneisiau: cronicl blynyddoedd mebyd.* Llandysul: Gwasg Gomer, 1982. 332tt. (Rhagair gan J.E. Caerwyn Williams). *Adol.:* Bobi Jones, *Y Traethodydd,* 139(1984), 56; Derec Llwyd Morgan, *LILI,* Gwanwyn(1983), 4-5.

2438 —— What I believe. *Planet,* 32(1976), 1-10. (First published in 1943).

2439 JONES, DEWI STEPHEN: Tu hwnt i'r wynebau oll. *Barddas,* 109(1986), 1-6; 110(1986), 6-9; 114(1986), 10-12.

2440 JONES, W. LLEWELYN: Gwenallt. *Yr Eurgrawn,* 169(1977), 14-21, 58-63, 103-8.

2441 LEWIS, SAUNDERS: *Plasau'r brenin.* [Yn] *Meistri a'u crefft: ysgrifau llenyddol* . . . tt. 49-52. *Gw.* rhif 125. [Cyhoeddwyd yn wreiddiol yn *Y Traethodydd,* 124 (1969), 54-6.

2442 MATHIAS, ROSEMARY NON: Bywyd a gwaith cynnar Gwenallt. (Traethawd M.A.). Aberystwyth, 1983.

2443 MORGAN, DAFYDD DENSIL: 'Dagrau tostaf yr ugeinfed ganrif' - golwg newydd ar un o gerddi Gwenallt: 'Trychineb Aber-fan' (*Y coed,* 1969). *Barn,* 286 (1986), 377-80.

2444 OWEN-REES, LYNN: *Cofio Gwenallt.* Llandysul: Gwasg Gomer, 1978. 115tt. *Gw. hefyd* Beth Owen 'Cywiro camsyniadau', *Taliesin,* 38(1979), 90-1. *Adol.:* Hywel Teifi Edwards, *Barn,* 196(1979), 661-2.

2445 ROWLANDS, DAFYDD: Gwenallt a Chwm Tawe. [Yn] *Trafod llenyddiaeth* . . . tt. 5-14. *Gw.* rhif 2190.

2446 ROWLANDS, DAFYDD (GOL.): *Bro a bywyd Gwenallt (David James Jones, 1899-1968.)* Caerdydd: Cyngor Celfyddydau Cymru, 1982. 57tt. (Bro a bywyd; 3).

Dafydd Jones (Isfoel)

2447 JONES, T. LLEW (GOL.): *Cyfoeth awen Isfoel.* Llandysul: Gwasg Gomer, 1981. 124tt. (tt. 9-35 Rhagair, gan T. Llew Jones). *Adol.:* D. J. Roberts, *LILI,* Hydref (1981), 16-17.

Dafydd Jones, Ffair Rhos

2448 GRUFFYDD, W. J.: Dafydd Jones, Ffair Rhos. *Barddas,* 29(1979), 5.

Dic Jones

2449 EVANS, DONALD: *Agor grwn. Barn,* 156(1976), 29-30; 157(1976), 70-1; 158(1976), 99-100; 159(1976), 133-5; 160(1976), 166-7.

Sylwadau ar rai o'r cerddi a gyhoeddwyd yn y gyfrol *Agor grwn* (1960).

Elizabeth Mary Jones (Moelona)

2450 ROBERTS, D.J.: Moelona. *Y Genhinen,* 28(1978), 25-7.

Elizabeth Watkin Jones

2451 JONES, W.J.: Yng nghwmni Lois—ddoe a heddiw. *Y Faner,* 29.1.82, 14-15.

Sylwadau ar *Lois,* gan Elizabeth Watkin Jones, diweddariad Hugh D. Jones. *Gw. ymhellach,* Gwenan Lewis, *Y Faner,* 19.2.82, 9; Ann Rhys Wiliam, *Y Faner,* 26.3.82, 19-20; Elfyn Pritchard, *Y Faner,* 2.4.82, 3; Olive Jones, *Y Faner,* 30.4.82, 5-6.

Geraint Vaughan Jones

2452 WILLIAMS, RHYDWEN: Nofelau . . . yn rhychwantu canrif gynhyrfus. *Barn,* 248(1983), 324-5; 249(1983), 365-6.

Gwilym R. Jones

2453 HUGHES, MATHONWY: *Awen Gwilym R.* Dinbych: Gwasg Gee, 1980. 131tt. *Adol.:* Alan Llwyd, *Barn,* 214(1980), 363-4; W. Rhys Nicholas, *Y Faner,* 15.8.80, 11; Brinley Richards, *Barddas,* 47(1980), 4-5.

2454 JONES, GWILYM R.: *Rhodd enbyd—hunangofiant.* Y Bala: Llyfrau'r Faner, 1983. 124tt. *Adol.:* Alan Llwyd, *Barddas,* 87/88(1984), 13.

2455 WILLIAMS, W. I. CYNWIL: Gwilym R. Jones — bardd cerygma'r Eglwys Gristnogol. *Barn,* 243(1983), 93-7.

Idwal Jones

2456 ELIS, ISLWYN FFOWC: Idwal Jones. [Yn] *Llanbedr Pont Steffan . . .* (Bro'r Eisteddfod; 4), tt. 67-82. *Gw.* rhif 2923.

J. T. Jones (John Eilian)

2457 ALAN LLWYD: Colli John Eilian: newyddiadurwr a bardd. *Barddas,* 97(1985), 19-20.

John Alun Jones (Y Capten Jac Alun)

2458 JONES, GERALLT (GOL.): *Y Capten Jac Alun: cyfrol deyrnged i'r Capten John Alun Jones, Cilfor, Llangrannog, Dyfed.* Llandysul: Gwasg Gomer, 1984. 130tt.

John Gwilym Jones

2459 JONES, JOHN GWILYM: *Ar draws ac ar hyd*. Caernarfon: Gwasg Gwynedd, 1986. 123tt. (Cyfres y cewri; 7).

2460 MILES, MEGAN HUGHES: *Gw.* rhif 2789. tt. 264-84.

2461 ROWLANDS, JOHN: The humane existentialist - playwright John Gwilym Jones. *WBW*, Autumn (1980), 6-7.

2462 —— John Rowlands yn holi John Gwilym Jones. *LILI*, Gwanwyn (1980), 5-8.

2463 TOMOS, GWENNAN: Astudiaeth o ddramâu John Gwilym Jones. (Traethawd M.A.). Bangor, 1979.

John Tydu Jones

2464 LLYWELYN, GUTO: John Tydu Jones (1883-1947). *Taliesin*, 57(1986), 53-68.

Moses Glyn Jones

2465 JONES, DEWI STEPHEN: Mapio'r cread - awen Moses Glyn Jones. *Barddas*, 107(1986), 1-4.

Nesta Wyn Jones

2466 ROWLANDS, JOHN: Holi Nesta Wyn Jones. *LILI*, Haf (1981), 12-14.

R. Gerallt Jones

2467 JONES, R. GERALLT: Awdur *Triptych*, nofel y Fedal Ryddiaith 1977, mewn sgwrs â'r Golygydd. *LILI*, Gaeaf (1977), 9-12.

Richard Jones (Dofwy)

2468 GWYNN AP GWILYM: Dofwy o Ddyffryn Dyfi. *Barddas*, 28(1979), 1, 3.

Robert Eifion Jones, Llanuwchllyn

2469 EDWARDS, W.J.: Robert Eifion Jones, Llanuwchllyn. *Barddas*, 81(1984), 5.

Roger Jones

2470 EVANS, GWYN: Y siŵr law, Rhosier o Lŷn. *Barddas*, 69 (1982), 1-2.

T. Gwynn Jones

2471 BEVAN, HUGH: Defnyddio chwedlau. [Yn] *Beirniadaeth lenyddol: erthyglau* . . . tt. 134-43. *Gw.* rhif 87.

Sylwadau ar 'Ymadawiad Arthur', 'Tir na n-Og', 'Madog', 'Broseliawnd', 'Anatiomaros', 'Argoed', a 'Cynddylig'.

2472 BEVAN, Hugh: Syniadau beirniadol W.J. Gruffydd a T. Gwynn Jones. [Yn] *Beirniadaeth lenyddol: erthyglau* . . . tt. 111-33. *Gw.* rhif 87. (Cyhoeddwyd gyntaf yn *LlC,* 9(1966), 19-32).

2473 DYLAN IORWERTH: 'Onid hoff yw cofio'n taith . . .' E. Stanton Roberts a T. Gwynn Jones. *Barddas,* 23(1978), 1-3.

2474 EDWARDS, HYWEL TEIFI: Eryr drycinoedd. *Taliesin,* 29 (1974), 121-4. [*Ysgrif adolygiadol* ar DAVID JENKINS: *Thomas Gwynn Jones: cofiant . . . Gw.* LILIG 4962].

2475 GRIFFITHS, J. GWYN: Eschatoleg T. Gwynn Jones. *Barn,* 226(1981), 401-3.

2476 GWYNN AP GWILYM: T. Gwynn Jones ac Iwerddon. *Taliesin,* 34(1977), 90-102; 35(1977), 90-101.

2477 GWYNN AP GWILYM (GOL.): *Thomas Gwynn Jones.* Llandybïe: Christopher Davies, 1982. 525tt. (Cyfres y meistri; 3).

2478 JENKINS, DAVID (GOL.): *Bro a bywyd Thomas Gwynn Jones 1871-1949.* Caerdydd: Cyngor Celfyddydau Cymru, 1984. 80tt. (Bro a bywyd; 6). *Adol.:* Gwilym R. Jones, *Y Faner,* 7.9.84, 11.

2479 JONES, JOHN GWILYM: T. Gwynn Jones, R. W. Parry a W. B. Yeats. [Yn] *Swyddogaeth beirniadaeth ac ysgrifau eraill* . . . tt. 135-48. *Gw.* rhif 113. [Cyhoeddwyd yn wreiddiol yn *YB,* 8(1974), 226-39.

2480 JONES, R. M.: Ail-ymweld â llenyddiaeth. *Barn,* 194(1979), 577-9; 195(1979), 598-601; 196(1979), 640-2; 201(1979), 160-2.

2481 —— Cerddi hir T. Gwynn Jones a 'Y nef a fu'. [Yn] *Llên Cymru a chrefydd* . . . tt. 541-5. *Gw.* rhif 117.

2482 LEWIS, SAUNDERS: *Morte d'Arthur* a'r *Passing of Arthur.* [Yn] *Meistri a'u crefft: ysgrifau llenyddol* . . . tt. 203-8. *Gw.* rhif 125. [Cyhoeddwyd yn wreiddiol yn *Y Traethodydd,* 126 (1971), 42-7].

2483 LLOYD, D. TECWYN: T. Gwynn Jones fel cynghorwr llenyddol. *CLIGC,* 22(1981), 103-25.
Yn cynnwys detholiad o lythyrau a ysgrifennodd T.G.J at Gwmni Hughes a'i fab pan oedd yn ddarllenydd a chynghorwr llenyddol i'r cwmni.

2484 ROBERTS, D. HYWEL E. (GOL.): *Llyfryddiaeth Thomas Gwynn Jones.* Caerdydd: Gwasg Prifysgol Cymru, 1981. xvi, 350tt. *Adol.:* Derwyn Jones, *Y Traethodydd,* 138(1983), 108-11.

2485 ROGERS, R.S.: T. Gwynn Jones: 'Nyth gwag' (Bro Gynin, Rhagfyr 1910). *YB,* 12(1982), 312-26. *Gw. hefyd* rif 2487.

2486 WILLIAMS, J.E. CAERWYN: Emyn 137 — Dulcis Iesu Memoria. *Y Traeth-odydd*, 132(1977), 11-16.

Cyfieithad T. Gwynn Jones o'r emyn a briodolwyd i Sant Bernard o Clairvaux.

2487 —— Nodyn ychwanegol ar 'Nyth gwag'. *YB*, 12(1982), 327-9. *Gw.* rhif 2485.

2488 WILLIAMS, STEPHEN J.: Y gynghanedd a chanu rhydd T. Gwynn Jones. [Yn] *Beirdd ac eisteddfodwyr: erthyglau* . . . tt. 128-37. *Gw.* rhif 1838. [Cyhoeddwyd gyntaf yn *Y Llenor*, 28(1949), 134-40].

T. Llew Jones

2489 GWYNN AP GWILYM a LEWIS, RICHARD H. (GOL.): *Cyfrol deyrnged y Prifardd T. Llew Jones.* [s.l.]: Cyhoeddiadau Barddas, 1982. 87tt.

Yn cynnwys: T. Llew Jones fel bardd i blant (Dewi Jones). Barddoniaeth T. Llew Jones (Gerallt Jones). Dwy awdl genedlaethol T. Llew Jones (Donald Evans). T. Llew Jones: y nofelydd (Islwyn Ffowc Elis). Cyhoeddwyd hefyd yn *Pori*, 4(1985), 6-20.

2490 HOLI'R Prifardd T. Llew Jones a Mr J. Selwyn Lloyd. *Barn*, 210/211(1980), 238-41.

2491 SIÂN TEIFI: *Cyfaredd y cyfarwydd: astudiaeth o fywyd a gwaith y Prifardd T. Llew Jones.* Aberystwyth: Gwasg Cambria, 1982. 142tt. (tt. 124-42 Llyfryddiaeth gwaith T. Llew Jones).

Thomas Jones (o Gerrigellgwm)

2492 ROBIN GWYNDAF: Ail-gloriannu Thomas Jones, Cerrigellgwm. *Y Faner*, 17.2.84, 12-13.

William Rhys Jones (Gwenith Gwyn)

2493 ROBIN GWYNDAF: Gwenith Gwyn: cynheilydd traddodiadau ei dadau. *TCHBC*, 1980, 32-58.

H. Elvet Lewis (Elfed)

2494 JONES, BOBI: Elfed - llofrudd yr emyn? *Barn*, 182 (1978), 83-5.

2495 MORGAN, PRYS: Palgrave ac Elfed. *Taliesin*, 38(1979), 30-7.

2496 MORGAN, VONA: *Elfed 1860-1953.* Caerfyrddin: Ymddiriedolwyr a Phwyllgor Rheoli Coffa Elfed, Trysorfa'r Gangell, 1984. 65tt.

Saunders Lewis

2497 ALAN LLWYD: Dau o gyffelyb fryd - Eliot a Saunders Lewis. *Barddas*, 102 (1985), 4-5.

2498   CHAPMAN, T. ROBIN: Dau geidwadwr - un ffydd? Tanseilio myth y cyswllt tybiedig rhwng Saunders Lewis ac Ambrose Bebb. *Y Faner,* 9.3.84, 8.

2499   DAVID LYN: Ar y trydydd diwrnod ar ddeg o fis adar . . . [*Esther*]. *Barn,* 198/199(1979), 68-70.

2500   DAVIES, PENNAR: Gŵr unigryw . . . Beirniad llenyddol hynotaf y ganrif. *Barddas,* 102 (1985), 1.

2501   EVANS, DONALD: Un agwedd ar farddoniaeth Saunders Lewis. *Barddas,* 102 (1985), 2.

2502   EVANS, J. R. *et al.:* 'Gymerwch chi sigaret? — sylwadau. *Barn,* 201(1979), 181-4.

2503   GEORGE, DELYTH ANN: *Monica. Y Traethodydd,* 141(1986), 164-77.

2504   GRIFFITHS, BRUCE: Holl gyfansoddiadau Saunders Lewis. *Y Casglwr,* 27(1985), 4-5.

2505   —— *Saunders Lewis.* Cardiff: University of Wales Press on behalf of the Welsh Arts Council, 1979. [iv], 139pp. (Writers of Wales). *Adol.:* D. Tecwyn Lloyd, *Y Faner,* 3.8.79, 10-11; Iorwerth C. Peate, *Y Genhinen,* 29 (1979/80), 227-8. *Rev.:* Gareth A. Bevan, *AWR,* 66(1980), 126-9.

2506   GRUFFYDD, R. GERAINT: Canu'r athrawiaeth—'Awdl i'w Ras, Archesgob Caerdydd' gan Mr Saunders Lewis. *Diwinyddiaeth,* 34(1983), 1-6.

2507   HUMPHREYS, EMYR: *Theatr Saunders Lewis.* Bangor: Cymdeithas Theatr Cymru, 1979. 50tt. (Astudiaethau Theatr Cymru; 1).

2508   JAMES, ALLAN: Blodeuwedd. *Barn,* 168(1977), 34-5; 169(1977), 62-3; 170(1977), 101-2; 172(1977), 173-4.

2509   JARVIS, BRANWEN: Llythyr gan Caesar von Hofacker. *Taliesin,* 40(1980), 30-4. (Sylwadau ar *Brad*).

2510   JOHN, RHIAN DOROTHY MARY: Propaganda'r prydydd: astudiaeth o weithiau Gwenallt, Saunders Lewis, ac R. Williams Parry fel mynegiant o'u credoau crefyddol a gwleidyddol. (Traethawd M.A.). Llanbedr Pont Steffan, 1976.

2511   JOHN EMYR: *Dadl grefyddol Saunders Lewis ac W.J. Gruffydd.* Pen-y-bont ar Ogwr: Llyfrgell Efengylaidd Cymru, 1986. 48tt.

2512   JONES, ANGHARAD LLOYD: Dramâu Saunders Lewis. *Barn*, 285(1986), 362-3; 286 (1986), 401-3.

2513   JONES, ALUN R. and THOMAS, GWYN (EDS.): *Presenting Saunders Lewis;* introduction by David Jones. Cardiff: University of Wales Press, 1983. xvii, 361pp.

Includes: (a) Saunders Lewis the man, personal views (D.J. Williams, Emyr Humphreys, Gareth Miles). (b) Aspects of his work: (i) His politics (Dafydd Glyn Jones). (ii) His theatre (Bruce Griffiths). (iii) His criticism (Pennar Davies). (iv) His poetry (Gwyn Thomas). (c) Selected bibliography of the writings of Saunders Lewis.

Also:

Selections of Saunders Lewis's work. i. Essays. ii. Selected poems (translated by Gwyn Thomas). iii. Theatre — *Blodeuwedd* (translated by Gwyn Thomas). *Siwan* (translated by Emyr Humphreys). *Treason* (translated and adapted for television by Elwyn Jones); Author's Introduction translated by Marian Elias.

2514   JONES, GWILYM R.: Cerddi Saunders Lewis. *Barddas*, 102(1985), 6.

2515   JONES, GWYN: Three poetical prayer-makers of the Island of Britain. *PBA*, 67(1981)[1982], 249-65.

Cynddelw Brydydd Mawr, James Kitchener Davies and Saunders Lewis.

2516   JONES, HARRI PRITCHARD: Cerdd yn y cof - "Emmäws". *Y Faner*, 27.7.84, 17.

2517   —— Saunders Lewis. *LILI*, Winter (1985), 3-5.

2518   JONES, JOHN GWILYM: *Yr arwr yn y theatr.* Bangor: Cymdeithas Theatr Cymru, 1981. 27tt. (Astudiaethau Theatr Cymru; 3).

Yn cynnwys sylwadau ar ddramâu Saunders Lewis.

2519   —— 'Eisteddfod Bodran' a 'Gan Bwyll'. [Yn] *Swyddogaeth beirniadaeth ac ysgrifau eraill* . . . tt. 316-23. *Gw*. rhif 113. [Cyhoeddwyd yn wreiddiol yn *Lleufer*, 8 (1982), 197-203].

2520   ——Saunders Lewis — dramodydd. *Y Traethodydd*, 141(1986), 152-63.

2521   LEWIS, CERI W.: Saunders Lewis (1893-1985). *Y Traethodydd*, 141(1986), 147-51.

2522   LEWIS, SAUNDERS: *Cerddi Saunders Lewis;* golygwyd gan R. Geraint Gruffydd. Y Drenewydd: Gwasg Gregynog, 1986. xi, 86tt.

2523   —— A television interview. *Planet*, 53(1985), 3-12.

2524   LLONGYFARCHION i Saunders Lewis ar ei ben-blwydd. *Barn*, 237(1982), 297-306.

Cyfarchion gan Bobi Jones, Gwilym R. Jones, Kate Roberts ac eraill.

2525 LLOYD, D. MYRDDIN: *Cymru Fydd.* [Yn] *Trafod llenyddiaeth* . . . tt. 23-36. *Gw.* rhif 2190.

2526 LLOYD, D. TECWYN a HUGHES, GWILYM REES (GOL.): *Saunders Lewis.* Llandybïe, 1975. *Gw.* LILIG 5069. *Adol.*: Islwyn Jones, *Y Traethodydd,* 131 (1976), 118-23.

2527 MARCS, DAFYDD: Nodiadau ar *'Gymerwch chi sigaret? YB,* 10(1977), 328-42.

2528 MILES, GARETH: Sylwadau ar *Cymru Fydd* Saunders Lewis. *Barn,* 231(1982), 102-3.

2529 MORGAN, GWYNETH: Magi Evans y Mans. *Taliesin,* 48(1984), 23-32. Sylwadau ar *Excelsior.*

2530 OLIER, YOUENN: Saunders Lewis hag e oberenn. *Al Liamm,* 233(1985), 378-86.

2531 ROWLANDS, JOHN: 'Marwnad Syr John Edward Lloyd' gan Saunders Lewis. [Yn] *Bardos: penodau ar y traddodiad barddol Cymreig a Cheltaidd* . . . tt. 111-27. *Gw.* rhif 95.

2532 RHIFYN COFFA Saunders Lewis. *Y Faner,* 19.9.85, 2-12.
Yn cynnwys: Cloriannu Saunders Lewis (Dafydd Glyn Jones). Rhychwant yr ysgolhaig (R. Geraint Gruffydd). Y darlithydd proffwydol (Meredydd Evans). Enaid digymar (Emyr Humphreys). Cefndir Saunders Lewis (D. Tecwyn Lloyd).

2533 SAUNDERS LEWIS: teyrngedau. *Barn,* 273(1985), 365-84.
Cynnwys: Portread (Bobi Jones). Fel yr oedd cwrs y byd (D. Tecwyn Lloyd). Soffocles, Silfanus, Saunders (W.I. Cynwil Williams). Cofio Saunders Lewis (Gwynfor Evans). Saunders Lewis (Harri Pritchard Jones). Clasuriaeth Saunders Lewis (J. Gwyn Griffiths).

Timothy Lewis

2534 DAVIES, W. BEYNON: Timothy Lewis (1877-1958). *CLIGC,* 21 (1979), 145-58.

J. Selwyn Lloyd

2535 HOLI'R Prifardd T. Llew Jones a Mr. J. Selwyn Lloyd. *Barn,* 210/211(1980), 238-41.

O. M. Lloyd

2536 JONES, R. E.: Cofio O. M. *Barddas,* 38(1980), 1, 3.

J. Lloyd-Jones

2537 OWEN, DAFYDD: Awdl 'Y Gaeaf'. *Barn*, 171(1977), 139-40; 172(1977), 174-5.

Alun Llywelyn-Williams

2538 ALAN LLWYD: Barddoniaeth Alun Llywelyn-Williams [*Y golau yn y gwyll*]. *Barn*, 206(1980), 73-6.

2539 LLYWELYN-WILLIAMS, ALUN: *Gwanwyn yn y ddinas* (*Gw.* LILIG 5180)]. *Adol.:* John Rowlands, *Taliesin*, 33(1976), 128-9; J. E. Caerwyn Williams, *Y Traethodydd*, 132(1977), 155-8.

2540 THOMAS, GWYN: Bardd y byd sydd ohoni — Alun Llywelyn-Williams. *Barn*, 253(1984), 19-21.

2541 —— Sgwrs ag Alun Llywelyn-Williams. *LILI*, Gaeaf (1986), 4-6.

Elena Puw Morgan

2542 ELIS, MARIAN: Elena Puw Morgan. *Taliesin*, 53(1985), 61-8.

2543 JONES, GWILYM R.: Ail-gloriannu Elena Puw Morgan. *Y Faner*, 10.2.84, 12-13.

2544 TOMOS, MARIAN: Bywyd a gwaith Elena Puw Morgan. (Traethawd M.A.). Bangor, 1980.

Eluned Morgan

2545 GEORGE, W.R.P.: 'Gyfaill hoff': atodiad. *Taliesin*, 36(1978), 52-9. (*Gw.* LILIG 5186).

2546 IFANS, DAFYDD (GOL.): *Tyred drosodd: gohebiaeth Eluned Morgan a Nantlais.* Pen-y-bont ar Ogwr: Gwasg Efengylaidd Cymru, 1977. 159tt. *Adol.:* Trebor Lloyd Evans, *Barn*, 181(1978), 68-70; Prys Morgan, *Taliesin*, 36(1978), 109-10; Brynley F. Roberts, *Y Traethodydd*, 133(1978), 226-8.

2547 JONES, BOBI: Aderyn o'r Paith. *Barn*, 193(1979), 526-9.

Robert David Morris

2548 JONES, DERWYN MORRIS: Y llyfrwerthwr teithiol olaf. *Porfeydd*, 10(1978), 99-103.
Awdur: *Derwyn, neu bob pant a gyfodir* (1924). *Serch Gwalia* (1925). *Merch y castell* (1928). *Llwybr y merthyr* (1926).

William Morris

2549 JONES, DERWYN: William Morris — bardd ar ei gynnydd. *Barddas*, 35(1979), 4-5; 36(1979), 4-5.

2550 MORRIS, WILLIAM: *Canu oes William Morris;* golygwyd gan Glennys Roberts. Caernarfon: Gwasg Gwynedd, 1981. 191tt. (tt. 13-24 William Morris: y bardd, gan Derwyn Jones). *Adol.:* Alan Llwyd, *Y Faner,* 6.11.81, 14-15; Branwen Jarvis, *LILI,* Gaeaf(1981), 20-1; J.E. Caerwyn Williams, *Y Traethodydd,* 137(1982), 54-6.

2551 PARRY, GRIFFITH: Y Parchedig William Morris. *Y Traethodydd,* 135(1980), 171-5.

John Morris-Jones

2552 BOWEN, GERAINT: John Morris-Jones. [Yn] *Y traddodiad rhyddiaith yn yr ugeinfed ganrif* . . . tt. 55-76. *Gw.* rhif 2116.

2553 CULE, CYRIL P.: Barddoniaeth Berseg yn Gymraeg a Saesneg. *Barn,* 181(1978), 58-9.
Ymdrinir â chyfieithiad Edward Fitzgerald o'r *Rubâiyât* gan Omar Khayyâm a chyfieithiad John Morris-Jones.

2554 JONES BOBI: Ail-ymweld â llenyddiaeth, 1902-36. *Barn,* 180(1978), 16-17; 181(1978), 56-8.

2555 JONES, JOHN GWILYM: Syr John Morris-Jones, y bardd. [Yn] *Swyddogaeth beirniadaeth ac ysgrifau eraill.* . . tt. 66-72. *Gw.* rhif 113.[Cyhoeddwyd gyntaf yn *Barn,* 27(1965), 70, 80].

2556 RICHARDS, BRINLEY: Syr John Morris-Jones a Iolo Morganwg. [Yn] *Golwg newydd ar Iolo Morganwg* . . . tt. 120-46. *Gw.* rhif 1808.

2557 THOMAS, DAFYDD WHITESIDE: Teulu Syr John Morris Jones (1864-1929). *GGR,* 4(1983), 7-12.

2558 WALTERS, HUW: *John Morris-Jones, 1864-1929: llyfryddiaeth anodiadol.* Aberystwyth: Llyfrgell Genedlaethol Cymru/Cymdeithas Llyfr-gelloedd Cymru, 1986. [x], 166tt.

2559 —— Syr John mewn print. *Y Casglwr,* 10(1980), 11-12.

2560 WILLIAMS, J.E. CAERWYN: Rhieingerdd Syr John. *Y Traethodydd,* 134(1979), 188-94. (Gydag Atodiad I, gan David Thomas; Atodiad II, gan Derwyn Jones).

2561 WILLIAMS, JOHN GRIFFITH: *Omar.* Dinbych: Gwasg Gee, 1981. 237tt. *Adol.:* Thomas Parry, *Y Faner,* 3.7.81, 11.
'Ymgais i olrhain y ffordd y daeth penillion Omar Khayyâm i mewn i'r iaith Gymraeg', tt. 107-27: John Morris-Jones.

T.E. Nicholas

2562 JONES, BOBI: Comiwnydd glew neu eciwmenydd glân. *Barn,* 243(1983), 105-7.

2563 NICHOLAS, JAMES: *'Pan oeddwn grwt diniwed yn y wlad'*. [s.l.]: Gwasanaeth Diwylliant Llyfrgell Dyfed, 1979. 18tt.

2564 NICHOLAS, T. E.: Tipyn o hanes fy mywyd. *Bro*, 4(1978), 25-8.

2565 PRITCHARD, ISLWYN: Thomas Evan Nicholas (1879-1971). [Yn] *Herio'r byd;* golygwyd gan D. Ben Rees. Lerpwl: Cyhoeddiadau Modern Cymreig, 1980. tt. 16-22.

2566 WILLIAMS, SIÂN HAWYS: Bywyd a gwaith Thomas Evan Nicholas, 1879-1971. (Traethawd M.A.). Aberystwyth, 1986.

Gerallt Lloyd Owen

2567 BIANCHI, TONY: Propaganda'r prydydd. *Y Faner*, 27.1.78, 9-13.

2568 JARVIS, BRANWEN: Golwg ar ganu Gerallt Lloyd Owen. [Yn] *Trafod cerdd dafod y dydd* . . . tt. 205-14. *Gw.* rhif 2109.

J. Dyfnallt Owen

2569 JONES, T. GERAINT ELFYN: *Bywyd a gwaith John Dyfnallt Owen.* Abertawe: Gwasg John Penry, 1976. 140tt. *Adol.*: G.W. Brewer, *Yr Eurgrawn*, 168(1976), 94-5; Iorwerth C. Peate, *Taliesin*, 33(1976), 126-7; D. Ben Rees, *Porfeydd*, 8(1976), 158-60; D.J. Roberts, *Y Genhinen*, 26(1976), 183-4.

2570 LLYWELYN-WILLIAMS, ALUN: Y bardd-bregethwr yn y ffosydd. *YB*, 12(1982), 330-6.

2571 MORGAN, T.J.: Dyfnallt. *THSC*, 1976, 55-66.

Owen Griffith Owen (Alafon)

2572 DAVIES, TUDOR: Gwŷr enwog Eifionydd . . . *Yr Eurgrawn*, 168(1976), 25-30.

William David Owen

2573 ROBERTS, TOMOS: Tad *Madam Wen*. *Y Casglwr*, 10(1980), 6.

R. Williams Parry

2574 ALAN LLWYD: Darganfod soned gan R. Williams Parry. *Barddas*, 92/93(1984/85), 1.

2575 —— Golwg ar un thema yng *Ngherddi'r Gaeaf*. *Barddas*, 51(1981), 4-8.

2576 —— Golygyddol [ar achlysur dathlu canmlwyddiant geni R. Williams Parry]. *Barddas*, 83/84(1984), 4-7.

2577 ALAN LLWYD: *R. Williams Parry.* Caernarfon: Gwasg Pantycelyn, 1984. 87tt. (Llên y llenor). *Adol.*: Mathonwy Hughes, *Cristion,* Medi/Hyd. (1985), 22-3; Lowri James, *Barddas,* 99/100(1985), 32; John Rowlands, *LILI,* Gaeaf(1985), 11-12.

2578 —— R. Williams Parry a barddoniaeth yn y chwedegau. *Barn,* 254(1984), 61-6.

2579 —— Rhai adleisiau yng nghanu R. Williams Parry. *Barddas,* 8(1977), 5; 9(1977), 4.

2580 —— Trafod y meistri hyfedr: (1) W.H. Davies ac R. Williams Parry. *Barddas,* 14(1977), 8; 15(1978), 6-7. (2) Golwg ar un thema yng *Ngherddi'r Gaeaf. Barddas,* 51(1981), 4-8.

2581 ALAN LLWYD (GOL.): *R. Williams Parry.* Llandybïe: Christopher Davies, 1979. 375tt. (Cyfres y Meistri; 1). *Adol.*: Gwynn ap Gwilym, *Barddas,* 35(1979), 5-6; Bedwyr L. Jones, *LILI,* Hydref/Gaeaf (1979), 4-5; John Rowlands, *Barn,* 205(1980), 34-5. *Ysgrif adolygiadol:* Meredydd Evans, 'Williams Parry — dim ond benthyciwr', *Taliesin,* 39(1979), 67-76. *Gw. ymhellach* Alan Llwyd 'Efelychu, adleisio a llên-ladrad', *Barddas,* 39(1980), 2-3; 42(1980), 3-4.

2582 BEASLEY, EILEEN: "Y ceiliog ffesant". [*Ffurfiau'r awen;* golygydd W. Leslie Richards]. *Barn,* 207/208(1980), 123-4.

2583 BEVAN, HUGH: *Cerddi'r Gaeaf.* [Yn] *Beirniadaeth lenyddol: erthyglau . . .* tt. 151-68. *Gw.* rhif 87. (Cyhoeddwyd gyntaf yn *Y Traethodydd,* 1953, 61-77).

2584 —— R. Williams Parry. [Yn] *Beirniadaeth lenyddol: erthyglau . . .* tt. 144-50. *Gw.* rhif 87. (Cyhoeddwyd gyntaf yn *Yr Arloeswr,* 5(1959), 33-8). *Gw. hefyd Barn,* 184(1978), 194-6.

2585 EVANS, DONALD: Cip o 1984 ar waith R. Williams Parry. *Barn,* 254(1984), 69-71.

2586 GRUFFYDD, R. GERAINT: Dwy gerdd — (1) R. Geraint Gruffydd yn trafod 'Ple mae Garth y Glo? (*Cerddi'r Gaeaf,* t.59). (2) J.E. Caerwyn Williams yn trafod 'A. E. Housman' (*Cerddi'r Gaeaf,* tt. 40-1). *Barddas,* 83/84(1984), 8-9.

2587 —— Rhagor o friwfwyd gweddill o fwrdd Robert Williams Parry. *Y Casglwr,* 17(1982), 5.

2588 HUGHES, MATHONWY: Gafael y gynghanedd ar Fardd yr Haf. *Y Faner,* 2.9.77, 14-15.

2589 —— Perlau R. Williams Parry. Dinbych: Gwasg Gee, 1981. 48tt.

2590 IFANS, DAFYDD: R. Williams Parry a'r *Llenor*. *Taliesin*, 54(1985), 5-13; 55(1986), 8-19.
Yn cynnwys sylwadau ar 'Rhyfeddodau'r Wawr'.

2591 JARVIS, BRANWEN: Dilyn natur: sylwadau ar ganu Wiliam Llŷn ac R. Williams Parry. *YB*, 9(1976), 147-62.

2592 JOHN, RHIAN DOROTHY MARY: Propaganda'r prydydd: astudiaeth o weithiau Gwenallt, Saunders Lewis, ac R. Williams Parry fel mynegiant o'u credoau crefyddol a gwleidyddol. (Traethawd M.A.). Llanbedr Pont Steffan, 1976.

2593 JONES, BEDWYR L.: Ail-gloriannu R. Williams Parry. *Y Faner*, 9.3.84, 12-13.

2594 —— 'Yn ôl i'r wlad' — 1921. *Barddas*, 84/85(1984), 11-12.

2595 JONES, BEDWYR L. (GOL.): *Rhyddiaith R. Williams Parry* . . . (*Gw*. LILIG 5289). *Adol*.: D. Myrddin Lloyd, *Taliesin*, 32(1976), 117-18.

2596 JONES, GWILYM R.: Ai Williams Parry yw ein bardd mwyaf? *Barddas*, 41(1980), 4-5.

2597 —— Bardd Cristnogol oedd R. Williams Parry. *Barddas*, 83/84 (1984), 10, 12.

2598 —— Williams Parry'r dychanwr a John Williams, Brynsiencyn. *Barddas*, 61(1982), 3-4.

2599 JONES, JOHN GWILYM: Robert Williams Parry. [Yn] *Crefft y llenor* . . . tt. 57-86. *Gw*. rhif 2150.

2600 —— T. Gwynn Jones, R.W.Parry a W.B.Yeats. [Yn] *Swyddogaeth beirniadaeth ac ysgrifau eraill*. . . tt. 135-48. *Gw*. rhif 113. [Cyhoeddwyd yn wreiddiol yn *YB*, 8(1974), 226-39.

2601 JONES, R. M.: Ail-ymweld â llenyddiaeth 1902-36. *Barn*, 203/204(1979), 281-3; 205(1980), 6-7; 206(1980), 50-2; 207/208(1980), 109-10.

2602 —— Dafydd ap Gwilym ac R. Williams Parry. [Yn] *Llên Cymru a chrefydd* . . . tt. 242-66. *Gw*. rhif 117.

2603 —— Y delyneg 1902-1936. *Barn*, 266(1985), 95-8; 267(1985), 154-6.
Trafodir yn arbennig 'Eifionydd'.

2604 LEWIS, SAUNDERS: Bardd trasiedi bywyd. [Yn] *Meistri a'u crefft: ysgrifau llenyddol*. . . tt. 76-8 *Gw*. rhif 125. [Cyhoeddwyd gyntaf yn *Barn*, 113(1972) yn adran *Y Gwrandawr*].

2605 PARRY, R. WILLIAMS: *Cerddi Robert Williams Parry*. Y Drenewydd: Gwasg Gregynog, 1980. (tt. xi-xiv Rhagymadrodd gan Thomas Parry).

2606 ROWLANDS, JOHN: Bardd y Gaeaf. *Taliesin,* 50(1984), 9-33.

2607 THOMAS, GWYN: Tu hwnt i'r llen. (Brasolwg ar lenyddiaeth a chrefydd). *YB,* 9(1976), 352-65.

Trafodir 'Rhyfeddodau'r Wawr'.

Sarah Winifred Parry ('Winnie Parry')

2608 PARRY, ROBERT PALMER: Astudiaeth o addysg, bywyd a gwaith Sarah Winifred Parry ('Winnie Parry'), 1870-1953, gan gynnwys llyfryddiaeth o'i gwaith. (Traethawd M.Ed.). Aberystwyth, 1980.

2609 —— Winnie Parry a'i gwaith. *Taliesin,* 46(1983), 10-41.

Thomas Parry

2610 BOWEN, D.J.: Thomas Parry — Golygydd *Gwaith Dafydd ap Gwilym. Y Traethodydd,* 141(1986), 105-10.

2611 EDWARDS, EMRYS: Thomas Parry y bardd. *Y Faner,* 3.5.85, 5.

2612 JONES, GWILYM R.: Trin dau ddarn. *Barddas,* 48(1981), 5.

Yn cynnwys sylwadau ar ddarn o 'Llywelyn Fawr'.

2613 JONES, JOHN GWILYM: Thomas Parry — teyrnged yn yr Eisteddfod Genedlaethol. *Y Traethodydd,* 141(1986), 92-7.

Diddordeb Syr Thomas Parry mewn dramâu a'r theatr.

2614 PARRY, THOMAS: 'Llywelyn Fawr'. [Yn] *Trafod llenyddiaeth* . . . tt. 15-22. *Gw.* rhif 2190.

Tom Parry-Jones

2615 OWEN, DAFYDD: 'Tŷ Pigyn'. *Barddas,* 54(1981), 3-4.

T.H. Parry-Williams

Am ychwanegiadau at y llyfryddiaeth a gyhoeddwyd yn *Cyfrol deyrnged Syr Thomas Parry-Williams* [LILIG 5353] gweler David Jenkins, *Y Traethodydd,* 130(1975), 273-5.

2616 ATGOFION am T.H. Parry-Williams gan Brinley Richards, Emyr Wyn Jones, Cassie Davies, Iorwerth C. Peate, David Jenkins, Brinley Rees, Dyfnallt Morgan, J. E. Caerwyn Williams, Menai Williams. *Y Traethodydd,* 130(1975), 245-92.

2617 BEVAN, HUGH: Trindodau. *Y Traethodydd,* 130(1975), 311-16. Cyhoeddwyd hefyd yn *Beirniadaeth lenyddol: erthyglau* . . . tt. 169-77. *Gw.* rhif 87.

2618 DAVIES, W. BEYNON: 'Gŵr lleyg o anarbenigwr' neu 'Hen ffisegolyn bach'. *YB,* 11(1979), 256-63.

2619 EDWARDS, D. ISLWYN: Agweddau ar foderniaeth yng ngweithiau llen-
yddol T.H. Parry-Williams, gan fwrw golwg ar ei gefndir personol a
llenyddol, ac ar foderniaeth fel mudiad. (Traethawd M.A.). Llanbedr
Pont Steffan, 1982.

2620 EVANS, DONALD: Awdl 'Eryri'. *Barn*, 166(1976), 371-3; 167(1976), 408-11;
168(1977), 35-6.

2621 EVANS, MEREDYDD: Rhai elfennau crefyddol yng ngwaith T.H. Parry-
Williams. *YB*, 11(1979), 227-55.

2622 —— Ugain o gerddi. *Barn*, 164(1976), 302-3; 165(1976), 338-9; 166(1976),
373-4; 167(1976), 407-8; 168(1977), 36-7.
Sylwadau ar rai o'r cerddi a gyhoeddwyd yn y gyfrol *Ugain o gerddi* (1949).

2623 EVANS, MEREDYDD *et al.*: 'Y rheswm' (*Cerddi*, t.50); sylwadau gan
Meredydd Evans, Gwynn ap Gwilym, Alan Llwyd. *Barddas*, 70(1983),
4-6.

2624 FOSTER, IDRIS LL.: Syr Thomas Parry-Williams. *THSC*, 1974/75, 28-31.

2625 GRUFFYDD, R. GERAINT: Syr Thomas Parry-Williams. *Y Traethodydd*,
130(1975), 294-9. (Araith agoriadol Pabell Lên Eisteddfod Gened-
laethol Bro Dwyfor).

2626 GWYN ERFYL: Gair am Syr Tomos. *Taliesin*, 34(1977), 60-73.

2627 JONES, BOBI: Sonedau, 1902-1936. *Barn*, 268(1985), 177-9.

2628 JONES, EMYR WYN: Syr Thomas Parry-Williams — atgofion. [Yn] *Cyndyn
ddorau ac ysgrifau eraill*. Bala: Llyfrau'r Faner, 1979. tt. 113-20.

2629 JONES, JOHN GWILYM: Barddoniaeth T.H. Parry-Williams. *YB*, 10(1977),
309-27.

2630 —— Ysgrifau T. H. Parry-Williams. [Yn] *Swyddogaeth beirniadaeth ac
ysgrifau eraill.* . . tt. 199-206. *Gw.* rhif 113. (Cyhoeddwyd gyntaf yn
Cyfrol deyrnged Syr Thomas Parry-Williams; golygydd Idris Foster,
1967).

2631 JONES, R. GERALLT: *T.H. Parry-Williams.* Cardiff: University of Wales
Press on behalf of the Welsh Arts Council, 1978. [4], 107pp. *Adol.:*
Dafydd Glyn Jones, *Y Traethodydd*, 134(1979), 109-11. *Rev.:* Dafydd
Owen, *AWR*, 64(1979), 132-5.

2632 LEWIS, SAUNDERS: T. H. Parry-Williams. [Yn] *Meistri a'u crefft: ysgrifau
llenyddol.* . . tt. 14-21. *Gw.* rhif 125. [Cyhoeddwyd gyntaf yn *Llafar*,
5/1(1955), 3-14.

2633 —— *Ysgrifau, 1928.* Y Traethodydd, 130(1975), 300-4 (Cyhoeddwyd hefyd
yn *Meistri a'u crefft: ysgrifau llenyddol.* . . tt. 22-7. *Gw.* rhif 125).

2634 LLOYD, DEWI M.: Ystyried T. H. Parry-Williams. [*Yr Arloeswr*, 1958]. *Barn*, 185(1978), 236-8.

2635 LLYWELYN-WILLIAMS, ALUN: Cyfoesedd y bardd. *Y Traethodydd*, 130(1975), 317-20.

2636 MORGAN, T.J.: Yr ysgrifau. *Y Traethodydd*, 130(1975), 305-9.

2637 PARRY, T. EMRYS: Yr ysgrif: gyda sylw arbennig i waith T. H. Parry-Williams. [Yn] *Y traddodiad rhyddiaith yn yr ugeinfed ganrif* . . . tt. 188-210. *Gw.* rhif 2116.

2638 PARRY, THOMAS: Henry Parry-Williams [tad T. H. Parry-Williams]. *Y Genhinen*, 28(1978), 66-70.

2639 —— T.H. Parry-Williams. *Y Genhinen*, 25(1975), 175-9.

2640 REES, IFOR (GOL.): *Bro a bywyd Syr Thomas Parry-Williams, 1887-1975.* Caerdydd: Cyngor Celfyddydau Cymru, 1981. 88tt. (Bro a bywyd; 1).

2641 ROBERTS, HYWEL D.: Rhieni T.H. Parry-Williams. *Y Traethodydd*, 132(1977), 127-30.

2642 ROWLANDS, JOHN: Poésie cérébrale? *Y Traethodydd*, 130(1975), 321-9.

2643 RUDDOCK, GILBERT: Dwy bryddest orchestol. *Barddas*, 110(1986), 11-12. Trafodir 'Y ddinas' (T. H. Parry-Williams) a 'Mab y Bwthyn' (Cynan).

2644 WILLIAMS, J.E. CAERWYN: Sir Thomas Parry-Williams, 1887-1975. *SC*, 12/13(1977/78), 405-12.

2645 —— T.H. Parry-Williams: Oxoniensis. *Y Traethodydd*, 130(1975), 330-9.

2646 WOOD, DOROTHY: T.H. Parry-Williams: bardd myfyrdod. *Y Traethodydd*, 132(1977), 189-200.

Iorwerth C. Peate

2647 DAVIES, DEWI EIRUG: Dr Iorwerth Peate: un o bobl y 'tu allan'. *Y Traethodydd*, 138(1983), 50-1.

2648 DAVIES, ITHEL: Iorwerth Cyfeiliog Peate. *Barn*, 258(1984), 250-2.

2649 JONES, BOBI: Iorwerth Cyfeiliog Peate. *Barn*, 244(1983), 138-40.

2650 OWEN, EMRYS BENNETT: *Llyfryddiaeth (1919-1980) Iorwerth C. Peate.* Teipscript. [16]tt.

2651 OWEN, TREFOR M.: Iorwerth Cyfeiliog Peate (1901-1982). *CHC*, 11(1983), 549-51.

2652 —— Iorwerth Cyfeiliog Peate (1901-1982). *FL*, 21(1982/83), 5-11.

2653 OWEN, TREFOR M.: Iorwerth Cyfeiliog Peate: gwerthfawrogiad. Caerdydd: Amgueddfa Genedlaethol Cymru (Amgueddfa Werin Cymru), 1982. 12tt.

2654 PARRY, THOMAS: Cofio cyfaill. *Barn,* 238(1982), 339-40.

2655 PEATE, IORWERTH C.: Dyma fel y daeth. . . 'Ronsyfâl'. *Y Faner,* 16.2.79, 6.

2656 —— *Rhwng dau fyd: darn o hunangofiant.* Dinbych: Gwasg Gee, 1976. 200tt. *Adol.*: Hywel Teifi Edwards, *Barn,* 171(1977), 131-2; R. Geraint Gruffydd, *Taliesin,* 34(1977), 143-5; Thomas Parry, *Y Genhinen,* 27(1977), 87-90; J. E. Caerwyn Williams, *Y Traethodydd,* 134(1979), 106-7.

2657 ROBERTS, MANON WYN: *Barddoniaeth Iorwerth C. Peate.* [s.l.]: Cyhoeddiadau Barddas, 1986. 82tt. *Gw. hefyd:* Beirniadaeth D. Tecwyn Lloyd *Cyfansoddiadau a beirniadaethau Eisteddfod Genedlaethol, Y Rhyl a'r cyffiniau, 1985,* tt. 86-9. *Adol.*: Gwynn ap Gwilym, *Y Faner,* 28.11.86, 14-15; Dyfnallt Morgan, *Barddas,* 111/112(1986), 30-1.

2658 STEVENS, CATRIN: *Iorwerth C. Peate.* Cardiff: University of Wales Press on behalf of the Welsh Arts Council, 1986. 81pp. (Writers of Wales).

Caradog Prichard

2659 JONES, GWILYM R.: Synnwyr a pherseinedd Caradog Prichard. *Barddas,* 85(1984), 4-5.

2660 LEWIS, SAUNDERS: *Y briodas*: dehongliad. [Yn] *Meistri a'u crefft: ysgrifau llenyddol* . . . tt. 4-8. *Gw.* rhif 125. [Cyhoeddwyd gyntaf yn *Y Llenor,* 6(1927), 206-12].

2661 WILLIAMS, IOAN: Campwaith o blith nofelau — *Un nos ola leuad.* [Yn] *Y nofel* . . . tt. 54-62. *Gw.* rhif 2808.

George Rees

2662 ROBERTS, BRYNLEY F. (GOL.).: *'O, Fab y Dyn': emynau a cherddi caeth George Rees.* Caernarfon: Argrafftty'r Methodistiaid Calfinaidd, 1976. 64tt. *Gw.* Gomer M. Roberts, *BCEC,* 1/10(1977), 301.

Brinley Richards

2663 WALTERS, HUW a NICHOLAS, W. RHYS (GOL.): *Brinli-cyfreithiwr, bardd, archdderwydd.* Abertawe: Tŷ John Penry, 1984. 182tt.
      Yn cynnwys: Brinli Richards, 1904-1981 (Huw Walters). Stôr y llenor o'r Llwyni (W. Rhys Nicholas). Brinli'r bardd (James Nicholas). Llyfryddiaeth (Huw Walters).

W. Leslie Richards

2664 CURTIS, KATHRYN: *Yr etifeddion (1956)*. *Barn*, 164(1976), 301-2; 165(1976), 339-40; 166(1976), 374-5.

William John Richards

2665 EDWARDS, W. J.: Y bardd o'r Dderwen-las. *Barn*, 222/223(1981), 297-9.

John Henry Roberts (Monallt)

2666 ROBERTS, EMRYS: Monallt. *Barddas*, 14(1977), 1-2.

2667 —— *Monallt - portread o fardd-gwlad.* [s.l.]: Cyhoeddiadau Barddas, 1985. 103tt.

Kate Roberts

2668 ARTHUR, MARION: *Tywyll heno*. *Taliesin*, 32(1976), 81-6.

2669 —— *Tywyll heno* fel darlun o wallgofrwydd. *Taliesin*, 31(1975), 62-70.

2670 BEVAN, HUGH: Rhan o adolygiad ar *Te yn y grug*. (*Yr Arloeswr*, Pasg, 1960). *Barn*, 184(1979), 197-9.

2671 —— *Stryd y Glep.* [Yn] *Beirniadaeth lenyddol: erthyglau . . .* tt.64-70. *Gw.* rhif 87. (Cyhoeddwyd gyntaf yn *Y Llenor*, 28(1949), 259-64).

2672 DAVIES, LONA LLYWELYN: Gwŷr a gwragedd Kate Roberts. *Y Traethodydd*, 141(1986), 117-27.

2673 GEORGE, DELYTH ANN: Kate Roberts — ffeminist? *Y Traethodydd*, 140(1985), 185-202.

2674 IFANS, DAFYDD: Kate Roberts - bardd? *Barddas*, 111/112(1986), 17-18.

2675 JENKINS, DAVID (GOL.): *Erthyglau ac ysgrifau llenyddol Kate Roberts*. Llandybïe: Christopher Davies, 1978. 447tt. *Adol.*: D. Myrddin Lloyd, *Taliesin*, 39(1979), 92-4; Derec Llwyd Morgan, *Barn*, 193(1979), 541-2; Gwyneth Morgan, *Y Faner*, 19.1.79, 12-13; J.E. Caerwyn Williams, *Y Traethodydd*, 135(1980), 212-14.

2676 JOHN EMYR: Cyffes Kate Roberts. *Y Traethodydd*, 131(1976), 153-8. [*Ysgrif adolygiadol* ar *Yr wylan deg*, 1976].

2677 —— *Enaid clwyfus: golwg ar waith Kate Roberts*. Dinbych: Gwasg Gee, 1976. 256tt. *Adol.*: Harri Gwynn, *Taliesin*, 37(1978), 147-8; Harri Pritchard Jones, *Barn*, 169(1977), 68-70; Derec Llwyd Morgan, *Y Genhinen*, 27(1977), 162-4.

2678 JONES, GERAINT WYN: Techneg a syniadaeth Dr. Kate Roberts, 1925-62. (Traethawd Ph.D.). Bangor, 1975.

2679 Jones, Gwilym R.: Y Gymraeg yn ei dillad gorau. *Y Faner*, 13.2.81, 12-13.

2680 Jones, John Gwilym: Y llenor cydwladol Cymreig. *Y Casglwr*, 26(1985) 6.

2681 —— *Te yn y grug.* [Yn] *Crefft y llenor* . . . tt. 41-56. *Gw.* rhif 2150.

2682 —— *Tywyll heno.* [Yn] *Swyddogaeth beirniadaeth ac ysgrifau eraill* . . . tt. 251-7. *Gw.* rhif 113. [Cyhoeddwyd yn wreiddiol yn *Barn*, 5 (1963), 150-1].

2683 Jones, R.M.: Moddau llenyddol: *Tywyll heno*. *Y Traethodydd*, 136(1981), 149-58.

2684 —— Storïau cynnar Kate Roberts. *Barn*, 209(1980), 159-61.

2685 Lewis, Saunders: Celfyddyd Miss Kate Roberts. [Yn] *Meistri a'u crefft: ysgrifau llenyddol* . . . tt. 1-3. *Gw.* rhif 125. (Cyhoeddwyd gyntaf yn *Y Faner*, 3.7.24, 5).

2686 —— The craft of the short story — Saunders Lewis interviews Kate Roberts. *Planet*, 51(1985), 39-48. [Welsh interview broadcast in 1947, and subsequently published in *Crefft y stori fer* (*see* LILIG 5678). English translation by John Phillips and Ned Thomas.]

2687 Llyfrynnau llenorion: Kate Roberts. Ymchwilwyr — Lona Gwilym a June E. Jones. Caerdydd: Yr Academi Gymreig, [1983]. 16tt. (Llyfrynnau llenorion; 1).

2688 Miles, Megan Hughes: *Gw.* rhif 2789, tt. 173-246.

2689 Morgan, Derec Llwyd: Kate Roberts. *Y Bangoriad*, 1985, 55-7.

2690 —— Kate Roberts - llenor mawr. *Y Faner*, 26.4.85, 6-7

2691 —— *Prynu dol.* [Yn] *Trafod llenyddiaeth* . . . tt. 48-57. *Gw.* rhif 2190.

2692 Morgan, Derec Llwyd (gol.): *Bro a bywyd Kate Roberts.* Caerdydd: Cyngor Celfyddydau Cymru, 1981. 63tt. (Bro a bywyd; 2).

2693 Morris, Mair Gwenllian: Astudiaeth o'r plentyn yng ngwaith Dr Kate Roberts. (Traethawd M.A.). Aberystwyth, 1986.

2694 —— Y ddwy Winni. *YB*, 13(1985), 256-64.
Trafodir y portread o Winni Ffinni Hadog yn *Te yn y grug* a *Haul a drycin*.

2695 Roberts, Eigra Lewis: Llenor wrth ei waith - Dr. Kate Roberts mewn sgwrs ag Eigra Lewis Roberts. *Y Genhinen*, 27(1977), 9-12.

2696 Roberts, John: Astudiaeth o waith diweddar Kate Roberts. (Traethawd M.A.). Aberystwyth, 1975.

2697 WILLIAMS, HERBERT: Kate Roberts in person — an interview with Herbert Williams. *Planet,* 42(1978), 26-30.

2698 WILLIAMS, IOAN: Kate Roberts in translation. *Planet,* 42(1978), 19-26.

2699 WILLIAMS, J.E. CAERWYN: Ton yn dilyn ton. (*Ysgrif adolygiadol:* ar *Yr wylan deg*). *Taliesin,* 32(1976), 122-4.

2700 WILLIAMS, RHYDWEN (GOL.): *Kate Roberts — ei meddwl a'i gwaith.* Llandybïe: Christopher Davies, 1983. 156tt.

Yn cynnwys: Cefndir Kate Roberts — milltir sgwâr Moel Tryfan (Gwilym R. Jones). Y byd y ganwyd Kate Roberts iddo (Richard H. Lewis, o *Barn,* 209(1980)). Y Doctor Kate Roberts a'r capel (W.I. Cynwil Williams, o *Barn,* 209(1980)). *Yr wylan deg* a *Haul a drycin* (John Emyr). *Stryd y Glep* (R. Geraint Gruffydd). Trem neu ddwy ar *Tywyll heno* (Donald Evans). *Tywyll heno* (John Rowlands, o *Barn,* 71(1968)). Boddi cath ac atgyfodiad [sylwadau ar 'Gofid', *Te yn y grug,* tt. 7-11] (Gwyn Thomas). Storïau cynnar Kate Roberts (Bobi Jones, o *Barn,* 209 (1980)). Kate Roberts (John Gwilym Jones). Kate Roberts — cyni mewn ceinder (Harri Pritchard Jones). Dewisreg bywyd (Hywel Teifi Edwards). Plant Kate Roberts (Dyddgu Owen). *Tegwch y bore* (John Rowlands, o *Barn,* 66(1968)). *Traed mewn cyffion* (Derec Llwyd Morgan).

2701 WILLIAMS, W.I. CYNWIL: Kate Roberts, 1891-1985. *Y Traethodydd,* 140(1985), 175-84.

R. Meirion Roberts

2702 GRUFFYDD, R. GERAINT: Ail-gloriannu R. Meirion Roberts. *Y Faner,* 16.3.84, 12-13.

Trebor E. Roberts

2703 NICHOLAS, W. RHYS a JONES, R. E.: Dwy deyrnged i'r bardd Trebor E. Roberts. *Barddas,* 99/100(1985), 27-8, 32.

Dafydd Rowlands

2704 WILLIAMS, IOAN: Nofel/cerdd — *Mae Theomemphus yn hen.* [Yn] *Y nofel* . . . tt. 48-53. *Gw.* rhif 2808.

John Rowlands

2705 EAVES, STEVE: Nofel y ddau argyfwng. *Taliesin,* 38(1979), 94-7.
Sylwadau ar *Tician tician.*

2706 JONES, E.R. LLOYD: Nofel ac adnod. *Porfeydd,* 12(1980), 115-21.
Yn cynnwys sylwadau ar *Llawer is na'r angylion* a *Bydded tywyllwch.*

E. Prosser Rhys

2707 EDWARDS J. M.: Edward Prosser Rhys. *Y Cardi,* 12(1974), 3-6.

2708 HINCKS, RHISIART: Bywyd a gwaith E. Prosser Rhys. (Traethawd M.A.). Aberystwyth, 1979.

2709 —— *E. Prosser Rhys, 1901-1945.* Llandysul: Gwasg Gomer, 1980. 201tt. *Adol.:* D. J. Bowen, *Y Cardi,* 16(1981), 50-2; D. Tecwyn Lloyd, *Y Faner,* 29.5.81, 16; Thomas Parry, *LILI,* Haf(1981), 19.

2710 —— Edward Prosser Rhys, golygydd *Y Faner,* 1923-1945. *Y Faner,* 5.1.79, 14-15; 12.1.79, 14-15; 19.1.79, 15-16; 26.1.79, 14-15.

2711 WILLIAMS, GWYN: E. Prosser Rhys — rhai ffeithiau. *Y Traethodydd,* 132(1977), 181-5.

Gwyn Thomas

2712 ALAN LLWYD: *Gwyn Thomas.* Caernarfon: Gwasg Pantycelyn, 1984. 111tt. (Llên y llenor). *Adol.:* Bryan Martin Davies, *Barddas,* 90(1984), 5; Robert Rhys, *LILI,* Gaeaf(1984), 13.

2713 DAVIES, GARETH ALBAN: Siglwr rhod yr awen - awen Gwyn Thomas. *Barddas,* 111/112(1986), 19-21.

2714 EDWARDS, D. GARETH: Sylwadau ar gerdd deledu ['Cadwynau yn y meddwl']. *Y Traethodydd,* 132(1977), 118-22.

2715 GWYNN AP GWILYM *et al.:* 'At yr eglwysi sydd yn myned hyd yn Bycluns' (*Croesi traeth* tt. 24-6); sylwadau gan Gwynn ap Gwilym, Bedwyr L. Jones, J. E. Caerwyn Williams. *Barddas,* 56(1981), 4-8.

2716 ROBERTS, EIGRA LEWIS: Llenor wrth ei waith — Gwyn Thomas mewn sgwrs ag Eigra Lewis Roberts. *Y Genhinen,* 27(1977), 149-54.

2717 ROWLANDS, JOHN: John Rowlands yn holi Gwyn Thomas am ei farddoniaeth. *LILI,* Hydref(1981), 4-7.

2718 THOMAS, GWYN: *Living a life: selected poems, 1962-1982;* selected and introduced by Joseph P. Clancy, with translations by Joseph P. Clancy and Gwyn Thomas. Amsterdam: Scott Rollins for Bridges Books, 1982. 97pp. (Parallel Welsh and English texts). *Rev.:* M. Wynn Thomas, *AWR,* 75(1984), 88-95; Ioan Williams, *LILI,* Summer (1983), 3-4.

2719 WILLIAMS, GERWYN: Gwyn Thomas yn ateb cwestiynau Gerwyn Williams. *Y Traethodydd,* 139(1984), 208-20.

Gwyneth Vaughan

2720 PARRY, THOMAS: Gwyneth Vaughan. *CCHChSF,* 8(1979), 225-36.

D.J. Williams

2721 BOWEN, D. J.: Cofio D. J. - y gwarcheidwad diflino. *Y Faner,* 18.10.85, 14-15.

2722 GRIFFITHS, J. GWYN (GOL.): *Bro a bywyd D.J. Williams, 1885-1970.* Caerdydd: Cyngor Celfyddydau Cymru, 1983. 88tt. (Bro a bywyd; 5).

2723 JONES, BOBI: Hen wyneb D.J. *Taliesin*, 54(1985), 56-76.

2724 JONES, R. GERALLT: Sir Benfro yn storïau byrion D.J. [Yn] *Abergwaun a'r fro* . . . tt. 145-53. *Gw.* rhif 2927.

2725 LEWIS, SAUNDERS: Arddull D. J. Williams. [Yn] *Meistri a'u crefft: ysgrifau llenyddol* . . . tt. 37-40. *Gw.* rhif 125. (Cyhoeddwyd gyntaf yn *D. J. Williams, Abergwaun: cyfrol deyrnged*; golygydd J. Gwyn Griffiths (1965)).

2726 —— D. J. Williams. [Yn] *Meistri a'u crefft: ysgrifau llenyddol*. . . tt. 28-36. *Gw.* rhif 125. (Cyhoeddwyd gyntaf yn *Llafar*, 4/2 (1955), 6-17).

2727 MILES, MEGAN HUGHES: *Gw.* rhif 2789. tt. 106-72.

2728 PARRY-JONES, LILIAN: *Cofio Dafy John, Abernant.* [s.l.]: Adran Gwasanaethau Diwylliannol Cyngor Sir Dyfed, 1985. 24tt.
Rhai atgofion am D.J. Williams, Rhydcymerau (1885-1970) ynghyd ag esiamplau o rai o'i lythyron.

Eliseus Williams (Eifion Wyn)

2729 DAVIES, TUDOR: Gwŷr enwog Eifionydd . . . *Yr Eurgrawn*, 170(1978), 85-90, 178-82; 171(1979), 36-43, 86-90, 130-5, 171-5.

2730 HUMPHREYS, GWILYM W.: 'F'annwyl gyfaill . . . Eifion'. *Y Genhinen*, 29(1979/80), 130-3, 153-65.
Llythyrau oddi wrth Eifion Wyn at J. Lloyd Humphreys, Blaenau Ffestiniog.

2731 JONES, BOBI: Ffurfioldeb bonheddig Eifion Wyn. *Barn*, 191/192(1978/79), 475-8.

2732 WILLIAMS, PEREDUR WYN: *Eifion Wyn.* Llandysul: Gwasg Gomer, 1980. 263tt. *Adol.:* Bedwyr L. Jones, *Barn*, 215(1980), 405-6; Gwilym R. Tilsley, *Yr Eurgrawn*, 173(1981), 91-4; Robin Williams, *Taliesin*, 44(1982), 101-2; W. D. Williams, *Barddas*, 45(1980), 5-6.

Griffith John Williams

2733 LEWIS, SAUNDERS: Griffith John Williams (1892-1963). [Yn] *Meistri a'u crefft: ysgrifau llenyddol* . . . tt. 44-8. *Gw.* rhif 125. (Cyhoeddwyd gyntaf yn *Morgannwg*, 7(1963), 5-10).

2734 PEATE, IORWERTH C.: *Personau.* Dinbych: Gwasg Gee, 1982. tt. 41-7.

Gwynne Williams

2735 EVANS, DONALD: Cofio'r cyfoes - Gwynne Williams. *Barddas*, 56(1981), 1-3.

Harri Williams

2736 ELIS, ISLWYN FFOWC: Dioddefaint creadigol — nofelau Harri Williams. *Y Traethodydd,* 139(1984), 176-85.

Islwyn Williams

2737 MORGAN, DEREC LLWYD: *Islwyn Williams a'i gymdeithas.* [s.l.]: Llys yr Eisteddfod Genedlaethol, 1980. 34tt. (Y ddarlith lenyddol flynyddol; 1980). *Gw. hefyd:* 'Cofio Islwyn'. *Y Casglwr,* 11(1980), 5.

J. J. Williams

2738 OWEN, DAFYDD: Awdl 'Y lloer'. *Barn,* 164(1976), 303-4; 165(1976), 336-8.

John Gruffydd Williams

2739 JONES, R. GERALLT: John Gruffydd Williams yn sgwrsio â R. Gerallt Jones. *Barn,* 181(1978), 74-8.

R. Bryn Williams

2740 JONES, T. JAMES: *Cariad creulon. Barn,* 156(1976), 28; 167(1976), 406-7; 168(1977), 33-4.

Rhydwen Williams

2741 ALAN LLWYD: Beirdd diweddar: Rhydwen Williams. *Barddas,* 82(1984), 7-8; 87/88(1984), 5-7.

2742 —— 'Y march' (*Cynhaeaf cymysg,* t. 23, gol. Gloria Davies). *Barn,* 206(1980), 55.

W. Crwys Williams

2743 EDWARDS, D. ISLWYN: Cefndir a dylanwadau cynnar Crwys. *Barn,* 251/252(1983/84), 479-80.

W. D. Williams

2744 DAFYDD ISLWYN: Cofio W. D. Williams. *Barddas,* 97(1985), 1-3.

Waldo Williams

2745 ALAN LLWYD: 'Cwmwl Haf' o safbwynt barddoniaeth a beirniadaeth fodern. *Barddas,* 57(1981), 6-8; 58(1981), 5-8.

2746 ALLCHIN, A.M.: The writer and tradition. [In] *The world is a wedding* . . . pp. 142-56. *Gw.* rhif 2112.

2747 BEVAN, HUGH: Barddoniaeth y cae agored. [Yn] *Beirniadaeth lenyddol: erthyglau* . . . tt. 205-13. *Gw.* rhif 87. (Cyhoeddwyd gyntaf yn *Y Traethodydd,* 113(1958), 30-8).

2748 COSTIGAN, NORA GABRIEL, *Y Chwaer Bosco:* Waldo Williams (1904-1971). [Yn] *Herio'r byd;* golygwyd gan D. Ben Rees. Lerpwl: Cyhoeddiadau Modern Cymreig, 1980. tt. 80-5.

2749 DAVIES, PENNAR: 'Daw'r brenin alltud'. [Yn] *Y brenin alltud.* Llandybïe: Christopher Davies, 1974. tt. 1-4. *Gw. hefyd* 'A'r brwyn yn hollti', tt. 7-10. (Cyhoeddwyd gyntaf yn *Y Traethodydd,* 126(1971), 275-8).

2750 GRUFFYDD, R. GERAINT: Waldo Williams — un llef, pedwar llais. *Taliesin,* 57(1986), 27-43. (Darlith lenyddol Gŵyl Waldo . . . Ebrill 1986).

2751 ISAAC, NORAH: 'Neuadd fawr, cyfyng furiau'. *Barn,* 198/199 (1979), 54-5.

2752 JONES, BOBI: Sgwrs rhwng Waldo Williams a Bobi Jones [*Yr Arloeswr,* Calan, 1958]. *Barn,* 185(1978), 234-6.

2753 JONES, EDWIN PRYCE: Llythyrau Waldo a D.J. *Y Traethodydd,* 138(1983), 138-46.

2754 JONES, JOHN GWILYM: 'Cwmwl Haf'. [Yn] *Swyddogaeth beirniadaeth ac ysgrifau eraill . . .* tt. 149-55. *Gw.* rhif 113. (Cyhoeddwyd gyntaf yn *Y Traethodydd,* 126(1971), 303-8).

2755 LEWIS, SAUNDERS: *Dail pren.* [Yn] *Meistri a'u crefft: ysgrifau llenyddol . . .* tt. 57-60. *Gw.* rhif 125. (Cyhoeddwyd gyntaf yn *Barn,* 105(1971), 254).

2756 MORGAN, DYFNALLT: Ail-gloriannu Waldo Williams. *Y Faner,* 27.1.84, 12-13.

2757 NICHOLAS, JAMES: *Waldo Williams.* Cardiff: University of Wales Press on behalf of the Welsh Arts Council, 1978. 92pp. (Writers of Wales).

2758 NICHOLAS, JAMES (GOL.): *Waldo: cyfrol deyrnged.* Llandysul: Gwasg Gomer, 1977. 275tt. *Adol.:* Gwyn Erfyl 'Waldo yng ngŵydd ei ddehonglwyr', *Taliesin,* 35(1977), 21-8; T. Gwynn Jones. *Barn,* 181(1978), 72-3. *Rev.:* Tony Bianchi, 'Waldo and Apocalypse', *Planet,* 44(1978), 5-12.

Yn cynnwys: Waldo — bardd y plant (T. Llew Jones). Waldo (Anna Wyn Jones). Atgofion (Y Chwaer Bosco). 'Yn olau gan lawenydd' (D. Tecwyn Lloyd). Waldo yn ei gyfanrwydd (W.R. Evans). Achau Waldo (Steffan Griffith). Nid niwl yn chwarae (Bobi Jones). Waldo Williams (Alun Llywelyn-Williams). Yng nghysgod *Dail Pren* (J.E. Caerwyn Williams, ac atodiad gan Dilys Williams). Meddylfryd Waldo Williams (Pennar Davies). Waldo Williams — bardd y gobaith pryderus (John Rowlands). Breuddwyd dwyfol a dwyfoldeb brau (James Nicholas). Gweithiau Waldo Williams (B.G. Owens).

2759 OWENS, B.G.: Waldo Williams a'r Preseli. *SG,* 70(1978), 109-14.

2760 ROWLANDS, JOHN *et al.:* 'O bridd'; sylwadau gan John Rowlands, Meredydd Evans, Moses Glyn Jones. *Barddas,* 59(1982), 3-7.

2761 RHYS, ROBERT: Waldo Williams a sir Benfro - rhai cysylltiadau a cherddi cynnar. *Barddas*, 111/112(1986), 23-6. *Gw. hefyd* 'Darganfod cerddi Saesneg gan Waldo'. *Barddas*, 115(1986), 1-2.

2762 RHYS, ROBERT (GOL.): *Waldo Williams*. Abertawe: Gwasg Christopher Davies, 1981. 314tt. (Cyfres y meistri; 2). *Adol.*: J. Gwyn Griffiths, *Barn*, 226(1981), 409-10; Bobi Jones, *Barn*, 226(1981), 419; Dyfnallt Morgan, *LILI*, Gaeaf (1981), 22.

2763 THOMAS, NED: *Waldo*. Caernarfon: Gwasg Pantycelyn, 1985. 75tt. (Llên y llenor). *Adol.*: Robert Rhys, *Barddas*, 107(1986), 9-10; John Rowlands, *LILI*, Gaeaf (1985), 11-12.

2764 —— The Waldo dialectic. *Planet*, 58(1986), 10-15.

2765 WALDO WILLIAMS-ffeithiau newydd am ei fywyd a'i waith. *Bro*, 3(1978), [1]-[5].

2766 WALTERS, HUW: Waldo a'r Wythïen Fawr. *Y Genhinen*, 27(1977), 203-11.

ADRAN G

RHAI FFURFIAU LLENYDDOL

I. YR ENGLYN

2767 ALAN LLWYD (GOL.): *Y flodeugerdd englynion.* Abertawe: Christopher Davies, 1978. 243tt. *Adol.* Thomas Parry, *Barddas*, 21(1978), 12-13; Myrddin ap Dafydd, *Barn*, 188(1978), 342-3. [Ateb y golygydd, *Barn*, 189(1979), 367-71].

> tt. 11-33 Rhagymadrodd; tt. 226-9 Atodiad 1: Crefft yr englyn; tt. 230-8 Atodiad 2: Amrywiadau'r englyn.

2768 BOWEN, GERAINT: Llunio englyn. *Barddas*, 49/50(1981), 6-8.

2769 GWERTHFAWROGI'R englyn: sylwadau gan Mathonwy Hughes, Donald Evans, Moses Glyn Jones. *Barddas*, 82(1984), 5-6; 85(1984), 6-7; 95/96(1985), 11-12.

2770 HUW CEIRIOG (GOL.): *Y flodeugerdd o englynion ysgafn.* Abertawe: Gwasg Christopher Davies, 1981. 119tt. *Adol.*: H. Meurig Evans, *Barn*, 219(1981), 157; Islwyn Jones, *Y Faner*, 2.7.82, 4.

2771 JONES, R.M.: Yr englyn, 1902-1936. *Barn*, 238(1982), 349-50.

2772 —— Rhythmau'r englyn. *Barddas*, 106(1986), 10-11.

2773 —— Ynglŷn â'r englyn. *YB*, 12(1982), 250-93.

2774 PARRY, THOMAS: Y rhagwant. *Barddas*, 74(1983), 2. *Gw. hefyd* R.M. Jones, *Barddas*, 71(1983), 2; 77(1983), 4.

2775 POWELL, J.G.F.: Yr epigram Groeg a'r englyn Cymraeg. *Y Traethodydd*, 138(1983), 59-71.

2776 WILLIAMS, T. ARFON: Apologia Pelagiws (golwg bersonol ar yr englyn). [Yn] *Trafod cerdd dafod y dydd* . . . tt. 83-90. *Gw.* rhif 2109.

2777 WILLIAMS, T. ARFON (GOL.): *Ynglŷn â chrefft englyna.* [s.l.]: Cyhoeddiadau Barddas, 1981. 93tt.

> *Cynnwys:* Gofynion yr englyn (Geraint Bowen). Datblygiad yr englyn (Alan Llwyd). Llunio englyn — sylwadau gan Geraint Bowen, Eirian Davies, Donald Evans, Mathonwy Hughes, Roger Jones, Peredur Lynch, Alan Llwyd, Gerallt Lloyd Owen, T. Arfon Williams.

II. Y DELYNEG

2778 GWYNN AP GWILYM (GOL.): *Y flodeugerdd delynegion.* Llandybïe: Christopher Davies, 1979 . . . tt. 11-23, Rhagymadrodd. *Adol.*: Branwen Jarvis, *LILI*, Haf (1980), 16-17; Bedwyr L. Jones, *Barn*, 214(1980), 364-5.

2779 JONES, BEDWYR L.: *Rhai o delynegion Bro Dwyfor.* [s.l.]: [Llys yr Eisteddfod Genedlaethol], 1975. 26tt. (Y ddarlith lenyddol flynyddol; 1975).

2780 JONES, BOBI: Y delyneg, 1902-1936. *Barn,* 266(1985), 95-8; 267(1985), 154-6.

III. Y SONED

2781 ALAN LLWYD (GOL.): *Y flodeugerdd sonedau.* Abertawe: Christopher Davies, [1980]. 183tt. tt. 9-12 Rhagymadrodd. *Adol.:* R. Geraint Gruffydd, *Y Faner,* 1.8.80, 9; E.R.Lloyd-Jones, *Taliesin,* 42(1981), 112-13; Gwilym R. Jones, *Barn,* 212(1980), 285-6; Thomas Parry, *LILI,* Hydref (1980), 25.

2782 JONES, BOBI: Sonedau, 1902-1936. *Barn,* 268(1985), 177-9.

2783 JONES, GWILYM R.: Techneg y soned. *Barddas,* 45(1980), 7.

IV. Y STORI FER

2784 ADLER, HELEN UNGOED: Y stori fer Gymraeg 1913-1937. (Traethawd M.A.). Aberystwyth, 1983.

2785 BEVAN, HUGH: Storïau'r deffro [Yn] *Beirniadaeth lenyddol: erthyglau . . .* tt. 71-81. *Gw.* rhif 87. (Cyhoeddwyd gyntaf yn *Yr Arloeswr,* 7(1960), 4-11).

2786 CHAPMAN, T. ROBIN: Gwasgaru'r us: R.G. Berry a'r stori fer. *Taliesin,* 44(1982), 26-32.

2787 JENKINS, JOHN (GOL.): *Y stori fer — 'seren wib llenyddiaeth'.* Abertawe: Christopher Davies, 1979. 198tt.
Rhan 1. Crefft a chefndir y stori fer Gymraeg: Y stori fer: 'seren wib llenyddiaeth' (Harri Pritchard Jones). Traddodiad y stori fer Gymraeg (Islwyn Ffowc Elis), ac adargraffiad o erthyglau gan Kate Roberts, T.H. Parry Williams, a Dafydd Jenkins. *Gw.* LILIG 5686, 5682, 5669.

2788 JONES, GERAINT WYN: Hanfodion y stori fer. *Lleufer,* 26/1(1974/75), 29-38; 26/3(1975/76), 8-13.

2789 MILES, MEGAN HUGHES: Y stori fer yng Nghymru. (Traethawd M.A.). Bangor, 1979.
Trafodir gweithiau Winnie Parry, Richard Hughes Williams, R. Dewi Williams, R.G. Berry, D.J. Williams, Kate Roberts, Islwyn Williams, John Gwilym Jones.

2790 MORGAN, DEREC LLWYD: Y stori fer. [Yn] *Y traddodiad rhyddiaith yn yr ugeinfed ganrif . . .* tt. 167-87. *Gw.* rhif 2116.

V. Y NOFEL

2791 ASHTON, GLYN M.: Y nofel. [Yn] *Y traddodiad rhyddiaith yn yr ugeinfed ganrif . . .* tt. 106-49. *Gw.* rhif 2116.

2792 BEVAN, HUGH: Darllen nofelau. [Yn] *Beirniadaeth lenyddol: erthyglau . . .* tt. 33-44. *Gw.* rhif 87. (Cyhoeddwyd gyntaf yn *Y Llenor*, 27(1948), 159-69).

2793 EAVES, STEVE: Hynt a helynt y nofel Gymraeg er 1975. *LILI*, Gwanwyn (1982), 10-12.

2794 ELIS, ISLWYN FFOWC: Yr Eisteddfod Genedlaethol a'r nofel Gymraeg. [Yn] *Eisteddfota*. 2, tt. 35-55. *Gw.* rhif 2865.

2795 ETHALL, HUW: Tröedigaeth mewn nofelau. *Y Faner*, 24.6.77, 15.

2796 IFANS, DAFYDD: Nofelau hanesyddol fel llenyddiaeth. *YB*, 9(1976), 298-311.

2797 JOHNSTON, DAVID: Yr unigolyn a'r gymdeithas yn y nofel Gymraeg. *Barn*, 285(1986), 363-5; 286(1986), 398-400; 287(1986), 436-7.

2798 JONES, DAFYDD GLYN: Rhai storïau am blentyndod. *YB*, 9(1976), 255-73.
Trafodir rhai o weithiau Tegla, Emyr Humphreys, John Gwilym Jones, Winnie Parry, Caradog Prichard, Kate Roberts, W. Llywelyn Williams.

2799 JONES, GWYN: *Y nofel a chymdeithas* = *The novel and society*. [s.l.]: Cymdeithas Gelfyddydau Gogledd Cymru, 1981. [ii], [13]; [13]tt. (Darlith Ben Bowen Thomas; 1980).

2800 JONES, J. GWYNFOR: Cipdrem ar hanes y nofel Gymraeg. *Taliesin*, 45(1982), 9-34.

2801 JONES, JOHN GWILYM: Beth yw nofel? [Yn] *Swyddogaeth beirniadaeth ac ysgrifau eraill . . .* tt. 214-37. *Gw.* rhif 113. (Cyhoeddwyd gyntaf yn *Taliesin*, 15 (1967), 50-62).

2802 MILLWARD, E. G.: Teulu llenyddol Daniel Owen. *Y Faner*, 12.7.77, 13-14.

2803 MORGAN, DAFYDD DENSIL: Cyffes a hunan-ymholiad — gwreiddiau'r nofel seicolegol Gymraeg. *Taliesin*, 39(1979), 79-90.
Trafodir nofelau Tegla, Saunders Lewis, Gwenallt, John Gwilym Jones, a Kate Roberts.

2804 OWEN, JAMES DEGWEL: Y plentyn mewn cymdeithas — astudiaeth o agweddau ar blentyndod yn ail hanner y bedwaredd ganrif ar bymtheg yng Nghymru, fel y'i amlygir mewn llenyddiaeth. (Traethawd M.Ed.). Abertawe, 1979.
Cyfeirir at weithiau: Daniel Owen, W.J. Gruffydd, E. Tegla Davies, William Rees (Gwilym Hiraethog), O.M. Edwards, a W. Llywelyn Williams.

2805 PETHERBRIDGE, WILLIAM: Y nofelau Cymraeg 1953-1973. (Traethawd M.A.). Aberystwyth, 1979.

tt. 430-52. Rhestr o'r nofelau a gyhoeddwyd 1953-1973 ynghyd ag adolygiadau.

2806 ROWLANDS, JOHN: Agweddau ar y nofel Gymraeg gyfoes. *YB*, 9(1976), 274-97.

2807 WALTERS, HUW: Rhai o ohebwyr *Y Gwladgarwr*. *Taliesin*, 58(1986), 11-25.

Atodiad: Rhestr o'r nofelau a gyhoeddwyd yn y newyddiadur rhwng 4 Medi 1858 ac 1 Medi 1882.

2808 WILLIAMS, IOAN: *Y nofel*. Llandysul: Gwasg Gomer, 1984. 62tt.

Cynnwys: 1. Beth yw'r nofel? 2. Ar lefel iaith. 3. Trefn y deunydd. *Gw. hefyd* rifau 2058, 2355, 2404, 2661, 2704.

VI. YR YSGRIF

2809 BIANCHI, TONY: *Ysgrifau llenorion* (Dinbych, 1967, gol. John Lasarus Williams). [Yn] *Trafod llenyddiaeth* . . . tt. 58-78. *Gw.* rhif 2190.

2810 PARRY, T. EMRYS: Yr ysgrif: gyda sylw arbennig i waith T.H. Parry-Williams. [Yn] *Y traddodiad rhyddiaith yn yr ugeinfed ganrif* . . . tt. 188-210. *Gw.* rhif 2116.

VII. Y DDRAMA

(i) Cyffredinol

2811 EDWARDS, EMYR (GOL.): *Theatr y cyfryngau*. Abertawe: Christopher Davies, 1979. 112tt.

2812 EDWARDS, HYWEL TEIFI: *Wythnos yn hanes y ddrama yng Nghymru, 11-16 Mai, 1914*. Bangor: Cymdeithas Theatr Cymru, 1984. 34tt. (Astudiaethau Theatr Cymru; 4).

2813 EVANS, R. WALLIS: Cynan y sensor — 1931-1968. *Y Genhinen*, 27(1977), 81-6; 28(1978), 37-41, 112-18.

2814 GRIFFITHS, BRUCE: Arloeswr ym myd y ddrama [Y Parch. John P. Harries, 'Ieuan Ddu']. *JWBS*, 11(1975/76), 216-19.

2815 JENKINS, EMYR WYN: *Y ddrama Gymraeg yn Abertawe a'r cylch*. Abertawe: Swansea Little Theatre Co., Ltd., 1985. 24tt.

2816 JONES, BOBI: Y ddrama 1913-1936. *Barn*, 271(1985), 295-7; 272(1985), 352-3; 274(1985), 412-13; 275(1985), 448-50.

Cyfeirir at D.T. Davies, W.J. Gruffydd, Saunders Lewis, R.G. Berry, Idwal Jones, J. Ellis Williams, Cynan.

2817 JONES, DAFYDD GLYN: Y ddrama ryddiaith. [Yn] *Y traddodiad rhyddiaith yn yr ugeinfed ganrif* . . . tt. 211-40. *Gw.* rhif 2116.

2818   JONES, EINIR VAUGHAN: Y ddrama Gymraeg a Vers Libre. *Gw.* rhif 2145. tt. 76-8.

Trafodir dramâu Saunders Lewis, Kitchener Davies a Thomas Parry.

2819   JONES, JOHN GWILYM: *Yr arwr yn y theatr.* Bangor: Cymdeithas Theatr Cymru, 1981. 27tt. (Astudiaethau Theatr Cymru; 3).

2820   JONES, W. S.: *Wil Sam.* Caernarfon: Gwasg Gwynedd, 1985. 176tt. (Cyfres y cewri; 5).

tt. 146-58 'Theatr Fach y Gegin, Cricieth'.

2821   OWEN, DAFYDD: *Ys-gwni.* Porthmadog: Gwasg Tŷ ar y Graig, 1976. 90tt.

tt. 66-77. Y pulpud yn y ddrama.

2822   STEPHENS, ELAN CLOSS: Drama. [In] *The arts in Wales, 1950-75;* edited by Meic Stephens. Cardiff: Welsh Arts Council, 1979. pp. 239-96.

2823   —— Drama. [Yn] *Y celfyddydau yng Nghymru, 1950-75;* golygydd Meic Stephens. Caerdydd: Cyngor Celfyddydau Cymru, 1979. tt. 251-312.

2824   THOMAS, NIA WYNN: Cyfeiriadau newydd yn y ddrama Gymraeg, c. 1950-1980, gyda sylw arbennig i weithiau Huw Lloyd Edwards, W.S. Jones a Gwenlyn Parry. (Traethawd M.A.). Aberystwyth, 1983.

(ii)   Rhai awduron unigol
R. C. Berry

2825   ETHALL, HUW: *R. G. Berry - dramodydd, llenor, gweinidog.* Abertawe: Tŷ John Penry, 1985. 133tt. *Adol.:* T. Robin Chapman, *LILI,* Haf (1985), 13.

James Kitchener Davies

2826   DAVIES, MAIR I. (GOL): *Gwaith James Kitchener Davies.* Llandysul: Gwasg Gomer, 1980. 260tt. *Gw.* rhif 2325.

2827   POETRY WALES - special feature on James Kitchener Davies. *PW,* 17/3 (1982), 7-35. *Gw.* rhif 2327.

2828   WILLIAMS, IOAN: *Kitchener Davies.* Caernarfon: Gwasg Pantycelyn, 1984. 59tt. (Llên y llenor). *Gw.* rhif 2328.

Huw Lloyd Edwards

2829   EDWARDS, D. GARETH: *Llyffantod. Barn,* 169(1977), 64-6; 170(1977), 103-4; 171(1977), 137-8.

Beriah Gwynfe Evans

2830   JONES, JOHN GWILYM: Dramâu Beriah Gwynfe Evans. [Yn] *Swyddogaeth beirniadaeth ac ysgrifau eraill . . .* tt. 303-15. *Gw.* rhif 113. (Cyhoeddwyd yn wreiddiol yn *Gwŷr llên y bedwaredd ganrif ar bymtheg;* golygydd Dyfnallt Morgan, 1968).

2831 REES, IFOR: Beriah Gwynfe Evans (1848-1927): arloeswr byd y ddrama. *Y Genhinen*, 29(1979), 68-71.

Francis George Fisher

2832 JONES, LLEWELYN: *Francis George Fisher — bardd a dramodwr.* [Llangefni]: Pwyllgor Gwaith Eisteddfod Genedlaethol Cymru, Ynys Môn, 1983. 24tt.

John Gwilym Jones

2833 ROWLANDS, JOHN: The humane existentialist - playwright John Gwilym Jones. *WBW*, Autumn (1980), 6-7.

2834 TOMOS, GWENNAN: Astudiaeth o ddramâu John Gwilym Jones. (Traethawd M.A.). Bangor, 1979.

W. S. Jones

2835 JONES, W. S.: *Wil Sam.* Caernarfon: Gwasg Gwynedd, 1985. 176tt. (Cyfres y cewri; 5).
tt. 130-45 'Y busnes sgwennu 'ma'.

Saunders Lewis

Gweler yr eitemau perthnasol yn adran 2497-2533

Gwenlyn Parry

2836 EDWARDS, EMYR: Astudiaeth Dewi Z. Phillips o waith y dramodydd Gwenlyn Parry. *EA*, 46(1983), 26-46.

2837 PHILLIPS, DEWI Z.: *Dramâu Gwenlyn Parry: astudiaeth.* Caernarfon: Gwasg Pantycelyn, 1982. 144tt.

2838 —— Y ffin — rhwng ystyr a diddymdra. *Y Faner*, 15.12.78, 7-9; 22.12.78, 10-12; 29.12.78, 11-13.
Sylwadau ar *Saer doliau, Tŷ ar y tywod, Y ffin.*

2839 —— *Tŷ ar y tywod. Y Faner*, 24.11.78, 13-14; 1.12.78, 14-15; 8.12.78, 12-14.

Urien Wiliam

2840 PHILLIPS, DEWI Z.: Bywyd y pypedau. Taliesin, 39(1979), 37-49; 40(1980), 66-74.

ADRAN Ng

YR EISTEDDFOD A'R ORSEDD

I. Cyn 1900.

2841 BETTS, CLIVE: *A oedd heddwch?* Caerdydd: Gwasg ap Dafydd, 1978. 126tt. *Adol.*: Tim Saunders, *Y Traethodydd*, 135(1980), 166-8.
Eisteddfodau Cenedlaethol Caerdydd, 1834, 1879, 1883, 1899.

2842 —— *Cardiff and the Eisteddfod.* Cardiff: Gwasg ap Dafydd, 1978. 44pp.

2843 BOWEN, GERAINT: Archdderwydd, y teitl a'r swydd. *CLIGC,* 24(1986), 358-88.

2844 —— Eisteddfod daleithiol Caernarfon, 1821. *Barddas,* 106(1986), 12-14.

2845 —— Gorsedd Eisteddfod Caerfyrddin, 1819. *Barddas,* 99/100 (1985), 10-11.

2846 —— Gorseddau prif eisteddfodau'r saithdegau, 1869-1880. *Barn,* 259(1984), 281-3; 260(1984), 342-4.

2847 CYMDEITHAS LLYFRGELLOEDD CYMRU: *Enillwyr prif wobrau llenyddol yr Eisteddfod Genedlaethol (1861-1977).* Caernarfon: Cymdeithas Llyfrgelloedd Cymru, 1978. 43tt.

2848 EDWARDS, HYWEL TEIFI: *Yr Eisteddfod: cyfrol ddathlu wythganmlwyddiant yr Eisteddfod, 1176-1976.* [s.l.]: Llys yr Eisteddfod Genedlaethol, 1976. 85tt. *Ysgrif adolygiadol:* Brinley Richards, *Y Genhinen,* 27(1977), 69-74.

2849 —— Eisteddfod Genedlaethol Abertawe, 1891. [Yn] *Abertawe a'r cylch;* golygwyd gan Ieuan M. Williams. Llandybïe: Christopher Davies, 1982. tt. 9-30.

2850 —— Eisteddfod Genedlaethol Caernarfon, 1862. *Barn,* 198/199 (1979), 41-3.

2851 ——Eisteddfod Genedlaethol Merthyr Tudful, 1881. *Barn,* 222/223(1981), 292-4.

2852 —— *'Gŵyl Gwalia': Yr Eisteddfod Genedlaethol yn oes aur Victoria, 1858-1868.* Llandysul: Gwasg Gomer, 1980. xi, 453tt. *Adol.:* Derec Llwyd Morgan, *Y Faner,* 10.10.80, 17; Huw Williams, *WM,* 6/7(1981), 70-2; Stephen J. Williams, *Barn,* 217(1981), 73-4.

2853 —— Victorian Wales seeks reinstatement — the Jubilee Eisteddfod of 1887. *Planet,* 52(1985), 12-24.

2854 GWYNN AP GWILYM: Padraig Pearse a'r Eisteddfod Genedlaethol. *Taliesin,* 32(1976), 87-93.

2855 Miles, Dillwyn: *The Royal National Eisteddfod of Wales.* Swansea: Christopher Davies, 1978. pp.9-78.

2856 Rees, D. Ben: The Royal National Eisteddfod of Wales and the bardic tradition. [In] *Wales: the cultural heritage.* Ormskirk: G.W. and A. Hesketh, 1981. pp. 49-54.

II. Ar ôl 1900
(i) Cyffredinol

2857 Alan Llwyd (gol.): *Eisteddfota.* Abertawe: Christopher Davies, 1978. 128tt.

2858 Betts, Clive: *A oedd heddwch?* Caerdydd: Gwasg ap Dafydd, 1978. 126tt.
Adol.: Tim Saunders, *Y Traethodydd*, 135(1980), 166-8.
Eisteddfodau Cenedlaethol Caerdydd, 1938, 1960.

2859 —— *Cardiff and the Eisteddfod.* Cardiff: Gwasg ap Dafydd, 1978. 44pp.

2860 Bowen, Geraint: Cyfrifoldeb yr Eisteddfod, a'i dyletswydd — anerchiad yr Archdderwydd Geraint. *Barddas*, 37(1980), 1-2, 8.

2861 Cymdeithas Llyfrgelloedd Cymru: *Enillwyr prif wobrau llenyddol yr Eisteddfod Genedlaethol (1861-1977).* Caernarfon: Cymdeithas Llyfrgelloedd Cymru, 1978. 43tt.

2862 Edwards, Hywel Teifi: Yr Eisteddfod ac anrhydedd gwlad. [Yn] *Eisteddfota;* golygydd Alan Llwyd. Abertawe: Christopher Davies, 1978. tt.7-26.

2863 Evans, R. Wallis (gol.): *Cyfaredd y broydd: detholiad o raglenni eisteddfodau'r Gogledd.* Dinbych: Gwasg Gee, 1978. 139tt.

2864 Gwynn ap Gwilym: Eisteddfod Machynlleth 1937. [Yn] *Eisteddfota, 3,* tt. 57-72. *Gw.* rhif 2866.

2865 Gwynn ap Gwilym (gol.): *Eisteddfota 2.* Abertawe: Christopher Davies, 1979. 158tt.

2866 Ifor ap Gwilym (gol.): *Eisteddfota 3.* Abertawe: Christopher Davies, 1980. 133tt.

2867 Miles, Dillwyn: *The Royal National Eisteddfod of Wales.* Swansea: Christopher Davies, 1978. pp. 79-148.

2868 Rhys, Beti: *Dyfed: bywyd a gwaith Evan Rees, 1850-1923 . . . Gw.* rhif 1966.

(ii) Yr Eisteddfod a Llenyddiaeth

2869 Alan Llwyd: W.J. Gruffydd a'r Eisteddfod. [Yn] *Eisteddfota 2,* tt. 109-28. *Gw.* rhif 2865.

2870   ELIS, ISLWYN FFOWC: Yr Eisteddfod Genedlaethol a'r nofel Gymraeg. [Yn] *Eisteddfota 2*, tt. 35-55 *Gw.* rhif 2865.

2871   EVANS, DONALD: Awdlau cadeiriol yr Eisteddfod Genedlaethol 1900-1982. *Barn* (Atodiad rhifyn yr Eisteddfod) 1983, 12-15.

2872   —— Pryddestau coronog yr Eisteddfod Genedlaethol 1900-1983. *Barn*, 259(1984), 227-80.

2873   JONES, EINIR VAUGHAN: Vers Libre yn yr Eisteddfod. *Gw.* rhif 2145, tt. 79-110.

2874   POWELL, ROBAT: Awdlau'r Genedlaethol o 1945 ymlaen. *Barddas*, 99/100(1985), 21-2.

2875   ROWLANDS, JOHN: Y Fedal Ryddiaith 1937-1979. [Yn] *Eisteddfota 3*, tt. 111-33. *Gw.* 2866.

2876   TILSLEY, GWILYM R.: Awdlau cadeiriol 1960-1980. *Barddas*, 99/100 (1985), 1-5.

(iv)   Yr Orsedd

2877   BOWEN, EUROS: Diwinyddiaeth honedig Gorsedd y Beirdd. *Y Faner*, 17.12.76, 3; *Porfeydd*, 9(1977), 11-14.

2878   POWELL, W. EIFION: Diwinyddiaeth Gorsedd y Beirdd. *Porfeydd*, 8(1976), 131-5. *Gw. hefyd* rif 2877, ac ateb W. Eifion Powell, *Porfeydd*, 9(1977), 74-8.

ADRAN H

YSGOLHEIGION

E.G. Bowen

2879 CARTER, HAROLD and DAVIES, WAYNE K.D. (EDS.): *Geography, culture and habitat: selected essays (1925-1975) of E.G. Bowen.* Llandysul: Gomer Press, 1976. xxxiii, 275pp. *Adol.:* Nicolas Jacobs, *Taliesin,* 33(1976), 118-21. *Rev.:* W. G. V. Balchin, *AWR,* 58(1977), 191-4.

Includes: Emeritus Professor E.G. Bowen: a brief introduction to some selected academic papers. A bibliography of the writings of E.G. Bowen.

Rachel Bromwich

2880 LLYFRYDDIAETH y Dr. Rachel Bromwich. *YB,* 13(1985), 14-16.

2881 WILLIAMS, J.E. CAERWYN: Dr. Rachel Bromwich — cyflwyniad. *YB,* 13(1985), 9-13.

Idris Ll. Foster

2882 BROMWICH, RACHEL: Idris Llewelyn Foster 1911-1984. *SC,* 20/21 (1985/86), 221-9.

2883 EVANS, D. ELLIS: Sir Idris Foster. *THSC,* 1984, 331-6.

Kenneth H. Jackson

2884 LIST of publications by Kenneth Hurlstone Jackson. *SC,* 14/15(1979/80), 5-11.

2885 WILLIAMS, J.E. CAERWYN: Kenneth Hurlstone Jackson. *SC,* 14/15 (1979/80), 1-4.

Dafydd Jenkins

2886 JONES, PHILIP HENRY: A bibliography of the writings of Dafydd Jenkins 1935-83. [In] *Lawyers and laymen: studies in the history of law presented to Professor Dafydd Jenkins . . .* pp. 355-68. *Gw.* rhif 935.

R. Tudur Jones

2887 JOHN, E. STANLEY (GOL.): *Y Gair a'r genedl — cyfrol deyrnged i R. Tudur Jones.* Abertawe: Tŷ John Penry, 1986. 282tt.

Yn cynnwys: Cyflwyniad (D.R. Ap-Thomas). Hanesydd y Piwritaniaid a'r Hen Anghydffurfwyr yng Nghymru (R. Geraint Gruffydd). Llyfryddiaeth ddetholedig o gyhoeddiadau'r Dr. R. Tudur Jones, rhwng 1939 a 1985 (Derwyn Jones).

Thomas Jones

2888 BACHELLERY, E.: Thomas Jones (1910-1972). *ÉC,* 14(1974), 279-82.

2889 Roberts, Brynley F.: A bibliography of the published work of Thomas Jones. *SC*, 10/11(1975/76), 5-14.

2890 —— Thomas Jones (1910-1972). *Lochlann*, 6(1974), 186-8.

2891 Williams, J.E. Caerwyn: Thomas Jones (1910-1972). *SC*, 10/11(1975/76), 1-4.

D. Myrddin Lloyd

2892 Owens, B.G.: David Myrddin Lloyd. *Y Cardi*, 17(1984), 2-11.

2893 —— David Myrddin Lloyd. *Taliesin*, 44(1982), 8-17.

2894 Williams, J.E. Caerwyn: David Myrddin Lloyd (1909-1981). *Barn*, 224(1981), 311-12, 315.

T.J. Morgan

2895 Walters, Huw: Llyfryddiaeth Dr. T.J. Morgan. *YB*, 11(1979), 15-27.

2896 Williams, J.E. Caerwyn: Yr Athro Emeritus T.J. Morgan. *YB*, 11(1979), 9-14.

John Morris-Jones

2897 Walters, Huw: *John Morris-Jones, 1864-1929: llyfryddiaeth anodiadol.* Aberystwyth: Llyfrgell Genedlaethol Cymru/Cymdeithas Llyfrgelloedd Cymru, 1986. [x], 166tt.

Thomas Parry

2898 Jones, Bedwyr L.: Syr Thomas Parry, 1904-1985. *TCHSG*, 46(1985), 7-14.

2899 Owen, Elen: Llyfryddiaeth y Dr Thomas Parry. *YB*, 10(1977), 19-34.

2900 Roberts, Brynley F.: Tair gyrfa'r ysgolhaig mawr. *Y Casglwr*, 26(1985), 7.

2901 Williams, J. E. Caerwyn: Dr Thomas Parry yn ateb cwestiynau'r golygydd. *YB*, 9(1976), 366-75.

2902 —— Syr Thomas Parry. *Barddas*, 98(1985), 1-2.

2903 —— Sir Thomas Parry (1904-1985). *SC* 20/21(1985/86), 229-31.

2904 —— Syr Thomas Parry (1904-1985). *THSC*, 1985, 49-55.

T.H. Parry-Williams

2905 Bachellery, E.: Thomas Parry-Williams. *ÉC*, 15/1(1976/77), 331-4.

2906 Williams, J. E. Caerwyn: Sir Thomas Parry-Williams, 1887-1975. *SC* 12/13(1977/78), 405-12.

G. Melville Richards

2907 YR ATHRO Melville Richards: teyrngedau. *Y Dyfodol*, 3(1974), 3-10.

2908 BACHELLERY, E.: G. Melville Richards. *ÉC*, 14(1975), 629-33.

2909 EVANS, D. ELLIS: Grafton Melville Richards [A tribute and a selective list of publications]. *Onoma*, 18(1974), 619-25.

2910 FOSTER, IDRIS LL.: Melville Richards. *SC*, 10/11(1975/76), 416-18.

Gomer M. Roberts

2911 DAVIES, J.E. WYNNE (GOL.): *Gwanwyn Duw, diwygwyr a diwygiadau: cyfrol deyrnged i Gomer Morgan Roberts.* Caernarfon: Gwasg Pantycelyn, 1982. 205tt. *Ysgrif adolygiadol:* J.E. Caerwyn Williams, *Y Traethodydd*, 139(1984), 59-65 [sef 115-21].

Yn cynnwys: Trem ar ei fywyd (J.E. Wynne Davies). Llyfryddiaeth Gomer Morgan Roberts (Huw Walters a K. Monica Davies).

R.J. Thomas

2912 PHILLIPS, VINCENT H. a JENKINS, ELFYN: *R. J. Thomas, 1908-1976, agweddau ar ei fywyd a'i waith.* Caerdydd: Amgueddfa Genedlaethol Cymru (Amgueddfa Werin Cymru), 1980. ii, 38tt.

Dwy ddarlith a draddodwyd yn yr Hen Gapel, Tre'r-ddôl.

2913 WILLIAMS, J. E. CAERWYN: Richard James Thomas. *Y Faner*, 11.6.76, 2.

2914 ——— Richard James Thomas (1908-1976). *SC*, 12/13(1977/78), 412-15.

Glanmor Williams

2915 DAVIES, R.R. (ED.): *Welsh society and nationhood: historical essays presented to Glanmor Williams;* edited by R.R. Davies *et al.* Cardiff: University of Wales Press, 1984. x, 274pp.

Includes: Glanmor Williams (Ieuan Gwynedd Jones). A bibliography of Glanmor Williams (F. G. Cowley).

Ifor Williams

2916 WILLIAMS, J.E. CAERWYN: Syr Ifor Williams, 16 Ebrill, 1881 - 5 Tachwedd, 1965. *Y Traethodydd*, 136(1981), 187-95. (Cyhoeddwyd yn wreiddiol yn *Y Dyfodol* (10 Rhagfyr, 1965).

J.E. Caerwyn Williams

2917 GRUFFYDD, R. GERAINT (GOL.): *Bardos: penodau ar y traddodiad barddol Cymreig a Cheltaidd, cyflwynedig i J.E. Caerwyn Williams.* Caerdydd: Gwasg Prifysgol Cymru, 1982. 235tt.

Yn cynnwys: J.E. Caerwyn Williams: ysgolhaig (R. Geraint Gruffydd). Llyfryddiaeth yr Athro J.E. Caerwyn Williams (Gareth O. Watts).

ATODIAD I

Traddodiad llenyddol ardaloedd arbennig.

2918 BENNETT, ANGELA: Astudiaeth o waith llenorion plwyf Llanbryn-mair a'r cylch, 1850-1914. (Traethawd M.A.). Aberystwyth, 1984.

2919 CYFRES TEITHIAU LLENYDDOL:
1. *Penrhyn Llŷn,* gan Gruffudd Parry.
2. *Gogledd Maldwyn,* gan Enid Roberts.
3. *De Maldwyn,* gan Enid Roberts.
4. *Dyffryn Conwy,* gan Dafydd Parri.
5. *Dyffryn Clwyd,* gan E. Gwynn Matthews.
6. *Dwyrain Môn,* gan Dewi Jones.
7. *Flint to Llandudno, a literary tour,* by John Davies.
8. *Dyffryn Ogwen,* gan J. Elwyn Hughes.
   Bangor: Cymdeithas Gelfyddydau Gogledd Cymru, 1985-6.

2920 DAVIES, MENNA: Traddodiad llenyddol y Rhondda. (Traethawd Ph.D.). Aberystwyth, 1981.

2921 DEG O'R DYFFRYN: [gwaith beirdd Nanconwy]. Llanrwst: Gwasg Carreg Gwalch, 1982. 112tt. *Adol.:* Gwilym R. Jones, *LlLl,* Gwanwyn (1983), 14; R. J. Rowlands, *Barddas,* 67 (1982), 7.

2922 EDWARDS, ELWYN (GOL.): *Blodeugerdd Penllyn.* [s.l.]: Cyhoeddiadau Barddas, 1983. 375tt. *Adol.:* Bryan Martin Davies, *LlLl,* Gwanwyn (1984), 18; John Roberts Williams, *Taliesin,* 48 (1984), 70-2; T. Arfon Williams, *Barddas,* 83/84 (1984), 15.

2923 EDWARDS, HYWEL TEIFI (GOL.): *Llanbedr Pont Steffan.* Llandybïe: Christopher Davies, 1984. 149tt. (Bro'r Eisteddfod; 4).
Yn cynnwys: Rhai o feirdd Dyffryn Aeron (Gwilym Thomas).

2924 EVANS, D. J. GORONWY (GOL.): *Deri o'n daear ni: rhai o gewri bro Eisteddfod Llanbedr Pont Steffan a'r cylch.* Llandysul: Gwasg Gomer, 1984. 205tt.
Yn cynnwys: Teulu'r Cilie, 1888-1978 (Gerallt Jones). Beirdd y Mynydd Bach ac Ifan Jenkins, Fair-rhos (W. J. Gruffydd).

2925 EVANS, R. WALLIS (GOL.): *Cyfaredd y bröydd: detholiad o raglenni Eisteddfodau'r Gogledd.* Dinbych: Gwasg Gee, 1978. 139tt.

2926 FYCHAN, CLEDWYN: Astudiaethau ar draddodiad llenyddol sir Ddinbych a'r Canolbarth. (Traethawd M.A.). Aberystwyth, 1986.

2927 GEORGE, EIRWYN (GOL.): *Abergwaun a'r fro.* Llandybïe: Christopher Davies, 1986. 180tt. (Bro'r Eisteddfod; 6).
Yn cynnwys: Beirdd sir Benfro (James Nicholas).

2928 GOODMAN, DIC (GOL.): *Englynion o Lŷn.* Nant Peris: Gwasg Gwynedd, 1978. 94tt.

2929 GWYNN AP GWILYM a LEWIS, RICHARD H. (GOL.): *Bro'r Eisteddfod (cyflwyniad i Faldwyn a'i chyffiniau).* Abertawe: Christopher Davies, 1981. 228tt. (Bro'r Eisteddfod; 1).

Yn cynnwys: Rhai o noddwyr y beirdd ym Mro Ddyfi (Myfi Williams). Rhai o hen bersoniaid llengar Maldwyn (Mari Ellis).

2930 GWŶR LLÊN ABERTAWE: [braslun o hanes beirdd a llenorion amlycaf Abertawe a'r cylch o'r Oesoedd Canol hyd heddiw]. Abertawe: Is-bwyllgor Llenyddiaeth Eisteddfod Genedlaethol Abertawe a'r cylch, 1982. 55tt.

2931 JENKINS, GERAINT H.: Bywiogrwydd crefyddol a llenyddol Dyffryn Teifi, 1689-1740. *Ceredigion,* 8 (1979), 439-77.

2932 JONES, CYRIL (GOL.): *Blodeugerdd Bro Ddyfi.* [s.l.]: Cyhoeddiadau Barddas, 1985. 106tt. *Adol.:* Dafydd Morgan Lewis, *LlLl,* Gaeaf (1985), 21-2; John Roderick Rees, *Barddas,* 103 (1985), 15.

2933 JONES, DEWI, a JONES, EDWARD (GOL.). *Englynion Môn.* Caernarfon: Gwasg Gwynedd, 1983. 143tt.

2934 JONES, GERALLT (GOL.): *Awen ysgafn y Cilie.* Llandysul: Gwasg Gomer, 1976. 74tt.

2935 JONES, MOSES GLYN (GOL.): *Blodeugerdd Llŷn.* [s.l.]: Cyhoeddiadau Barddas, 1984. 104tt. *Adol.:* T. Gwynn Jones, *Barddas,* 98 (1985), 15-16; John Roberts Williams, *LlLl,* Gaeaf (1984), 15.

2936 JONES, T. LLEW: Bois y Cilie. *Bro,* 1 (1977), [11]-[25]; 2(1977), [18]-[27]; 3 (1978), [13]-[20]; 4 (1978), 3-5.

2937 JONES, TEGWYN (GOL.): *Tribannau Morgannwg;* gyda nodiadau ar rai Ceinciau Triban, gan Daniel Huws. Llandysul: Gwasg Gomer, 1976. 242tt.

2938 REES, D. BEN: *Hanes plwyf Llanddewi Brefi.* Llanddewi Brefi: Pwyllgor Etifeddiaeth a Diwylliant Llanddewi Brefi, 1984. xv, 260tt.

Yn cynnwys: tt. 123-37 Diwylliant y fro.

2939 REES, IFOR (GOL.): *Dilyn afon.* Abertawe: Christopher Davies, 1977. 116tt.

Yn cynnwys: Dilyn Afon Taf (W. Rhys Nicholas). Dilyn Afon Mynwy (Prys Morgan). Dilyn Afon Alaw (Helen Ramage). Dilyn Afon Cletwr (T. Llew Jones).

2940 ROBERTS, O. TREVOR, *Llanowain* (GOL): *Englynwyr Glannau Mersi.* Dinbych: Gwasg Gee, 1980. 52tt. *Adol.:* Arwel John, *Barddas*, 52 (1981), 7.

2941 —— Rhai o englynwyr Glannau Mersi. *Barddas*, 19 (1978), 1-2; 20 (1978), 3-4.

2942 THOMAS, MAIR ELVET: *Agweddau ar weithgarwch llenyddol Gwent yn y ganrif ddiwethaf.* Caerdydd: Gwasg Prifysgol Cymru, 1981. 36tt. (Darlith goffa Islwyn; 1980).

2943 WALTERS, HUW: Gweithgarwch llenyddol Dyffryn Aman yn y bedwaredd ganrif ar bymtheg a dechrau'r ugeinfed ganrif. (Traethawd Ph.D.). Aberystwyth, 1985.

2944 —— Rhai o feirdd *Murmuron Aman.* *Y Genhinen*, 27, (1977) 20-5.
Murmuron Aman, sef pigion o gynhyrchion barddonol beirdd hen a diweddar Cwmaman, Sir Gaer (Ammanford, 1902); gol. Morgan Llewelyn, *Meurig Wyn.*

2945 WILIAM, DAFYDD WYN: Y traddodiad barddol ym mhlwyf Bodedern, Môn. *TCHNM* 1975, 24-68.

2946 WILLIAMS, ELIN MORRIS: Teulu'r Cilie: nythaid o feirdd gwlad. (Traethawd M.A.). Aberystwyth, 1983.

ATODIAD II

Adolygiadau ar weithiau creadigol.

Alan Llwyd

Cerddi'r cyfannu a cherddi eraill. Abertawe: Christopher Davies, 1980: Gwynn ap Gwilym, *Barn,* 212 (1980), 286-7; Derwyn Jones, *Barddas,* 46 (1980), 3, 5; Gwilym R. Jones, *Y Faner,* 5.9.80, 21; Emyr Lewis, *PW,* 17/1 (1981), 101-2; James Nicholas, *LlLl,* Gaeaf (1980), 18.

Einioes ar ei hanner. [s.l.]: Cyhoeddiadau Barddas, 1984: R. Geraint Gruffydd, *Barddas,* 91 (1984), 5, 7; Gwyn Thomas, *LlLl,* Gaeaf (1984), 9-10.

Marwnad o Dirdeunaw a rhai cerddi eraill. [s.l.]: Cyhoeddiadau Barddas, 1982: Thomas Parry, *Barddas,* 72 (1983), 4; John Rowlands, *LlLl,* Hydref(1983), 11-12; Rhydwen Williams, *Barn,* 243 (1983), 125-6.

Oblegid fy mhlant. [s.l.]: Cyhoeddiadau Barddas, 1986: Meirion Evans, *Barddas,* 115 (1986), 15; John Emyr, *Barn,* 284 (1986), 328-30; Tudur Dylan Jones, *Y Faner,* 24.10.86, 14.

Rhwng Pen Llŷn a Phenllyn. Abertawe: Christopher Davies, 1977: Euryn Ogwen, *Barn,* 169 (1977), 71-2; Dafydd Owen, *Barddas,* 7 (1977), 3-4.

Yn nydd yr anghenfil. [s.l.]: Cyhoeddiadau Barddas, 1982: Meredydd Evans, *Barddas,* 68 (1982), 4-6; John Gwilym Jones, *LlLl,* Gaeaf (1982), 14-16.

Alan Llwyd (GOL.)

Cerddi prifeirdd. Cyfrol I; casglwyd a golygwyd gan Alan Llwyd. Abertawe: Christopher Davies, 1977: Dienw, *Barddas,* 17 (1978), 5-6; Myrddin ap Dafydd, *Barn,* 177 (1977), 342.

Aled Islwyn

Cadw'r chwedlau'n fyw. Caerdydd: Gwasg y Dref Wen, 1984: Hywel Teifi Edwards, *LlLl,* Gwanwyn (1985), 9-10.

Ceri. Caerdydd: Gwasg y Dref Wen, 1979: Branwen Jarvis, *Y Faner,* 1.2.80, 10-11; Marged Dafydd, *LlLl,* Gwanwyn (1980), 16.

Dyddiau gerwyn. [s.l.:s.n.], 1977: John Huw Roberts, *Y Faner,* 8.4.77, 140.

Lleuwen. Bala: Llyfrau'r Faner, 1977: Jane Edwards, *Barn,* 174/175 (1977), 273-4; Alwyn Thomas, *Y Faner,* 17.6.77, 18-19. *Gw. hefyd* sylwadau'r awdur, t.18.

Pedolau dros y crud. Llandysul: Gwasg Gomer, 1986: John Rowlands, *LlLl,* Gaeaf (1986), 13-15; John Stevenson, *Y Faner,* 26.9.86, 14.

Sarah arall. Caerdydd: Gwasg y Dref Wen, 1982: Branwen Jarvis, *LlLl,* Gwanwyn (1983), 11-12; Selyf Roberts, *Taliesin,* 45 (1982), 107-9; [Rhydwen Williams], *Barn,* 239/240 (1982/83), 424-6.

Ashton, Glyn M.

Mae'n gweld o bell. Abertawe: Christopher Davies, 1975: Euryn Ogwen, *Barn,* 158 (1976), 92-3; R. Wallis Evans, *Lleufer,* 26/3 (1975/76), 44-5.

BOWEN, EUROS

Amrywion. Llandysul: Gwasg Gomer, 1980: Alan Llwyd, *LlLl,* Gaeaf (1980), 17-18; Moses Glyn Jones, *Barn,* 214 (1980), 362-3.

Dan groes y deau. Dinbych: Gwasg Gee, 1980: Alan Llwyd, *LlLl,* Gaeaf (1980), 17-18; Dafydd Owen, *Barddas,* 46 (1980), 7.

Detholion. [s.l.]: Yr Academi Gymreig, 1984: Gwyn Thomas, *LlLl,* Gwanwyn (1985), 12-13.

Gwynt yn y canghennau. Dinbych: Gwasg Gee, 1982: John Gwilym Jones, *LlLl,* Gaeaf (1982), 14-16.

Masg Minos. Dinbych: Gwasg Gee, 1981: Alan Llwyd, *LlLl,* Gwanwyn (1982), 21.

O bridd i bridd. Dinbych: Gwasg Gee, 1983: Bryan Martin Davies, *LlLl,* Gwanwyn (1984), 18; Gwynn ap Gwilym, *Y Faner,* 18.5.84, 10; Gwilym R. Tilsley, *Taliesin,* 50 (1984), 86-7.

O'r corn aur. Dinbych: Gwasg Gee, 1977: Pennar Davies, *Barn,* 176 (1977), 311; J. Gwyn Griffiths, *Taliesin,* 36 (1978), 99-100; John Gwilym Jones, *Y Genhinen,* 28 (1978), 50-1.

BOWEN, GERAINT

Cerddi Geraint Bowen. [s.l.]: Cyhoeddiadau Barddas, 1984: R. Geraint Gruffydd, *Barddas,* 91 (1984), 5, 7; Gwyn Thomas, *LlLl,* Gaeaf (1984), 9-10.

CHILTON, IRMA

Y cwlwm gwaed a storïau eraill. Llandysul: Gwasg Gomer, 1981: W. J. Jones, *Y Faner,* 23.4.82, 14.

Storïau Irma Chilton. Abertawe: Christopher Davies, 1978: Harri Pritchard Jones, *Barn,* 191/192 (1978/79), 500.

Y syrcas a storïau eraill. Llandysul: Gwasg Gomer, 1980: John Jenkins, *Barn,* 214 (1980), 361-2.

CULPITT, D. H.

Awelon Hydref: cerddi. Llandysul: Gwasg Gomer, 1979. Gerallt Jones, *Porfeydd,* 12 (1980), 127-8.

O'r gadair freichiau: cyfrol o farddoniaeth . . . Llandysul: Gwasg Gomer, 1976: Brinley Richards, *Y Genhinen,* 27 (1977), 46.

DAVIES, ANEIRIN TALFAN

Diannerch erchwyn a cherddi eraill. Abertawe: Christopher Davies, 1975: Derec Llwyd Morgan, *Barn,* 158 (1976), 90.

DAVIES, BRYAN MARTIN

Deuoliaethau. Llandysul: Gwasg Gomer, 1976: Euros Bowen, *Y Faner,* 22.7.77, 21.

DAVIES, BRYAN MARTIN

Lleoedd. [s.l.]: Cyhoeddiadau Barddas, 1984: Donald Evans, *Barddas,* 91 (1984), 6-7; Gwyn Thomas, *LlLl,* Gaeaf (1984), 9-10; [Rhydwen Williams], *Barn,* 264 (1985), 35-6.

DAVIES, CERYL WYNNE

Dros amser: (cyfres o sgyrsiau radio, erthyglau a stori fer). Llandysul: Gwasg Gomer, 1977: John Emyr, *Lleufer,* 27/1 (1978), 39-40.

DAVIES, DEWI EIRUG (GOL.)

Pennar Davies—cyfrol deyrnged; golygwyd gan Dewi Eirug Davies. Abertawe: Tŷ John Penry, 1981: Branwen Jarvis, *Porfeydd,* 14 (1982), 63-4; Bobi Jones, *LlLl,* Gwanwyn (1982), 18-19; D. J. Roberts, *Taliesin,* 44 (1982), 107-8.

DAVIES, EVAN

Arswyd yr unigeddau; gan Evan Davies ac Aled Vaughan. Llandysul: Gwasg Gomer, 1980: D. J. Roberts, *Barn,* 214 (1980), 361.

DAVIES, GARETH ALBAN

Trigain. [s.l.]: Cyhoeddiadau Barddas, 1986: Bryan Martin Davies, *Y Faner,* 29.8.86, 14-15; Gwyn Thomas, *LlLl,* Gaeaf (1986), 12; M. Wynn Thomas, *Barddas,* 113 (1986), 15. *Gw. hefyd* 'Barddas yn holi awdur *Trigain', Barddas,* 108 (1986), 1-3.

DAVIES, J. EIRIAN

Cyfrol o gerddi. Dinbych: Gwasg Gee, 1985: Alan Llwyd, *Barddas,* 104/105 (1985/86), 30-1; Bryan Martin Davies, *Y Faner,* 4.10.85, 11; Derec Llwyd Morgan, *LlLl,* Gwanwyn (1986), 18-19.

DAVIES, JOAN

Pen y mwdwl. Caernarfon: Gwasg Pantycelyn, 1980: Mair Kitchener Davies, *Y Faner,* 6.3.81, 15; Robyn Lewis, *Barn,* 217 (1981), 72-3; Eigra Lewis Roberts, *LlLl,* Gwanwyn (1981), 19.

DAVIES, PENNAR

Llais y durtur: storïau. Llandysul: Gwasg Gomer, 1985: T. Robin Chapman, *LlLl,* Gwanwyn (1986), 17-18.
Mabinogi mwys. Abertawe: Tŷ John Penry, 1979: Islwyn Ffowc Elis, *Y Faner,* 21.9.79, 11.

DAVIES, T. J.

Pencawna. Abertawe: Christopher Davies, 1979: John Roderick Rees, *Barn,* 203/204 (1979), 298-9.

DAVIES, TOM

Cerddi hen forwr. Bala: Llyfrau'r Faner, 1978: Gerallt Jones, *Barn*, 195 (1979), 625-6.

DAVIES, W. BEYNON

Heniarth. Llandysul: Gwasg Gomer, 1976: Leslie Harries, *Y Genhinen*, 27 (1977), 57-8; Gruffydd Parry, *Y Faner*, 25.3.77, 90.

EAMES, MARION

Y gaeaf sydd unig. Llandysul: Gwasg Gomer, 1982: Branwen Jarvis, *LlLl*, Gaeaf (1982), 17.

I hela cnau. Llandysul: Gwasg Gomer, 1978: Jane Edwards, *Barn*, 191/192 (1978/79), 503-4; Eigra Lewis Roberts, *Y Genhinen*, 29 (1979), 44-5. *Gw. hefyd* sylwadau'r awdur, *LlLl*, Hydref (1978), 12-13.

Seren gaeth. Llandysul: Gwasg Gomer, 1985: Gwyn Erfyl, *Taliesin*, 56 (1986), 73-6; Hafina Clwyd, *Y Faner*, 17.1.86, 14; Kathryn Jenkins, *Barn*, 277 (1986), 77-8; John Rowlands, *LlLl*, Gwanwyn (1986), 13.

EDWARDS, HUW LLOYD

Y Llyffantod: drama mewn pedair golygfa. Dinbych: Gwasg Gee, 1973: D. Eirwyn Morgan, *Lleufer*, 26/2 (1975/76), 55- 6.

EDWARDS, J. M.

Y casgliad cyflawn. Abertawe: Christopher Davies, 1980: Bryan Martin Davies, *Barddas*, 49/50 (1981), 10-11; Pennar Davies, *PW*, 17/1 (1981), 90-3; Dyfnallt Morgan, *Y Faner*, 17.4.81, 16; John Roderick Rees, *LlLl*, Gwanwyn (1981), 16-17.

Cerddi ddoe a heddiw. Dinbych: Gwasg Gee, 1975: Euros Bowen, *Y Traethodydd*, 131 (1976), 170-1; Iorwerth C. Peate, *Barn*, 157 (1976), 65-6.

EDWARDS, JANE

Cadno Rhos-y-ffin. Llandysul: Gwasg Gomer, 1984: Hywel Teifi Edwards, *LlLl*, Gwanwyn (1985), 9-10; John Rowlands, *Y Faner*, 25.1.85, 7.

Dros fryniau Bro Afallon. Llandysul: Gwasg Gomer, 1976: W. J. Jones, *Y Genhinen*, 27 (1977), 108-9; Alwyn Thomas, *Y Faner*, 22.4.77, 184.

Hon, debygem, ydoedd Gwlad yr Hafddydd. Llandysul: Gwasg Gomer, 1980: Siân Edwards, *LlLl*, Hydref (1980), 17-18; Islwyn Ffowc Elis, *Y Faner*, 22.5.81, 11; Urien Wiliam, *Barn*, 221 (1981), 238.

Miriam. Llandysul: Gwasg Gomer, 1977: Harri Pritchard Jones, *Barn*, 183 (1978), 144-5.

ELIS, MEG

Carchar. Talybont: Y Lolfa, 1978: Aled Eirug, *Y Genhinen*, 28 (1978), 187-8.

ELIS, MEG
Cyn daw'r gaeaf. Llandysul: Gwasg Gomer, 1985: John Emyr, *LlLl*, Gaeaf (1985), 15-16.

EMYR HYWEL
O grafanc y gyfraith. Abertawe: Christopher Davies, 1979: Steve Eaves, *Y Genhinen*, 29 (1979/80), 215-16; Islwyn Ffowc Elis, *Barn*, 202 (1979), 227.

ETHALL, HUW
Llythyrau Efangeliws. Abertawe: Gwasg John Penry, 1974: Conrad Evans, *Taliesin*, 32 (1976), 129-30.

EVANS, ALED LEWIS
Sibrydion. [s.l.]: Yr awdur, 1986: Bryan Martin Davies, *LlLl*, Gaeaf (1986), 22-3.

EVANS, BERNARD
Cyrch Ednyfed: nofel. Llandysul: Gwasg Gomer, 1977: Lena Pritchard Jones, *Barn*, 174/175 (1977), 279.

EVANS, DONALD
Cread Crist. [s.l.]: Cyhoeddiadau Barddas, 1986: Bryan Martin Davies, *Barddas*, 115 (1986), 14; Gwynn ap Gwilym, *Y Faner*, 14.11.86, 14; Iwan Llwyd, *LlLl*, Gaeaf (1986), 22; Lowri James, *Barn*, 285 (1986), 356-7.
Eden. Llandysul: Gwasg Gomer, 1981: Alan Llwyd, *LlLl*, Gwanwyn (1982), 20-1; Emrys Roberts, *Barn*, 226 (1981), 420-1.
Egin. Llandysul: Gwasg Gomer, 1976: Bryan Martin Davies, *Taliesin*, 33 (1976), 132-3; D. Gwyn Evans, *Y Genhinen*, 26 (1976), 189-90; Gwyn Thomas, *Barn*, 162/163 (1976), 270-1.
Eisiau byw. Llandysul: Gwasg Gomer, 1984: Bryan Martin Davies, *LlLl*, Gaeaf (1984), 14; Meirion Evans, *Barddas*, 97 (1985), 21-2.
Grawn. Llandysul: Gwasg Gomer, 1979: Gwilym R. Jones, *Y Faner*, 19.10.79, 11; Emrys Roberts, *Barn*, 205 (1980), 36-7. *Gw. hefyd* Alan Llwyd, *Barddas*, 61 (1982), 2, 7.
Gwenoliaid. Llandysul: Gwasg Gomer, 1982: Alan Llwyd, *Barddas*, 75 (1983), 2-5; John Gwilym Jones, *LlLl*, Gaeaf (1982), 14-16; [Rhydwen Williams], *Barn*, 239/240 (1982/83), 390.
Haidd. Llandysul: Gwasg Gomer, 1977: Glyn M. Ashton, *PW*, 14/1 (1978), 140-3; J. Eirian Davies, *Barn*, 180 (1978), 26-7; Gwynn ap Gwilym, *Barddas*, 17 (1978), 7-8; Gwilym R. Jones, *Y Faner*, 9.9.77, 16; Gwilym R. Tilsley, *Y Genhinen*, 27 (1977), 220-1.
Machlud canrif. [s.l.]: Cyhoeddiadau Barddas, [1983]: D. Gwyn Evans, *LlLl*, Gwanwyn (1984), 17; Moses Glyn Jones, *Barddas*, 73 (1983), 3; Rhydwen Williams, *Barn*, 243 (1983), 125-6.

EVANS, DONALD (GOL.)

Parsel persain: cyfrol o englynion. Upton (Wirral): Gwasg y Ffynnon, 1976: Alan Llwyd, *Barddas*, 1 (1976), 8.

EVANS, EINION

Cerddi'r parlwr. Llandysul: Gwasg Gomer, 1977: Glyn Ashton, *PW*, 14/1 (1978), 140-3; J. Eirian Davies, *Barn*, 183 (1978), 147; Elis Aethwy, *Y Genhinen*, 27 (1977), 214-15; Gwynn ap Gwilym, *Barddas*, 17 (1978), 7-8.

EVANS, EMRYS

Ar wib. Y Bala: Llyfrau'r Faner, 1977: H. J. Hughes, *Barn*, 184 (1978), 192-3; R. Gwynedd Jones, *Y Genhinen*, 28 (1978), 132-3; Selyf Roberts, *Taliesin*, 36 (1978), 116-17.

EVANS, ENNIS

Pruddiaith: storïau byrion. Llandysul: Gwasg Gomer, 1981: Cathryn Gwynn, *Y Faner*, 6.11.81, 15.

EVANS, GWILYM

Erwau glas. Abertawe: Gwasg John Penry, 1975: J. E. Meredith, *Y Traethodydd*, 131 (1976), 243-4.

EVANS, HAZEL CHARLES

Eluned Caer Madog. Llandysul: Gwasg Gomer, 1976: Jennie Eirian Davies, *Taliesin*, 36 (1978), 120-1; Jane Edwards, *Barn*, 170 (1977), 97-8; Marged Pritchard, *Y Faner*, 25.3.77, 90; W. Leslie Richards, *Y Genhinen*, 27 (1977), 100.

EVANS, J. R.

Y Cwm Cul. Aberystwyth: Cymdeithas Lyfrau Ceredigion, 1980: Steve Eaves, *Y Faner*, 13.11.81, 15; John Jenkins, *Barn*, 220 (1981), 198.

EVANS, LINDSAY

Y Gelltydd. Llandysul: Gwasg Gomer, 1980: Branwen Jarvis, *LlLl*, Gwanwyn (1981), 18-19; John Rowlands, *Y Faner*, 23.1.81, 15. *Gw. ymhellach*, *Y Faner*, 6.3.81, 12-13.

EVANS, RAY

Hunangofiant: Y llyffant. Llandysul: Gwasg Gomer dros Lys Eisteddfod Genedlaethol Cymru, 1986: Angharad Tomos, *LlLl*, Gaeaf (1986), 13.

EVANS, T. WILSON

Cilfach Lamorna. Abertawe: Christopher Davies, 1977: Jane Edwards, *Barn*, 179 (1977), 413-14.

EVANS, T. WILSON

Y pabi coch. Llandysul: Gwasg Gomer dros Lys yr Eisteddfod Genedlaethol, 1983: D. Tecwyn Lloyd, *LlLl,* Gaeaf (1983), 11.

EVANS, TOMI

Y Twrch Trwyth a cherddi eraill. Llandysul: Gwasg Gomer, 1983: T.Gwynn Jones, *Barddas,* 76 (1983), 9-10; Rhydwen Williams, *Barn,* 250 (1983), 410-11, *PW,* 19/4 (1984), 96-7.

EVANS, W. R.

Awen y Moelydd. Llandysul: Gwasg Gomer, 1983: Donald Evans, *Barddas,* 81 (1984), 8.

Cawl Shir Bemro. Llandysul: Gwasg Gomer, 1986: Eirwyn George, *LlLl,* Gaeaf (1986), 17-18; Hefin Wyn, *Y Faner,* 19.9.86, 14.

Fi yw hwn. Abertawe: Gwasg Christopher Davies, 1980: R. Wallis Evans, *LlLl,* Gaeaf (1980), 22; Robin Williams, *Taliesin,* 42 (1981), 114-15.

GAHAN, CARMEL

Lodes fach neis. Talybont: Y Lolfa, 1980 (Cyfres y beirdd answyddogol): Myrddin ap Dafydd, *LlLl,* Haf (1980), 21-2.

GEORGE, W.R.P.

Tân. Llandysul: Gwasg Gomer, 1979: Bryan Martin Davies, *Barn,* 206 (1980), 78-9; Emrys Roberts, *Barddas,* 35 (1979), 8.

GOODMAN, DIC

I'r rhai sy'n gweld rhosyn gwyllt. Porthmadog: Tŷ ar y Graig, 1979: Dyfnallt Morgan, *Porfeydd,* 11 (1979), 126-7; Elwyn Roberts, *Barddas,* 32 (1979), 3.

GRIFFITH, SELWYN

C'narfon a cherddi eraill. Caernarfon: Gwasg Gwynedd, 1979: Alan Llwyd, *Barn,* 210/211 (1980), 244-6; Elwyn Roberts, *Barddas,* 39 (1980), 5.

GRIFFITHS, GRIFFITH

Blas hir hel. Porthmadog: Tŷ ar y Graig, 1976: D. Tecwyn Lloyd, *Barn,* 167 (1976), 400-1.

GRIFFITHS, J. GWYN

Cerddi'r Holl Eneidiau. Dinbych: Gwasg Gee, 1981: Alan Llwyd, *LlLl,* Gwanwyn (1982), 20-1; Gerald Morgan, *Y Faner,* 2.10.81, 20.

GRUFFUDD, HEINI

Gweld yr haul. Talybont: Y Lolfa, 1978 (Cyfres y beirdd answyddogol; 3): Gerallt Jones, *Barn,* 185 (1978), 229-30.

Y noson wobrwyo. Talybont: Y Lolfa, 1979: Siôn Eirian, *Barn,* 201 (1979), 186.

GRUFFUDD, HEINI
Yn annwyl i mi. Talybont: Y Lolfa, 1986: W. J. Jones, LlLl, Gaeaf (1986), 16-17; Elfyn Pritchard, Y Faner, 24.10.86, 15-16.

GRUFFUDD, ROBAT
Y llosgi. Talybont: Y Lolfa, 1986: Alun Jones, LlLl, Gaeaf (1986), 16; Tudur Jones, Barn, 284 (1986), 324-5; Elfyn Pritchard, Y Faner, 24.10.86, 14-15.

GRUFFYDD, W. J. (1916-)
Meddylu. Llandysul: Gwasg Gomer, 1986: John Roderick Rees, Y Faner, 17.10.86, 14.

GRUFFYDD, W. T.
Y neithior: cywyddau coffa a cherddi eraill. Abertawe: Tŷ John Penry, 1976: Emrys Edwards, Barddas, 4 (1977), 7; Dic Jones, Barn, 171 (1977), 135-6.

GWYNN, EIRWEN
Caethiwed. Talybont: Y Lolfa, 1981: Dafydd Ifans, Y Faner, 13.3.81, 15; W. J. Jones, LlLl, Haf (1981), 20-1; Urien Wiliam, Barn, 220 (1981), 199.
Cwsg ni ddaw ac ysgrifau eraill. Y Bala: Llyfrau'r Faner, 1982: D. Tecwyn Lloyd, Y Faner, 3.9.82, 13.
Dau lygad du. Talybont: Y Lolfa, 1979: Pennar Davies, Barn, 202 (1979), 227-8.
Hon. Talybont: Y Lolfa, 1985: Marged Dafydd, Y Faner, 9/16.8.85, 25; John Emyr, LlLl, Gaeaf (1985), 15-16.

GWYNN, HARRI
Yng nghoedwigoedd y sêr, a cherddi eraill. Llandysul: Gwasg Gomer, 1975: Glyn M. Ashton, PW, 11/4 (1976), 102-5.

GWYNN AP GWILYM
Da o ddwy ynys. Abertawe: Christopher Davies, 1979: Meirion Pennar, LlLl, Gwanwyn (1980), 16-17; Selyf Roberts, Y Faner, 14.12.79, 6.
Gwales. Caernarfon: Gwasg Gwynedd, 1983; Emrys Edwards, Barddas, 80 (1983), 5-6; Gwilym R. Tilsley, LlLl, Gaeaf (1983), 16-17.
Y winllan werdd. Abertawe: Christopher Davies, 1977: Bryan Martin Davies, Barn, 182 (1978), 103-4; D. Gwyn Evans, Y Genhinen, 28 (1978), 126-7; Dafydd Rowlands, Barddas, 18 (1978), 3-4.

HINDER, MADGE
Newid ffedog. Llandysul: Gwasg Gomer, 1979: Rebecca Powell, Y Faner, 9.11.79, 21.

HOPKINS, B. T.

Rhos Helyg a cherddi eraill. Lerpwl; Pontypridd: Cyhoeddiadau Modern
Cymreig, 1976: Bryan Martin Davies, *Y Faner*, 22.4.77, 184; Euryn Ogwen,
Barn, 172 (1977), 171-2; R. Wallis Evans, *Y Genhinen*, 27 (1977), 219-20,
Lleufer, 27/1 (1978), 48-9; Derwyn Jones, *Y Traethodydd*, 133 (1978), 225-6;
W. Rhys Nicholas, *Y Genhinen*, 27 (1977), 167.

HUGHES, BETI

Calan haf. Abertawe: Tŷ John Penry, 1979: Marged Pritchard, *Y Faner*, 22.2.80,
7, *LlLl*, Gwanwyn (1980), 17.

Casglu niwl. Llandybïe: Llyfrau'r Dryw Newydd, 1985: Ann Ffrancon Jenkins,
LlLl, Hydref (1985), 11; Marged Dafydd, *Y Faner*, 6.9.85, 13.

Edafedd dyddiau. Abertawe: Christopher Davies, 1975: R. Wallis Evans,
Lleufer, 26/3 (1975/76), 45-6; Rhiannon Davies Jones, *Y Traethodydd*, 131
(1976), 183-4; Marged Pritchard, *Barn*, 159 (1976), 130.

Melodïau coll. Abertawe: Gwasg Tŷ John Penry, 1977: Jane Edwards, *Barn*, 182
(1978), 110.

Pontio'r pellter. Abertawe: Tŷ John Penry, 1981: R. Wallis Evans, *LlLl*, Gaeaf
(1981), 17; Marged Pritchard, *Y Faner*, 4.9.81, 14.

HUGHES, MATHONWY

Dyfalu ac ysgrifau eraill. Y Bala: Llyfrau'r Faner, 1979: Robin Williams, *LlLl*,
Gwanwyn (1980), 24.

HUGHES, R. CYRIL

Castell cyfaddawd. Llandysul: Gwasg Gomer ar ran Llys yr Eisteddfod
Genedlaethol, 1984: Cathryn Gwynn, *LlLl*, Gaeaf (1984), 10.

Dinas ddihenydd. Llandysul: Gwasg Gomer, 1976: Lindsay Evans, *Y Genhinen*,
27 (1977), 165-6; Prys Morgan, *Barn*, 173 (1977), 206-7.

HUMPHREYS, EMYR

[*A man's estate*]. *Etifedd y Glyn;* trosiad gan W. J. Jones. Llandysul: Gwasg
Gomer, 1981: Gareth Miles, *LlLl*, Gwanwyn (1982), 15-16; Derec Llwyd
Morgan, *Y Faner*, 2.4.82, 10.

HUWS, GWILYM PARI

Awen y meddyg. Caernarfon: Gwasg Gwynedd, 1983: D. Gwyn Evans, *LlLl*,
Gaeaf (1984), 14-15.

HUWS, LLYWELYN C.

Trannoeth y Sul a storïau eraill. Abertawe: Tŷ John Penry, 1976: W. J. Gruffydd,
Y Genhinen, 27 (1977), 168-9.

IFANS, DAFYDD

Eira gwyn yn Salmon . . . [s.l.]: Llys yr Eisteddfod Genedlaethol, 1974: Conrad
Evans, *Taliesin*, 32 (1976), 130.

IFANS, DAFYDD

Ofn. Caernarfon: Gwasg Gwynedd, 1980: M. R. Hughes, *CEf,* 19/4 (1981), 20; Branwen Jarvis, *Y Faner,* 16.1.81, 15; John Emyr, *LlLl,* Haf (1980), 18.

IFANS, DAFYDD GUTO

Cri o'r glannau. Penygroes: Cyhoeddiadau Mei, 1981: Rhiannon Ifans, *Y Faner,* 12.2.82, 19.

Ergydion: nofel fer arbrofol. Llandysul: Gwasg Gomer, 1975: W. J. Jones, *Barn,* 157 (1976), 63.

IFANS, GLYN

Dim dianc. Llandysul: Gwasg Gomer, 1975: W. J. Jones, *Barn,* 157 (1976), 63.

Gwynt yr ynysoedd bach. Llandysul: Gwasg Gomer, 1975: Eigra Lewis Roberts, *Y Genhinen,* 26 (1976), 50-1.

IFANS, JOHN

Cerddi John Ifans, Maes y Dref. Penygroes: Cyhoeddiadau Mei, 1980: Gwilym R. Jones, *LlLl,* Gwanwyn (1981), 17-18.

IFOR AP GWILYM

Yr hen bwerau: detholiad o ddyddiadur dychmygol Evan Roberts y Diwygiwr. Abertawe: Christopher Davies, 1981: Eifion Evans, *Y Faner,* 24.9.82, 14; Dafydd Ifans, *LlLl,* Gaeaf(1981), 17; Urien Wiliam, *Barn,* 224 (1981), 342-3.

ISAAC, NORAH

Cwpaned: drama. Llandysul: Gwasg Gomer, 1982: Mairwen Gwynn, *Y Faner,* 5.3.82, 14-15.

JARMAN, GERAINT

Cerddi Alfred Street. Llandysul: Gwasg Gomer, 1976: Bryan Martin Davies, *PW,* 12/3 (1977), 119-22; Gwilym R. Jones, *Barn,* 165 (1976), 332-3.

JOHN ELWYN

Yn fy ffordd fy hun. Llanrwst: Gwasg Carreg Gwalch, 1986: Gwynn ap Gwilym, *Barn,* 287 (1986), 430-1.

JONES, ALUN (1946-)

Ac yna clywodd sŵn y môr: nofel. Llandysul: Gwasg Gomer [dros Lys yr Eisteddfod Genedlaethol], 1979: Gwynn ap Gwilym, *Barn,* 203/204 (1979), 298; Jane Edwards, *Y Faner,* 2.10.79, 9.

Oed rhyw addewid. Llandysul: Gwasg Gomer, 1983: John Rowlands, *LlLl,* Gwanwyn (1984), 11-12.

Pan ddaw'r machlud: nofel. Llandysul: Gwasg Gomer, 1981: Selyf Roberts, *Y Faner,* 2.10.81, 15; Robert Rhys, *LlLl,* Hydref (1981), 13-14.

JONES, ALUN JEREMIAH (Alun Cilie)
Cerddi Pentalar: ail gyfrol o gerddi Alun Cilie; golygwyd gan T. Llew Jones.
Llandysul: Gwasg Gomer, 1976: Llinos Iorwerth Dafis, Y Cardi, 15 (1978),
16-18; Lyn Ebenezer, Barddas, 3 (1976), 7; B. G Owens, Y Cardi, 14 (1977),
17-21; W. Leslie Richards, Y Genhinen, 26 (1976), 188-9.

JONES, BOBI
Gwlad Llun: cerddi Bobi Jones. Abertawe: Christopher Davies, 1976: Gwyn
Thomas, Barn, 171 (1977), 132-3; J. E. Caerwyn Williams, Y Traethodydd, 132
(1977), 158-9.

JONES, BOBI (GOL.)
Storïau tramor, II. Llandysul: Gwasg Gomer, 1975: Dafydd Andrews, Barn, 161
(1976), 203-4.
Storïau tramor, III. Llandysul: Gwasg Gomer, 1976: Selyf Roberts, Y Genhinen,
27 (1977), 107-8.

JONES, CHARLES
Charles Jones, Mynytho. Abertawe: Christopher Davies, 1977. (Cyfres beirdd
bro; 6): Donald Evans, Barn, 180 (1978), 24-5.

JONES, D. S.
Hud yr Hydref: casgliad o farddoniaeth D. S. Jones, Llanfarian; wedi eu golygu
gan T. Llew Jones. Llandysul: Gwasg Gomer, 1976: Brinley Richards,
Y Genhinen, 27 (1977), 51-2.

JONES, DAFYDD (1881-1968, Isfoel)
Cyfoeth awen Isfoel; golygydd T. Llew Jones. Llandysul: Gwasg Gomer, 1981:
D. J. Roberts, LlLl, Hydref (1981), 16-17.

JONES, DAFYDD JOHN
D. J. Jones, Llanbedrog. Abertawe: Christopher Davies, 1976 (Cyfres beirdd
bro; 3): Derwyn Jones, Barddas, 2 (1976), 7-8; Gerallt Jones, Barn, 167 (1976),
401-3.

JONES, DIC
Sgubo'r storws: pedwaredd cyfrol o gerddi. Llandysul: Gwasg Gomer, 1986:
Alan Llwyd, Barn, 284 (1986), 320-2; Gwyn Thomas, LlLl, Gaeaf (1986),
12.
Storom Awst: trydedd cyfrol o gerddi. Llandysul: Gwasg Gomer, 1978: Euros
Bowen, Barn, 188 (1978),346; R. Wallis Evans,Lleufer, 27/2 (1979), 44-5;
Gwynn ap Gwilym, Barddas, 23 (1978), 7; Gwilym R. Jones, Y Faner, 28.7.78,
21-2; W. Rhys Nicholas, Y Genhinen, 28 (1978), 184-5.

JONES, EINIR

Gwellt Medi. Caernarfon: Gwasg Gwynedd, 1980: Bryan Martin Davies, *Barddas*, 44 (1980), 6; Gwilym R. Jones, *Y Faner*, 14.11.80, 16; Dafydd Rowlands, *PW*, 17/1 (1981), 87-90.

JONES, ELIS AETHWY

Menai a cherddi eraill. Dinbych: Gwasg Gee, 1979: Gerallt Jones, *Porfeydd*, 11 (1979), 187-9; Moses Glyn Jones, *Y Faner*, 12.10.79, 11.

JONES, ELWYN A.

Picell mewn cefn. Llandysul: Gwasg Gomer, 1978: Elfyn Pritchard. *Barn*, 189 (1978), 384-5.

JONES, ELWYN LEWIS

Cyfrinach Hannah. Dinbych: Gwasg Gee, 1985: Branwen Jarvis, *LlLl*, Hydref (1985), 11; Derec Llwyd Morgan, *Taliesin*, 53 (1985), 73-4.

JONES, FRED (Y Cilie)

Hunangofiant gwas ffarm; golygwyd gan Gerallt Jones. Abertawe: Tŷ John Penry, 1977: Cassie Davies, *Y Genhinen*, 27 (1977), 169.

JONES, GERAINT VAUGHAN

Y fro dirion (Eira llynedd (1973); *Y ffoaduriaid* (1979); *Yr hen a'r ifainc* (1982)): [Rhydwen Williams], *Barn*, 248 (1983), 324-5; 249 (1983), 365-6.

Y ffoaduriaid; ail gyfrol *Y fro dirion.* Abertawe: Christopher Davies, 1979: Gwynn ap Gwilym, *Barn*, 210/211 (1980), 251-2; Prys Morgan, *Y Faner*, 28.3.80, 5.

Yr hen a'r ifainc; trydedd gyfrol *Y fro dirion.* Llandybïe; Christopher Davies, 1982: Prys Morgan, *Taliesin*, 47 (1983), 107; Selyf Roberts, *LlLl*, Gwanwyn (1983), 12-13.

Morwenna. Llandybïe: Gwasg Christopher Davies, 1983: T. Robin Chapman, *Taliesin*, 48 (1984), 80-1; John Rowlands, *LlLl*, Gwanwyn (1984), 11-12; [Rhydwen Williams], *Barn*, 253 (1984), 41-2.

Storïau'r dychymyg du. Llandysul: Gwasg Gomer, 1986: Irma Chilton, *Y Faner*, 8/15.8.86, 14-15; Myrddin ap Dafydd, *Barn*, 284 (1986), 323; Gruffydd Parry, *LlLl*, Gaeaf (1986), 17.

JONES, GERALLT (GOL.)

Awen ysgafn y Cilie; golygydd Gerallt Jones. Llandysul: Gwasg Gomer, 1976: Lyn Ebenezer, *Barddas*, 3 (1976), 7; Derec Llwyd Morgan, *Barn*, 165 (1976), 313-14; W. Leslie Richards, *Y Genhinen*, 26 (1976), 188-9.

JONES, GRIFFITH

Griffith Jones, Bryneglwys. Abertawe: Christopher Davies, 1979 (Cyfres beirdd bro; 15): T. R. Jones, *Y Genhinen*, 29 (1979/80), 234; R. J. Rowlands, *Barn*, 206 (1980), 77-8.

JONES, GWILYM MEREDYDD

Gwerth grôt. Llandysul: Gwasg Gomer, 1983: Eigra Lewis Roberts, *LlLl,* Hydref (1984), 12.

Ochr arall y geiniog. Llandysul: Gwasg Gomer, 1982: D. J. Roberts, *LlLl,* Gaeaf (1982), 18.

Yr onnen unig. Llandysul: Gwasg Gomer, 1985: John Emyr, *LlLl,* Gaeaf (1985), 15-16.

JONES, GWILYM R.

Y ddraig a cherddi eraill. Y Bala: Llyfrau'r Faner, 1978: Harri Gwynn, *Taliesin,* 37 (1978), 148-9.

Mae gen i lyn a cherddi eraill. [s.l.]: Cyhoeddiadau Barddas, 1986: Bryan Martin Davies, *Barddas,* 115 (1986), 13; Gwyn Erfyl, *Y Faner,* 10.10.86, 14; Lowri James, *Barn,* 285 (1986), 356-7.

Rhodd enbyd: hunangofiant. Y Bala: Llyfrau'r Faner, 1983: Alan Llwyd, *Barddas,* 87/88 (1984), 13.

Y syrcas, a cherddi eraill. Y Bala: Llyfrau'r Faner, 1975: R. Wallis Evans, *Lleufer,* 26/4 (1977), 59-60; T. Emrys Parry, *Barn,* 157 (1976), 64-5.

JONES, HARRI PRITCHARD

Pobl: cyfrol o storïau byrion. Llandysul: Gwasg Gomer, 1978: R. Gerallt Jones, *Barn,* 193 (1979), 540-1.

JONES, IDWAL

A glywsoch chi? Llanrwst: Llyfrau Tryfan, 1978: W. J. Jones, *Barn,* 188 (1978), 348.

Y gydwybod frysiog. Llanrwst: Llyfrau Tryfan, 1978: W. J. Jones, *Barn,* 188 (1978), 348.

Y llofrudd da: stori. Llanrwst: Llyfrau Tryfan, 1977: Euryn Ogwen, *Barn,* 184 (1978), 191.

JONES, IEUAN

Gwaith Ieuan Jones, Talsarnau. Abertawe: Christopher Davies, 1976 (Cyfres beirdd bro; 4): H. J. Hughes, *Barddas,* 5 (1977), 6; Dic Jones, *Barn,* 171 (1977), 135-6.

JONES, JOHN GRUFFYDD

Cysgodion ar y pared: cyfrol o wyth ysgrif. Llandysul: Gwasg Gomer dros Lys yr Eisteddfod Genedlaethol, 1981: Islwyn Ffowc Elis, *Y Faner,* 28.8.81, 9.

JONES, JOHN GWILYM (1904-1988)

Yr adduned. Llandysul: Gwasg Gomer, 1979: Urien Wiliam, *Barn,* 207/208 (1980), 146-7.

Tri diwrnod ac angladd. Llandysul: Gwasg Gomer, 1979: Islwyn Ffowc Elis, *Y Faner,* 18.4.80, 17; John Rowlands, *Barn,* 207/208 (1980), 145-6; Gwyn Thomas, *Taliesin,* 40 (1980), 87-8.

JONES, JOHN LLOYD

Grawn y grynnau. Llandysul: Gwasg Gomer, 1984: Bryan Martin Davies, *LlLl,* Gaeaf (1984), 14; Emrys Roberts, *Taliesin,* 50 (1984), 96-7; R. J. Rowlands, *Barddas,* 90 (1984), 6.

JONES, JOHN PENRY

John Penry Jones, Y Foel. Abertawe: Christopher Davies, 1979 (Cyfres beirdd bro; 12): Di-enw, *Barddas,* 30 (1979), 7.

JONES, JOHN RICHARD

Cerddi Cwm Eleri. Llandysul: Gwasg Gomer, 1980: Mathonwy Hughes, *Y Faner,* 6.2.81, 14; R. J. Rowlands, *Barddas,* 49/50 (1981), 8.

JONES, MEDWYN

Medwyn Jones, Llangwm. Abertawe: Christopher Davies, 1977 (Cyfres beirdd bro; 6): Donald Evans, *Barn,* 180 (1978), 24-5.

JONES, MERFYN

Ar drothwy'r dieithr: nifer o storïau. Caernarfon: Tŷ ar y Graig, 1977: Cyril Williams, *Barn,* 184 (1978), 191-2.

Ar fryniau'r glaw: nofel hanesyddol ar ffurf llythyrau Mrs Mary Lewis, priod y Parch. William Lewis, y cenhadwr. Abertawe: Christopher Davies, 1980: Robin Williams, *LlLl,* Haf (1980), 18-19; William Williams, *Barn,* 210/211 (1980), 246-7.

Cerddi Merfyn. Tywyn: Clwb y Gader, 1985: T. Robin Chapman, *LlLl,* Haf (1986), 16; R. J. Rowlands, *Barddas,* 106 (1986), 16.

Mae'r bambw'n gwywo. Porthmadog: Tŷ ar y Graig, 1976: W. J. Edwards, *Y Traethodydd,* 132 (1977), 218; R. Wallis Evans, *Y Genhinen,* 27 (1977), 53-4; John Rowlands, *Barn,* 168 (1977), 30-1; Ednyfed Thomas, *Porfeydd,* 9 (1977), 62-3.

JONES, MORGAN D. (GOL.)

Perlau'r beirdd. Llandysul: Gwasg Gomer, 1981: H. Meurig Evans, *Barn,* 226 (1981), 421.

JONES, MOSES GLYN

Mae'n ddigon buan. Abertawe: Christopher Davies, 1977: Bryan Martin Davies, *Barn,* 181 (1978), 71-2; Mathonwy Hughes, *Y Faner,* 3.2.78, 19; Dafydd Rowlands, *Barddas,* 18 (1978), 3-4.

Y sioe. [s.l.]: Cyhoeddiadau Barddas, 1984: Donald Evans, *Barddas,* 91 (1984), 6; Gwyn Thomas, *LlLl,* Gaeaf (1984), 9-10.

JONES, MOSES GLYN (GOL.)

Cerddi prifeirdd: cyfrol 2. Abertawe: Christopher Davies, 1979: Pennar Davies, *PW,* 16/1 (1980), 107-8; Gwynn ap Gwilym, *Barddas,* 32 (1979), 6-7; James Nicholas, *Y Genhinen,* 29 (1979/80), 218.

JONES, NESTA WYN
Dyddiadur Israel. Llandysul: Gwasg Gomer, 1982: Marged Dafydd, *Y Faner*, 10.9.82, 15; Harri Williams, *Taliesin*, 44 (1982), 103-4.
Rhwng chwerthin a chrio. Llandysul: Gwasg Gomer, 1986: Bryan Martin Davies, *LlLl*, Hydref (1986), 11; Robat Powel, *Barddas*, 110 (1986), 15-16.

JONES, O. ALUN
O ben Cilgwyn. Penygroes: Cyhoeddiadau Mei, 1980: Gwilym R. Jones, *LlLl*, Haf (1980), 22.

JONES, R. GERALLT
Dyfal gerddwyr y maes: casgliad o gerddi. Abertawe: Gwasg Christopher Davies, 1981: Bryan Martin Davies, *Y Faner*, 10.7.81, 11; Elin ap Hywel, *PW*, 17/2 (1981), 109-12; Bobi Jones, *Barn*, 219 (1981), 158-9; Philip Wyn Jones, *Barddas*, 58 (1981), 3.
Gwyntyll y corwynt: stori gyfoes. Llandysul: Gwasg Gomer, 1978: Alwyn Thomas, *Y Faner*, 3.11.78, 19.
Triptych: neu bortread, mewn tair rhan o Bobun. [s.l.]: Llys yr Eisteddfod Genedlaethol, 1977: Elfyn Jenkins, *Yr Eurgrawn*, 169 (1977), 190-2; Ioan Bowen Rees, *Y Genhinen*, 28 (1978), 127-8; Alwyn Thomas, *Y Faner*, 28.10.77, 18.

JONES, R. GERALLT (GOL.)
Poetry of Wales, 1930-1970: a selection of poems with translations into English; casgliad o gerddi 1930-1970; ynghyd â chyfieithiadau i'r Saesneg. Llandysul: Gwasg Gomer, 1974: Rachel Bromwich, *Barn*, 158 (1976), 90-2; Philip H. Jones, *PW*, 12/2 (1976), 106-11; Ioan Williams, *Planet*, 30 (1976), 44-50.

JONES, RICHARD
Dofwy: Richard Jones (1863-1956). Abertawe: Christopher Davies, 1979 (Cyfres beirdd bro; 14): R. J. Rowlands, *Barddas*, 36 (1979), 8.

JONES, RICHARD EMYR
Rhwng dwy. Porthmadog: Tŷ ar y Graig, 1976: H. J. Hughes, *Barn*, 168 (1977), 31-2.

JONES, ROBERT EIFION
Robert Eifion Jones, Llanuwchllyn. Abertawe: Christopher Davies, 1976 (Cyfres beirdd bro; 1): Derwyn Jones, *Barddas*, 2 (1976), 7-8; Gerallt Jones, *Barn*, 167 (1976), 401-3.

JONES, ROGER
Haenau cynghanedd. Llandysul: Gwasg Gomer, 1975: Glyn Ashton, *PW*, 11/4 (1976), 102-5; Derec Llwyd Morgan, *Y Genhinen*, 26 (1976), 184.

JONES, RHIANNON DAVIES

Eryr Pengwern. Llandysul: Gwasg Gomer, 1981: Gwyn Erfyl, *Taliesin*, 44 (1982), 109-10; Dyddgu Owen, *Y Faner*, 26.2.82, 9; Marged Pritchard, *LlLl*, Gaeaf (1981), 10-11; Eigra Lewis Roberts, *LlLl*, Gwanwyn (1982), 14; [Rhydwen Williams], *Barn*, 232 (1982), 138.

Llys Aberffraw. Llandysul: Gwasg Gomer, 1977: Prys Morgan, *Barn*, 181 (1978), 73.

JONES, RHODRI PRYS

Chwaden Bill Parry. Caernarfon: Siop y Pentan, 1980: W. S. Jones, *LlLl*, Haf (1980), 19-20.

JONES, STEPHEN

Dirgelwch Lisa Lân. Dinbych: Gwasg Gee, 1982: W. J. Jones, *Y Faner*, 14.5.82, 11.

JONES, T. JAMES

Cerddi Ianws poems, gan T. James Jones a Jon Dressel. Llandysul: Gwasg Gomer, 1979: Alan Llwyd, *Barn*, 210/211 (1980), 244-6; Gerald Morgan, *Y Faner*, 28.3.80, 6.

JONES, T. LLEW

Arswyd y byd: tair stori ias a chyffro. Llandysul: Gwasg Gomer, 1975: W. J. Jones, *Y Genhinen*, 26 (1976), 51-2; Ifor Wyn Williams, *Barn*, 161 (1976), 203.

Dirgelwch yr ogof. Llandysul: Gwasg Gomer, 1977: W. J. Jones, *Barn*, 179 (1977), 416-17.

Lawr ar lan y môr: storïau am arfordir Dyfed. Llandysul: Gwasg Gomer, 1977: Lena Pritchard Jones, *Barn*, 174/175 (1977), 279-80.

JONES, T. LLEW (GOL.)

Cerddi '79. Llandysul: Gwasg Gomer, 1979: Bryan Martin Davies, *Y Faner*, 14.9.79, 11; D. Tecwyn Lloyd, *Y Genhinen*, 29 (1979/80), 223-4; Emrys Roberts, *Barddas*, 34 (1979), 6.

JONES, TOM

Dyddiadur ffarmwr yn cofnodi treigl y tymhorau. Llandysul: Gwasg Gomer, 1985: John Roderick Rees, *LlLl*, Gwanwyn (1986), 15.

JONES, TOM PARRI

Cerddi Malltraeth. Abertawe: Christopher Davies, 1978: Gerallt Jones, *Barn*, 190 (1978), 430-1; Gwilym R. Jones, *Y Faner*, 13.10.78, 11-12; Moses Glyn Jones, *Barddas*, 23 (1978), 8.

Y ddau bren: nofel: Llandysul: Gwasg Gomer, 1976: Harri Pritchard Jones, *Y Genhinen*, 27 (1977), 159; John Idris Owen, *Y Faner*, 6.5.77, 20.

Y felltith a storïau eraill. Dinbych: Gwasg Gee, 1977: Selyf Roberts, *Y Genhinen*, 27 (1977), 215; Alwyn Thomas, *Y Faner*, 14.10.77, 19.

JONES, VERNON

Gogerddan a cherddi eraill. Llandysul: Gwasg Gomer, 1982: Iolo Alban, *Porfeydd* 15 (1983), 31-2; John Gwilym Jones, *LlLl,* Gaeaf (1982), 14-16.

JONES, W. D.

Diferion Dwyfach. Penygroes: Cyhoeddiadau Mei, 1982: T. Gwynn Jones, *Barddas,* 76 (1983), 9-10; Rhydwen Williams, *Barn,* 231 (1982), 104.

JONES, W. S.

Dyn y mynci: storïau Wil Sam. Talybont: Y Lolfa, 1979: Lyn Ebenezer, *LlLl,* Gwanwyn (1980), 19-20.

JONES, WILLIAM (Nebo)

Tannau'r cawn. Dinbych: Gwasg Gee, 1981: Derwyn Jones, *Barddas,* 60 (1982), 3-4.

JONES, WILLIAM VAUGHAN

Wythnos ola'r tymor. Caernarfon: Gwasg Gwynedd, 1980: William R. Lewis, *LlLl,* Hydref (1980), 19-20.

JONES, WYN

Storom nos Sadwrn a storïau eraill. Abertawe: Tŷ John Penry, 1979: W. J. Edwards, *Y Genhinen,* 29 (1979), 136-7.

KIDD, IOAN

Cawod o haul. Llandysul: Gwasg Gomer, 1977: Jane Edwards, *Barn,* 182 (1978), 108; John Emyr, *Lleufer,* 27/1 (1978), 41-2; E. Huws, *Y Genhinen,* 28 (1978), 130-1.

LEWIS, ALUN T.

Cesig eira. Abertawe: Christopher Davies, 1979: William Williams, *Barn,* 202 (1979), 228.

LEWIS, ROBYN

Esgid yn gwasgu. [s.l.]: Llys yr Eisteddfod Genedlaethol, 1980: Gwynn ap Gwilym, *Barn,* 214 (1980), 364; Dafydd Ifans, *LlLl,* Gaeaf (1980), 21.

LEWIS, ROY

Dawns angau. Talybont: Y Lolfa, 1981: Gwilym Tudur, *LlLl,* Gwanwyn (1982), 15; Rhydwen Williams, *Barn,* 231 (1982), 105.

LEWIS, STANLEY G.

Y chwalfa a cherddi eraill. Lerpwl: Cyhoeddiadau Modern Cymreig, 1981: Gwilym R. Jones, *LlLl,* Hydref (1981), 14-15; John Roberts, *Y Faner,* 4.12.81, 20.

LEWIS, WILLIAM

Lle bu'r goelcerth. Porthmadog: Tŷ ar y Graig, 1977: R. Wallis Evans, *Y Genhinen,* 27 (1977), 217-18.

LLOYD, D. TECWYN

Bore da, Lloyd, a chofnodion eraill. Caernarfon: Gwasg Gwynedd, 1980: I. B. Griffith, *Taliesin*, 41 (1980), 144-5; John Roberts Williams, *Y Faner*, 17.10.80, 15; Robin Williams, *LlLl*, Gaeaf (1980), 21-2.

Cymysgadw. Dinbych: Gwasg Gee, 1986: Dafydd Ifans, *LlLl*, Hydref (1986), 10; Gwyn Thomas, *Taliesin*, 57 (1986), 88-9; Robin Williams, *Y Faner*, 9.5.86, 14-15.

LLOYD, IDWAL

Cerddi'r glannau. [s.l.]: Cyhoeddiadau Barddas, 1985: Trefor Edwards, *Taliesin*, 55 (1986), 84-5; Dic Jones, *Barddas*, 107 (1986), 10; Marged Dafydd, *Y Faner*, 24.1.86, 15.

LLOYD, IORWERTH H.

Cerddi Talfryn. Caernarfon: Gwasg Gwynedd, 1980: Gwilym R. Jones, *LlLl*, Gwanwyn (1981), 17-18.

LLOYD, J. SELWYN

Breuddwyd yw ddoe: nofel garu fer. Llandysul: Gwasg Gomer, 1976: Catrin Stevens, *Y Genhinen*, 27 (1977), 167-8.

Esgyrn sychion. Llandysul: Gwasg Gomer, 1977: T. Gwynn Jones, *Barn*, 184 (1978), 193; Eigra Lewis Roberts, *Y Genhinen*, 28 (1978), 42.

LLOYD, O. M.

Barddoniaeth O. M. Lloyd. [s.l.]: Cyhoeddiadau Barddas, 1981: Mathonwy Hughes, *Barddas*, 60 (1982), 2-3; D. J. Roberts, *LlLl*, Gwanwyn (1982), 20.

LLEWELYN, GWYN

Pry'r gannwyll. Llandysul: Gwasg Gomer, 1975: W. J. Jones, *Barn*, 161 (1976), 201-2; Eigra Lewis Roberts, *Y Genhinen*, 26 (1976), 48-9.

LLYWELYN-WILLIAMS, ALUN

Y golau yn y gwyll: casgliad o gerddi. Dinbych: Gwasg Gee, 1979: Alan Llwyd, *Barn*, 206 (1980), 73-6; Gwilym R. Jones, *Taliesin*, 40 (1980), 89; Derec Llwyd Morgan, *Y Faner*, 27.7.79, 11; Gwyn Thomas, *Porfeydd*, 12 (1980), 95-6.

Gwanwyn yn y ddinas: darn o hunangofiant. Dinbych: Gwasg Gee, 1975: John Rowlands, *Taliesin*, 33 (1976), 128-9; J. E. Caerwyn Williams, *Y Traethodydd*, 132 (1977), 155-8.

MARO, JUDITH

Y carlwm; trosiad Cymraeg gan Harri Pritchard Jones. Talybont: Y Lolfa, 1986: Branwen Jarvis, *Y Faner*, 30.5.86, 15; Alun Jones, *LlLl*, Haf (1986), 9.

MEIRION PENNAR

Pair dadeni. Llandysul: Gwasg Gomer, 1977: Gerallt Jones, *Barn*, 185 (1978), 229-30; Gwynn ap Gwilym, *Barddas*, 26 (1979), 3.

MENNA ELFYN

Mwyara: cerddi. Llandysul: Gwasg Gomer, 1976: Bryan Martin Davies, *PW*, 12/3 (1977), 119-22; Gwilym R. Jones, *Barn*, 165 (1976), 332-3.

Mynd 'lawr i'r nefoedd. Llandysul: Gwasg Gomer, 1986: T. Robin Chapman, *LlLl*, Haf (1986), 16; Meinir Pierce Jones, *Taliesin*, 55 (1986), 86-7; Robat Powel, *Barddas*, 110 (1986), 15-16; Sioned Lewis Roberts, *Y Faner*, 14.2.86, 14-15.

'Stafelloedd aros. Llandysul: Gwasg Gomer, 1978: Harri Pritchard Jones, *Y Genhinen*, 29 (1979), 41-3; Meg Dafydd, *Barn*, 188 (1978), 351.

Tro'r haul arno. Llandysul: Gwasg Gomer, 1982: John Gwilym Jones, *LlLl*, Gaeaf (1982), 14-16.

MENNA ELFYN (GOL.)

Hel dail gwyrdd. Llandysul: Gwasg Gomer, 1985: Branwen Jarvis, *Y Faner*, 1.11.85, 14-15; Wendy Lloyd Jones, *Barddas*, 102 (1985), 16; Eiluned Rees, *AWR*, 83 (1986), 134-5.

MILES, GARETH

Treffin. Talybont: Y Lolfa, 1979: Robert Rhys, *Barn*, 198/199 (1979), 104.

MORGAN, DEREC LLWYD

Gwna yn llawen, ŵr ieuanc. Llandysul: Gwasg Gomer, 1978: Dafydd Islwyn, *Barddas*, 26 (1979), 6; Harri Pritchard Jones, *Y Genhinen*, 29 (1979), 42-3; Siôn Eirian, *Barn*, 188 (1978), 344.

MORGAN, DEREC LLWYD (GOL.)

Cerddi '75. Llandysul: Gwasg Gomer, 1975: Philip H. Jones, *PW*, 11/3 (1976), 107-10.

MORGAN, IWAN

Drwy ddrws Ardudwy. Caernarfon: Siop y Pentan, 1979: Gwilym R. Jones, *LlLl*, Haf (1980), 22.

NICHOLAS, W. RHYS

Cerddi mawl: emynau, carolau a salmau. Abertawe: Tŷ John Penry, 1980: D. G. Merfyn Jones, *Barn*, 218 (1981), 116; Derwyn Jones, *BCEC*, 2/5 (1982), 150-1; Harri Williams, *Y Traethodydd*, 137 (1982), 49-50; Robin Williams, *LlLl*, Gwanwyn (1981), 15-16.

NICHOLAS, W. RHYS (GOL.)

Cerddi '77. Llandysul: Gwasg Gomer, 1977: Glyn M. Ashton, *PW*, 14/1 (1978), 140-3; Dafydd Ifans, *Y Faner*, 25.11.77, 20; Myrddin ap Dafydd, *Barn*, 177 (1977), 342.

Triongl = Triangle. Blodeugerdd o gerddi'r de-orllewin: an anthology of poems from the south-west. Llandysul: Gwasg Gomer, 1977: Brinley Richards, *Y Genhinen*, 27 (1977), 159-61.

OWEN, DAFYDD

Cerddi Lôn Goch. [s.l.]: Cyhoeddiadau Barddas, 1983: Gwyn Thomas, *Barddas*, 85 (1984), 5; Gwilym R. Tilsley, *LlLl*, Gaeaf (1983), 16-17.

Crist croes. Abertawe: Tŷ John Penry, 1977: Emrys Edwards, *Barddas*, 16 (1978), 4-5; Emrys Roberts, *Yr Eurgrawn*, 169 (1977), 95-6.

Ys-gwni. [Porthmadog]: Gwasg Tŷ ar y Graig, 1976: W. J. Edwards, *Y Traethodydd*, 132 (1977), 219; H. J. Hughes, *Barn*, 168 (1977), 31-2.

OWEN, DYDDGU

Y flwyddyn honno. Abertawe: Christopher Davies, 1978: Ifor Wyn Williams, *Porfeydd*, 11 (1979), 127-8.

OWEN, GERALLT LLOYD (GOL.)

Pigion Talwrn y Beirdd. Caernarfon: Gwasg Gwynedd, 1981: Gwyn Thomas, *LlLl*, Gwanwyn (1982), 19-20.

PARRI, DAFYDD

Bwrw hiraeth. Talybont: Y Lolfa, 1981: Dafydd Ifans, *Y Faner*, 17.7.81, 11; Marged Dafydd, *LlLl*, Gaeaf (1981), 18.

Un nos Lun a storïau eraill. Llandysul: Gwasg Gomer, 1976: W. J. Jones, *Y Genhinen*, 27 (1977), 109-10.

PARRI, IFAN

Meibion Annwfn. [Caernarfon]: Gwasg Tŷ ar y Graig, 1980: Mari Ellis, *LlLl*, Hydref (1980), 21.

PARRY, GERAINT W.

Trechu'r eryr. Llandysul: Gwasg Gomer, 1977: W. J. Jones, *Y Genhinen*, 27 (1977), 212-14.

PARRY, GRUFFUDD

Straeon rhes ffrynt. Penygroes: Cyhoeddiadau Mei, 1983: D. Tecwyn Lloyd, *Taliesin*, 47 (1983), 108-9.

PARRY, GWENLYN

Sal: drama wedi ei seilio ar ddigwyddiadau hanesyddol. Llandysul: Gwasg Gomer, 1982: [Rhydwen Williams], *Barn*, 239/240 (1982/83), 424-6.

PAYNE, FFRANSIS G.

Cwysau: casgliad o erthyglau ac ysgrifau. Llandysul: Gwasg Gomer, 1980: Thomas Parry, *LlLl*, Gwanwyn (1981), 20-1; D. J. Roberts, *Barn*, 218 (1981), 116-17.

PEATE, IORWERTH C.

Cerddi diweddar. Dinbych: Gwasg Gee, 1982: Alun Llywelyn-Williams, *Y Faner*, 1/8.4.83, 21; Thomas Parry, *LlLl*, Haf (1983), 12.

PEATE, IORWERTH C.
  Personau. Dinbych: Gwasg Gee, 1982: R. Alun Ifans, *Y Faner,* 1/8.4.83, 21;
  Dyfnallt Morgan, *Taliesin,* 46 (1983), 125-6; Thomas Parry, *LlLl,* Haf (1983),
  12.

PRICHARD, CARADOG
  Cerddi Caradog Prichard, y casgliad cyflawn. Abertawe: Christopher Davies,
  1979: Gwynn ap Gwilym, *Barddas,* 41 (1980), 6-7; Gwyneth Lewis, *PW,* 16/2
  (1980), 110-14; Gwilym R. Tilsley, *LlLl,* Gwanwyn (1980), 29-30.

PRITCHARD, MARGED
  Breuddwydion: cyfrol o storïau byrion. Llandysul: Gwasg Gomer, 1978: Harri
  Pritchard Jones, *Barn,* 190 (1978), 430.
  Cysgodion ar yr haul. [Caernarfon]: Gwasg Tŷ ar y Graig, 1977: Mathonwy
  Hughes, *Y Faner,* 22.7.77, 22; Selyf Roberts, *Y Genhinen,* 27 (1977), 215-16.
  Enfys y bore. Llandysul: Gwasg Gomer, 1980: Dylan Iorwerth, *Y Faner,* 12.9.80,
  12-13; Geraint Vaughan Jones, *Barn,* 213 (1980), 324.
  Gwylanod yn y mynydd. [Porthmadog]: Gwasg Tŷ ar y Graig, 1975:
  Einion Evans, *Y Genhinen,* 26 (1976), 181; John Rowlands, *Barn,* 158 (1976),
  95.
  Nhw oedd yno. Llandysul: Gwasg Gomer, 1986: John Emyr, *LlLl,* Gaeaf (1986),
  15-16.
  Nid mudan mo'r môr. [s.l.]: Llys yr Eisteddfod Genedlaethol, 1976: Hilda. M.
  Ethall, *Taliesin,* 34 (1977), 154-5.

PHILLIPS, ELUNED
  Cerddi Glyn-y-Mêl. Llandysul: Gwasg Gomer, 1985: John Roderick Rees,
  Barddas, 104/105 (1985/86), 32.

REES, IOAN BOWEN
  Mynyddoedd: ysgrifau a cherddi. Llandysul: Gwasg Gomer, 1975: William
  Owen, *Y Genhinen,* 26 (1976), 181-2.

REES, J. DERFEL
  Blas ar fyw. Abertawe: Tŷ John Penry, 1980: Robert Rhys, *Y Traethodydd,* 137
  (1982), 46-7.

REES, JOHN RODERICK
  Cerddi John Roderick Rees. Aberystwyth: Cymdeithas Lyfrau Ceredigion, 1984:
  Alan Llwyd, *LlLl,* Gwanwyn (1985), 14-15; Meirion Evans, *Barddas,* 97
  (1985), 21-2; Peredur Lynch, *Y Faner,* 29.9.84, 14.

RICHARDS, CARYS
  Dewis llais? Caernarfon: Gwasg Tŷ ar y Graig, 1981: Ann Ffrancon Jenkins,
  LlLl, Hydref (1981), 14.

RICHARDS, THOMAS (1878-1962)

Rhwng y silffoedd: ysgrifau . . . golygwyd gan Derwyn Jones a Gwilym B. Owen. Dinbych: Gwasg Gee, 1978: H. J. Hughes, *Taliesin*, 37 (1978), 140-3.

RICHARDS, W. LESLIE

Cerddi'r cyfnos. Dinbych: Gwasg Gee, 1986: Bryan Martin Davies, *Y Faner*, 2.5.86, 14-15; T. Gwynn Jones, *Barddas*, 114 (1986), 16; Dafydd Morgan Lewis, *LlLl*, Hydref (1986), 11-12.

ROBERTS, EIGRA LEWIS

Byd o amser: drama wedi ei seilio ar hanes Ann Thomas (Griffiths) Dolwar Fechan. Llandysul: Gwasg Gomer, 1976: R. Gwynedd Jones, *Y Genhinen*, 27 (1977), 161-2. *Gw. hefyd* sylwadau yr awdur, *Llwyfan*, 13 (1976), 20-1.

Fe ddaw eto: cyfrol o storïau byrion. Llandysul: Gwasg Gomer, 1976: W. Leslie Richards, *Y Genhinen*, 27 (1977), 100-1.

Ha' bach. Llandysul: Gwasg Gomer, 1985: Selyf Roberts, *LlLl*, Gaeaf (1985), 14.

Mis o Fehefin. Llandysul: Gwasg Gomer, 1980: Siân Edwards, *LlLl*, Hydref (1980), 17-18; Harri Gwynn, *Taliesin*, 42 (1981), 106-7; Dylan Iorwerth, *Y Faner*, 12.9.80, 12-13; John Jenkins, *Barn*, 213 (1980), 322-3.

Plentyn yr haul: Katherine Mansfield [1888-1923]. Llandysul: Gwasg Gomer, 1981: Mair Kitchener Davies, *Y Faner*, 11.9.81, 14; Gwyn Morgan, *Barn*, 225 (1981), 381; Harri Williams, *Y Traethodydd*, 137 (1982), 51-3.

ROBERTS, ELWYN

Blas y pridd. Porthmadog: Gwasg Tŷ ar y Graig, 1976: Brinley Richards, *Y Genhinen*, 27 (1977), 45-6; Gwyn Thomas, *Barn*, 162/163 (1976), 270-1.

ROBERTS, EMRYS

Y gair yn y glaw. [Porthmadog]: Gwasg Tŷ ar y Graig, 1978: Alan Llwyd, *Barddas*, 38 (1980), 6; Donald Evans, *Barn*, 195 (1979), 623-4; Gwilym R. Jones, *Y Faner*, 8.6.79, 15.

Lleu. Llandybïe: Christopher Davies, 1974: J. I. Thomas, *Taliesin*, 32 (1976), 132-3.

Pennill o Ddyffryn Banw. Y Bala: Llyfrau'r Faner, 1984: Alan Llwyd, *Barddas*, 99/100 (1985), 31; D. Gwyn Evans, *LlLl*, Gaeaf (1984), 14-15.

Pwerau. Abertawe: Gwasg Christopher Davies, 1981: Elin ap Hywel, *PW*, 17/2 (1981), 109-12; Euryn Ogwen, *LlLl*, Gaeaf (1981), 21; Gwynn ap Gwilym, *Barddas*, 60 (1982), 5-6; Mathonwy Hughes, *Y Faner*, 27.11.81, 19; Rhydwen Williams, *Barn*, 231 (1982), 105-6.

ROBERTS, EMRYS (GOL.)

Byd y beirdd, sef detholiad o'r farddoniaeth a fu yn Y Cymro. [s.l.]: Cyhoeddiadau Barddas, 1983: Emrys Edwards, *Barddas*, 81 (1984), 7.

ROBERTS, GOMER M.

Crogi Dic Penderyn: sgyrsiau ac ysgrifau. Llandysul: Gwasg Gomer, 1977: John Emyr, *Lleufer,* 27/1 (1978), 42-3; Gruffydd Parry, *Barn,* 182 (1978), 111; Elfyn Scourfield, *Taliesin,* 37 (1978), 150-1.

ROBERTS, KATE

Haul a drycin a storïau eraill. Dinbych: Gwasg Gee, 1981: Branwen Jarvis, *Y Faner,* 4.6.82, 11; Derec Llwyd Morgan, *LlLl,* Gwanwyn (1982), 14.

Yr wylan deg. Dinbych: Gwasg Gee, 1976: Jennie Eirian Davies, *Barn,* 159 (1976), 128-9; John Emyr, *Y Traethodydd,* 131 (1976), 153-8; J. E. Caerwyn Williams, *Taliesin,* 32 (1976), 122-4.

ROBERTS, O. TREFOR

Ail gerddi Llanowain. Lerpwl; Pontypridd: Cyhoeddiadau Modern Cymreig, 1978: Mathonwy Hughes, *Y Faner,* 3.3.78, 17; Derwyn Jones, *Y Traethodydd,* 135 (1980), 219-20; R. J. Rowlands, *Barddas,* 17 (1978), 5.

ROBERTS, SELYF

Hel meddyliau: ysgrifau a cherddi. Dinbych: Gwasg Gee, 1982: Mari Ellis, *Y Faner,* 12.11.82, 10.

Mesur byr: ysgrifau. Llandysul: Gwasg Gomer, 1977: Huw Ethall, *Y Genhinen,* 28 (1978), 42-3; John Emyr, *Lleufer,* 27/1 (1978), 40-1; Eigra Lewis Roberts, *Barn,* 178 (1977), 380; Alwyn Thomas, *Y Faner,* 11.11.77, 18.

Tebyg nid oes. Llandysul: Gwasg Gomer, 1981: Eirug Davies, *Y Faner,* 11.12.81, 10; W. J. Jones, *LlLl,* Haf (1981), 21.

Teulu Meima Lloyd: nofel. Dinbych: Gwasg Gee, 1986: Delyth George, *LlLl,* Gaeaf (1986), 15.

Ymweled ag anwiredd. Llandysul: Gwasg Gomer, 1975: R. Wallis Evans, *Lleufer,* 26/3 (1975/76), 43-4; Dyddgu Owen, *Barn,* 162/163 (1976), 261-2; Eigra Lewis Roberts, *Y Genhinen,* 26 (1976), 44-5.

ROBERTS, WIL

Bingo!, nofel. Penygroes: Gwasg Dwyfor, 1985: Hywel Teifi Edwards, *LlLl* Gwanwyn (1985), 9-10; Branwen Jarvis, *LlLl,* Haf (1985), 12.

ROWLANDS, DAFYDD

Mae Theomemphus yn hen. Abertawe: Christopher Davies, 1977: Herbert D. Hughes, *Y Genhinen,* 28 (1978), 133-4; Marged Dafydd, *Y Faner,* 14.4.78, 20; Meirion Abercadwgan, *Barn,* 183 (1978), 143-4.

ROWLANDS, JOHN

Tician, tician: nofel. Llandysul: Gwasg Gomer, 1978: Steve Eaves, *Taliesin,* 38 (1979), 94-7; Jane Edwards, *Barn,* 195 (1979), 623; W. J. Jones, *Y Genhinen,* 29 (1979), 87-8; Gareth Miles, *Y Faner,* 23.2.79, 11.

ROWLANDS, R. J.

Cerddi R. J. Rowlands. [s.l.]: Cyhoeddiadau Barddas, 1986: Bryan Martin Davies, *Barn,* 285 (1986), 358-9; D. Tecwyn Lloyd, *Y Faner,* 19.9.86, 15; Robat Trefor, *LlLl,* Gaeaf (1986), 21-2.

R. J. Rowlands, Y Bala. Abertawe: Christopher Davies, 1976 (Cyfres beirdd bro; 2): Derwyn Jones, *Barddas,* 2 (1976), 7-8; Gerallt Jones, *Barn,* 167 (1976), 401-3.

RUDDOCK, GILBERT

Hyn o iachawdwriaeth. [s.l.]: Cyhoeddiadau Barddas, 1986: T. Robin Chapman, *LlLl,* Haf (1986), 16; Peredur Lynch, *Y Faner,* 9.5.86, 15; [Rhydwen Williams], *Barn,* 281 (1986), 221; T. Arfon Williams, *Barddas,* 109 (1986), 16.

RHODRI AP RHODRI

Llyngyr yn y gwaed: cerddi newydd. [s.l.]: Gwasg y Gaseg Fraith, 1981: Geraint Vaughan Jones, *Barn,* 229 (1982), 31-3.

SAUNDERS, TIM

Cliff Preis: darlithydd coleg. Talybont: Y Lolfa, 1986: Delyth George, *LlLl,* Haf (1986), 9-10; Nia Wyn Jones, *Y Faner,* 18.4.86, 14-15.

Teithiau. Talybont: Y Lolfa, 1977 (Cyfres y beirdd answyddogol): Euryn Ogwen, *Barn,* 172 (1977), 171-2; Siôn Eirian, *Y Faner,* 27.5.77, 18.

SIÔN ALED

Dagrau rhew. Talybont: Y Lolfa, 1979 (Cyfres y beirdd answyddogol): Bryan Martin Davies, *Y Faner,* Nadolig (1979), 25, *LlLl,* Gwanwyn (1980), 28.

SIÔN EIRIAN

Bob yn y ddinas. Llandysul: Gwasg Gomer, 1979: Iola Alban, *Porfeydd,* 11 (1979), 191-2; John Rowlands, *Y Faner,* 10.8.79, 9.

Plant Gadara: cerddi. Llandysul: Gwasg Gomer, 1975: Islwyn Jones, *Y Genhinen,* 26 (1976), 107-8; Meirion Pennar, *Barn,* 158 (1976), 93-4.

THOMAS, GWYN

Cadwynau yn y meddwl. Dinbych: Gwasg Gee, 1976: D. Myrddin Lloyd, *Barn,* 171 (1977), 133-4.

Croesi traeth. Dinbych: Gwasg Gee, 1978: Dafydd Islwyn, *Barddas,* 26 (1979),6; Gwilym R. Jones, *Y Faner,* 16.6.78, 17.

Y pethau diwethaf a phethau eraill. Dinbych: Gwasg Gee, 1975: Harri Gwynn, *Y Traethodydd,* 131 (1976), 127-8.

Symud y lliwiau. Dinbych: Gwasg Gee, 1981: Bryan Martin Davies, *Y Faner,* Nadolig 1981/Calan 1982, 12-13; Euryn Ogwen, *LlLl,* Gaeaf (1981), 21; Thomas Parry, *Barddas,* 57 (1981), 3-4.

Wmgawa. Dinbych: Gwasg Gee, 1984: Alan Llwyd, *Barddas,* 99/100 (1985), 29-30; Robert Rhys, *LlLl,* Gaeaf (1984), 13; Gerwyn Williams, *Y Faner,* 30.11.84, 11.

Thomas, W. J.
  Ffiolau Cwm-yr-Haf. Caernarfon: Llyfrfa'r M. C., 1976: R. Wallis Evans,
  Y Genhinen, 27 (1977), 55-6; John Roberts, *Y Genhinen*, 27 (1977), 106-7.

Tomos, Angharad
  Hen fyd hurt. Aberystwyth: Copa Cymru Cyfyngedig, 1982: Gwilym Tudur,
  LlLl, Hydref (1982), 13-14.
  Yma o hyd. Talybont: Y Lolfa, 1985: Dafydd Morgan Lewis, *LlLl*, Gwanwyn
  (1986), 16-17; Marged Dafydd, *Y Faner*, 20/27.12.85, 14.

Tomos, Derec
  Ar dân dros Gymru? Bangor: Gwasg y Fatshen Ddu, 1980: Vaughan Hughes,
  Barn, 210/211 (1980), 250-1.

Wiliam, Urien
  Chwilio gem. Abertawe: Christopher Davies, 1980: Marged Dafydd, *LlLl*, Haf
  (1980), 19.
  Tu hwnt i'r Mynydd Du: nofel. [*Cronicl o anturiaeth ysbrydol y Parchedig David
  Williams, Gwynfe (1856-1881), ar ffurf llythyrau*]. Abertawe: Tŷ John Penry,
  1975: Conrad Evans, *Taliesin*, 32 (1976), 130-1; Gomer M. Roberts,
  Y Genhinen, 26 (1976), 47-8; William Williams, *Barn*, 160 (1976), 162.

Wiliam, Urien (gol.)
  Storïau awr hamdden, 2. Abertawe: Christopher Davies, 1975: Glenys Llwyd,
  Barn, 160 (1976), 164.
  Storïau awr hamdden, 4. Abertawe: Christopher Davies, 1978: Eigra Lewis
  Roberts, *Barn*, 185 (1978), 230-1.
  Storïau awr hamdden, 5. Abertawe: Christopher Davies, 1979: Eurig Davies,
  Y Genhinen, 29 (1979/80), 219-20.

Williams, D. E.
  Sonedau. Abertawe: Tŷ John Penry, 1984: Gwilym R. Tilsley, *Barddas*, 90
  (1984), 6.

Williams, Emlyn Bryn
  Blagur o'r llwch. Y Bala: Llyfrau'r Faner, 1976: Mathonwy Hughes, *Y Faner*,
  8.4.77, 140.

Williams, Euryn Ogwen
  Pelydrau pell. Llandybïe: Christopher Davies, 1974: D. Eirwyn Morgan, *Lleufer*,
  26/2 (1975/76), 56-8.

Williams, Gerwyn
  Tynnu gwaed. Aberystwyth: Copa Cymru Cyfyngedig, 1983: Angharad
  Tomos, *LlLl*, Hydref (1983), 14.

WILLIAMS, GWYN, (1904-)

Y cloc tywod. Talybont: Y Lolfa, 1984: Branwen Jarvis, *LlLl,* Hydref (1984), 11.

Y ddefod goll: cerddi. Port Talbot: Llyfrau Alun, 1980: Elin ap Hywel, *PW,* 17/2 (1981), 109-12.

WILLIAMS, GWYNNE

Pysg. [s.l.]: Cyhoeddiadau Barddas, 1986: Iwan Llwyd, *LlLl,* Gaeaf (1986), 22; Dafydd Owen, *Y Faner,* 7.11.86, 14-15.

WILLIAMS, Harri

Deunydd dwbl. Llandysul: Gwasg Gomer, 1982: D. Tecwyn Lloyd, *Y Traethodydd,* 137 (1982), 215-16.

Y ddaeargryn fawr: hunangofiant dychmygol. [s.l.]: Llys yr Eisteddfod Genedlaethol, 1978: R. Tudur Jones, *Y Genhinen,* 28 (1978), 180-1.

Mam a fi. Llandysul: Gwasg Gomer, 1983: Marged Dafydd, *Y Faner,* 25.4.84, 15.

Oni threngodd Duw. Caernarfon: Llyfrfa'r Methodistiaid Calfinaidd, 1975: Pennar Davies, *Y Traethodydd,* 132 (1977), 52-3.

WILLIAMS, HUW LLEWELYN

Llygadau heulog: cerddi; golygwyd gan Derwyn Jones; gyda chyflwyniad gan Syr Thomas Parry. Caernarfon: Argraffty'r M. C., 1979: Gwilym R. Jones, *LlLl,* Gwanwyn (1980), 28-9.

WILLIAMS, JOHN

Cerddi J. W.: John Williams, Llannerch-y-medd; golygwyd gan Derec Llwyd Morgan. [s.l.]: Gwasg Gwynedd, 1983: Vernon Jones, *Barddas,* 78 (1983), 7.

WILLIAMS, JOHN EDWARD

A dacw'r pren. Llandeilo: Gwasg y Sir, 1976: Derwyn Jones, *Y Traethodydd,* 132 (1977), 109-11.

Deublyg amddiffyn. Abertawe: Gwasg Christopher Davies, 1980: Gwynn ap Gwilym, *Barddas,* 47 (1980), 6; Gwilym R. Jones, *LlLl,* Haf (1980), 22.

Epynt a cherddi eraill. Aberhonddu: J. Colwell a'i feibion, 1985: Gwilym R. Jones, *LlLl,* Hydref (1985), 15.

Porth Cwyfan a cherddi eraill. Llangefni: Yr awdur, 1981: Gwynn ap Gwilym, *Barddas,* 71 (1983), 5.

WILLIAMS, JOHN GRIFFITH

Betws Hirfaen. Dinbych: Gwasg Gee, 1978: Marged Dafydd, *Y Faner,* 17.11.78, 23.

WILLIAMS, MARI R.

Tro ar fyd. Caernarfon: Tŷ ar y Graig, 1983: Selyf Roberts, *LlLl,* Gwanwyn (1984), 12-13.

WILLIAMS, MELFYN R.
Doctor Alun—bywyd a gwaith yr Athro R. Alun Roberts. Talybont: Y Lolfa, 1977:
H. J. Hughes, *Barn*, 181 (1978), 70-1.

WILLIAMS, R. BRYN
Cerddi Hydref. [s.l.]: Cyhoeddiadau Barddas, 1986: Bryan Martin Davies,
Y Faner, 3.10.86, 14; Robat Trefor, *LlLl*, Gaeaf (1986), 21-2.
Prydydd y Paith: hunangofiant. Llandysul: Gwasg Gomer, 1983: Brynley F.
Roberts, *Y Traethodydd*, 139 (1984), 103-4; [Rhydwen Williams], *Barn*, 250
(1983), 409-10.

WILLIAMS, ROBIN
Hoelion wyth. Llandysul: Gwasg Gomer, 1986: John Gruffydd Jones, *Barn*, 284
(1986), 324; John Roberts Williams, *Y Faner*, 5.8.86, 14.
Mêl gwyllt: llythyr at gyfeillion. Llandysul: Gwasg Gomer, 1976: W. J. Edwards,
Y Genhinen, 27 (1977), 97-8.

WILLIAMS, RHYDWEN
Apolo. Abertawe: Christopher Davies, 1975: John Rowlands, *Y Faner*, 30.1.76,
[6].
Dei gratia. [s.l.]: Cyhoeddiadau Barddas, 1984: Meirion Evans, *Barddas*, 97
(1985), 21-2; Harri Pritchard Jones, *LlLl*, Gwanwyn (1985), 15-16.
Gallt y gofal. Abertawe: Christopher Davies, 1979: Gwynn ap Gwilym, *LlLl*,
Haf (1980), 19.
Gorwelion. Llandybïe: Christopher Davies, 1984: Harri Pritchard Jones, *LlLl*,
Gwanwyn (1985), 15-16.
Pedwarawd: pryddest mewn pedair rhan. [s.l.]: Cyhoeddiadau Barddas, 1986:
Kathryn Jenkins, *Barn*, 284 (1986), 325-6.
Ys gwn i a cherddi eraill. [s.l.]: Cyhoeddiadau Barddas, 1986: Dafydd Morgan
Lewis, *LlLl*, Hydref (1986), 11-12; Leslie Richards, *Taliesin*, 58 (1986), 90-1;
Emrys Roberts, *Barddas*, 113 (1986), 16.

WILLIAMS, T. ARFON
Annus Mirabilis a cherddi eraill. [s.l.]: Cyhoeddiadau Barddas, 1984: T. Gwynn
Jones, *Barddas*, 92/93 (1984/85), 11; Gwyn Thomas, *LlLl*, Gaeaf (1984), 9-10.
Englynion Arfon. Abertawe: Christopher Davies, 1978: Dic Jones, *Y Genhinen*,
29 (1979), 91-2; Gerallt Jones, *Barn*, 190 (1978), 430-1; Moses Glyn Jones,
Barddas, 24 (1978), 5.

WILLIAMS, W. E.
Llyncu'r angor. Porthmadog: Tŷ ar y Graig, 1977: J. Alun Jones, *Barn*, 180
(1978), 27-8.

WILLIAMS, WILLIAM (1921-1985)
Y llanc o Anathoth: nofel am draean cyntaf oes y proffwyd Jeremeia. Caernarfon: Argraffty'r Methodistiaid Calfinaidd, 1975: Huw Ethall, *Barn,* 157 (1976), 64.

WOOD, KATHLEEN
Llyfr Coch Siân: dyddiadur dychmygol Siân Roberts a aned yng Nghwmdyli, am y flwyddyn 1846. Abertawe: Christopher Davies, 1979: Selyf Roberts, *LlLl,* Gwanwyn (1980), 17-18.

Wynne, Doreen
Plentyn amser. Llandysul: Gwasg Gomer, 1980: John Jenkins, *Barn,* 217 (1981), 76-7.

MYNEGAI I

Awduron, Golygyddion ac Adolygwyr

Brooks, N. P. 524
Brown, J. P. 406
Brown, Keri 221
Bullock-Davies, Constance 803, 804
Burdett-Jones, M. T. 13, 1533

Campanile, Enrico 88
Campbell, J. 775
Carey, John 222-226, 448, 863
Carley, James P. 833
Carney, James 89, 664
Carr, A. D. 566, 931, 932, 1026-1028,
    1140-1144, 1311
Carr, Glenda 1600, 1601, 2000
Carter, Harold 2879
Cavendish, Richard 872
Ceonen, Dorothea 227
Chadwick, H. M. 292
Chadwick, Nora K. 292, 293
Chandler, J. E. E. 449
Chapman, T. Robin 1600, 2034-2036,
    2197-2199, 2286, 2293, 2295, 2375,
    2376, 2380
Charles-Edwards, Gifford 14, 15
Charles-Edwards, T. M. 295, 355, 520,
    524, 682, 933-935, 951, 969
Chater, A. O. 1524, 1525
Clancy, Joseph P. 2258, 2327, 2718
Clark, Stuart 1455
Clarke, Basil 438
Clement, Mary 1580, 1586
Cohen, David J. 450
Colyer, Richard J. 1951
Conran, Anthony 90, 169-171, 1114,
    1198, 1200, 2258
Coplestone-Crow, Bruce 294
Cormier, Raymond J. 805, 882, 883,
    1787
Corner, D. J. 991
Costigan, Nora Gabriel, *Y Chwaer Bosco*
    608, 609, 2748, 2758
Cousins, Jane Ann 567
Cowley, F. G. 633, 2915
Crane, Eva 934
Crawford, T. D. 782, 1222, 1223
Crick, Julia 554
Cross, Tom Peete 1787

Crossley-Holland, Kevin 662
Cule, Cyril P. 2553
Cule, John 38, 112, 2089
Cunliffe, Barry 173
Curley, Michael J. 451
Curtis, Kathryn 91, 2270, 2402, 2664
Cyprien, Michael 210

Dafydd, Lowri A. 2118
Dafydd Guto 1844
Dafydd Islwyn 2744
Dahlman, Stanley Miller 988
Daniel, Iestyn 975, 1108
Danov, Chr. M. 174
Darrah, John 806
David Lyn 2499
Davies, Alun Eirug 39, 40
Davies, Aneirin Talfan 2031
Davies, Ann Eleri 1269
Davies, B. M. 2432
Davies, Bryan Martin 1996, 2119, 2360,
    2712, 2922
Davies, Cassie 2616
Davies, Catrin T. Beynon 1029. *Gw.
    hefyd* Stevens, Catrin
Davies, Ceri 1399, 1437, 1438, 1523
Davies, D. Elwyn 1654, 1801, 2013, 2310
Davies, D. R. 995
Davies, Dewi Eirug 1566, 1581, 2120,
    2121, 2332, 2647
Davies, E. T. 1815
Davies, Eirian 2777
Davies, Eleisa 2037
Davies, Eurig R. Ll. 1145, 1146, 1366
Davies, G. Gerallt 1973
Davies, Gareth Alban 1387, 2001, 2109,
    2122, 2123, 2713
Davies, Gwilym Prys 2208
Davies, Gwyn 1587, 1721, 1983
Davies, Helen 519, 935
Davies, Howard E. F. 1006
Davies, Hywel M. 1607-1609
Davies, Ithel 2341, 2648
Davies, Ivor 1474
Davies, J. E. Wynne 1587, 1671, 1685,
    1761, 2911
Davies, J. Iorwerth 1845-1847

Ifans, Rhiannon 102, 103, 657, 1694, 1714
Ifor ap Gwilym 2866
Isaac, Norah 2272, 2751
Iwan Edgar 1426

Jackson, Kenneth H. 339, 340, 361, 454, 523, 733
Jacobs, Nicolas 304, 305, 2879
James, Allan 2090, 2508
James, Brian Ll. 51
James, Christine 569, 941
James, David W. 998
James, E. Wyn 1634, 1643, 1656, 1657, 1661, 1672, 1682, 1702, 1717, 1724, 1956-1958
James, Elin 2396
James, J. W. 999
James, Lowri A. 2137, 2138, 2577
James, M. Euronwy 1859
Jarman, A. O. H. 104, 105, 306-310, 362, 383, 392, 409, 422, 441, 442, 455-462, 497-500, 649, 811-813
Jarvis, Branwen 1087, 1375, 1459, 1460, 1708, 1788, 1932, 2139, 2269, 2332, 2509, 2550, 2568, 2778
Jarvis, Gwynne 1999
Jenkins, Bethan Teify 2219
Jenkins, Dafydd 31, 509-511, 931, 932, 942-951, 958, 2313, 2787
Jenkins, David 52, 65, 1232, 1966, 2211, 2478, 2616, 2675
Jenkins, Elfyn 2912
Jenkins, Emlyn G. 1685, 1997
Jenkins, Emyr Wyn, 2815
Jenkins, Geraint H. 993, 1404, 1473-1479, 1514, 1518, 1557-1563, 1589-1591, 1595, 2024
Jenkins, Gwyn 2220
Jenkins, J. P.1593
Jenkins, John 2333, 2787
Jenkins, Kathryn 1743, 1753, 1754, 2414
Jenkins, Marilyn 658
Jenkins, Rhian 572. *Gw. hefyd* Andrews, Rhian
Jenkins, Wynne 2270
John, Arwel 2940
John, E. Stanley 2887

John, Eric 526
John, Rhian Dorothy Mary 2436
John Eilian 2221, 2416
John Emyr 2381, 2676, 2677, 2700
Johnston, Charlotte 1783
Johnston, David 392, 1197, 1198, 1200, 1233-1235, 1304, 1312-1315, 2308, 2797
Jones, Angharad Lloyd 2512
Jones, Alun R. 2513
Jones, Ann Elizabeth 1297
Jones, Anna Wyn 2758
Jones, Bedwyr L. 4, 71, 72, 106, 125, 617, 650, 657, 693, 694, 716, 747, 985, 1326, 1451, 1658, 1677, 1776, 1780, 1789-1791, 1931, 2044, 2111, 2116, 2155, 2222, 2269, 2271, 2272, 2311, 2417, 2581, 2593-2595, 2715, 2732, 2778, 2779, 2898
Jones, Bobi 107, 108, 836, 1566, 1644, 1694, 1706, 1743, 1771, 1808, 1834, 2021, 2140-2142, 2155, 2325, 2332, 2347, 2382, 2425, 2426, 2437, 2494, 2524, 2533, 2547, 2562, 2649, 2700, 2723, 2731, 2752, 2758, 2762, 2780, 2782, 2816. *Gw. hefyd* Jones, R. M.
Jones, Cyril, 2932
Jones, D. Gwenallt 1617, 2437, 2438
Jones, D. Hughes 1715
Jones, D. J. Odwyn 2099
Jones, Dafydd Glyn 109, 110, 113, 1036, 1976, 2023, 2143, 2513, 2532, 2631, 2798, 2817
Jones, David Aled 1376
Jones, Derwyn 2283, 2365, 2484, 2549, 2550, 2560, 2887
Jones, Derwyn Morris 2548
Jones, Dewi 2489, 2919, 2933
Jones, Dewi O. 44
Jones, Dewi Stephen 2144, 2439, 2465
Jones, E. D. 392, 1037, 1303, 1320-1323, 1349, 1474, 1710, 1733, 2223, 2224
Jones, E. Vernon 1862
Jones, Edward, 2933
Jones, Edwin Pryce 2121, 2753
Jones, Eifion Lloyd 650
Jones, Einir Vaughan 2145, 2818, 2873
Jones, Elin Mair 624

Jones, Elizabeth G. 2071
Jones, Elwyn A. 1824
Jones, Elwyn L. 2070
Jones, Emrys 1408, 1959, 2165
Jones, Emyr Wyn 1038-1040, 1343, 1519, 1635, 1636, 2362, 2616, 2628
Jones, Evan 2288
Jones, F. M. 1645
Jones, Frank Price 1820
Jones, G. R. J. 295, 311, 952
Jones, Gareth Elwyn 111
Jones, Geraint Elfyn 1756
Jones, Geraint Wyn 2678, 2788
Jones, Gerallt 1967, 2458, 2489, 2924, 2934
Jones, Glyn 2146
Jones, Glyn E. 691, 1427
Jones, Glyn Penrhyn 112
Jones, Gwerfyl Pierce 1480, 1481
Jones, Gwilym A. 2272
Jones, Gwilym R. 1704, 1705, 1707, 1734, 1980, 2024, 2109, 2147, 2148, 2181, 2225, 2295, 2304, 2325, 2342, 2343, 2419, 2430, 2454, 2478, 2514, 2524, 2543, 2596-2598, 2612, 2659, 2679, 2700, 2781, 2783, 2921
Jones, Gwyn (1907-) 170, 605, 659, 660, 2799
Jones, Gwynn 2272
Jones, Harri Pritchard 1690, 2165, 2383, 2516, 2517, 2533, 2677, 2700, 2787
Jones, Huw Ceiriog 1270, 2770
Jones, Ieuan Gwynedd 1821, 2915
Jones, Iorwerth 1676, 1757, 2243
Jones, Islwyn 1952, 1953, 2526, 2770
Jones, J. Brynmor 53, 54
Jones, J. Eric 2310
Jones, J. Gwynfor 1036, 1041-1052, 1151-1159, 1401, 1421, 1474, 1479, 1823, 2800
Jones, J. Hopkin 1792
Jones, J. Tysul 2226-2228
Jones, John Ellis 1036
Jones, John Gwilym (1904-1988) 113, 1236, 2043, 2047, 2149-2152, 2459, 2518, 2520, 2613, 2629, 2630, 2680-2682, 2700, 2819

Jones, John Gwilym (1936-) 1160
Jones, June E. 620, 1950, 2687
Jones, L. 1735
Jones, Llewelyn 1406, 1472, 1678, 1973, 2832
Jones, Mair 1053
Jones, Mairwen Gwynn 661, 2272
Jones, Meinir Pierce 2153, 2229
Jones, Morgan D. 5
Jones, Moses Glyn 2109, 2385, 2760, 2769, 2935
Jones, Myfanwy Lloyd 312
Jones, O. G. 2348
Jones, Olive 1866, 2451
Jones, Philip Henry 1867, 1868, 1873, 2886
Jones, R. Brinley 290, 1439
Jones, R. E. 1994, 2536, 2703
Jones, R. Gerallt 1289, 1777, 1990, 2154, 2155, 2261, 2336, 2351, 2467, 2631, 2724, 2739
Jones, R. I. Stephens 1461-1463, 1738
Jones, R. M. 114-121, 159, 478, 636, 692, 1683-1686, 1736, 1737, 2156-2158, 2394, 2480, 2481, 2601-2603, 2683, 2684, 2771-2773. *Gw. hefyd* Jones, Bobi
Jones, R. Tudur 117, 1474, 1482, 1483, 1506, 1514, 1581, 1719, 1739, 1822-1825, 1839, 2021, 2042, 2116
Jones, Richard L. 1301
Jones, Richard Llewelyn Parry 1161
Jones, Robert O. 1733, 2002
Jones, Roger 2777
Jones, Rhiannon Davies 1690
Jones, S. C. 1716
Jones, Sarah Rhiannon Davies 122
Jones, T. Geraint Elfyn 2569
Jones, T. Gwynn (1871-1949), 285
Jones, T. Gwynn (1921-), 2758, 2935
Jones, T. J. Rhys 1538
Jones, T. James 2310, 2740
Jones, T. Llew 2108, 2273, 2305, 2406, 2447, 2758, 2939
Jones, T. Thornley 1000
Jones, Tegwyn 1629, 1778, 1804, 2091, 2098

Mac Gearailt, Uáitéar 717

McKenna, Catherine A. 578, 579, 613, 625, 710

Mac Mathúna, Liam 131

Mac Mathúna, Séamus 673

Mac Neill, Máire 251

Madden, Lionel 1872

Mandach, André de 884, 885

Marcs, Dafydd 2527

Marged Dafydd 1946, 2305

Markale, Jean 203-205, 252-256, 464, 768, 769, 878

Martin, Nansi 1981

Matchak, Stephen 737

Matheson, Ann 42

Mathias, Roland 192, 255, 660, 985

Mathias, Rosemary Non 2442

Matonis, A. T. E. 614, 1055-1059, 1099, 1100, 1110, 1329

Matthews, E. Gwynn 2919

Matthews, J. F. 749

Meehan, Bernard 465

Meek, Donald 365

Meirion Pennar 105, 152, 581-583, 869, 1060, 1061, 1679, 2024

Melchior, A. B. 1452

Menna Elfyn 2262

Meslin, Michel 248

Michael, Cyprien 765

Middleton, Roger 849

Miles, Dillwyn 1106

Miles, Gareth 125, 2165, 2292, 2513, 2528

Miles, Megan Hughes 2789

Millar, Ronald 770

Miller, Molly 321-324, 525, 550, 787, 985

Millward, E. G. 139, 1564, 1565, 1600, 1604, 1606, 1610-1612, 1636, 1802, 1826, 1827, 1928, 1929, 1932, 1961, 1977, 1978, 1987, 2010, 2026, 2038, 2041, 2043, 2050-2053, 2092, 2163, 2164, 2349

Mohr, M. K. 133

Moisl, Hermann 134, 325

Morgan, D. Eirwyn 1649, 1659, 2313

Morgan, Dafydd Densil 1357, 1690, 2027, 2028, 2181, 2192, 2274, 2284, 2319, 2443, 2803

Morgan, Derec Llwyd 87, 95, 170, 1499, 1500, 1514, 1566-1568, 1583, 1584, 1625, 1650, 1651, 1688-1690, 1720, 1733, 1740-1743, 1769, 1824, 2053, 2165, 2269, 2352, 2418, 2419, 2437, 2675, 2677, 2689-2692, 2700, 2737, 2790, 2852

Morgan, Dyfnallt 1569, 1690, 2616, 2657, 2756, 2762

Morgan, Enid 2028, 2029

Morgan, Gerald 170, 1486, 1786, 1873, 1874, 2093-2095

Morgan, Gwyneth 1966, 2529, 2675

Morgan, Kenneth O. 1829

Morgan, Merfyn 1516, 1520

Morgan, Prys 29, 61, 135, 137, 1351, 1455, 1479, 1571, 1572, 1600, 1805, 1806, 1940-1942, 2008, 2167, 2495, 2939

Morgan, Richard 1549

Morgan, T. J. 136, 137, 2116, 2236, 2571, 2636

Morgan, Vona 2496

Morgan, W. Islwyn 1875-1878

Morris, John 551, 775

Morris, Mair Gwenllian 2693, 2694

Morris, Margaret Erina 2018

Morris, Owen 1770

Morris, Rosemary 822, 823

Morris, Tabitha Anne 1879

Morris-Jones, John 138, 558

Morris-Jones, Rhiannon 558

Musès, Charles 824

Mygind, A. 255

Myrddin ap Dafydd 2767

Nagy, Joseph Falaky 257-259, 466, 696, 913, 914

Nash, Daphne 206

Newhauser, Richard Gordon 746

Nia Rhosier 2405

Ní Chatháin Próinséas 260

Nicholas, Garry 2339

Nicholas, James 2563, 2663, 2757, 2758, 2927

Nicholas, W. Rhys 139, 2275, 2368, 2453, 2663, 2703, 2939

Nicolle, David 776
Ní Mhuiríosa, Máirín 599
Norris, Leslie 654
Nuttall, Geoffrey F. 1474, 2412

Oaks, Laura S. 238
Oates, J. C. T. 426
Ó Cathasaigh, Tomás 140, 141, 261, 262, 326, 674
Ó Coileáin, Seán 679, 711
O' Connor, Frank 1199
Ó Corráin, Donnchadh 956
O'Driscoll, Robert 189
Ó Fiannachta, Pádraig 95, 904
Oldfield-Davies, Alun 2306
Olier, Youenn 2530
Ó Luain, Cathal 2154
O'Rahilly, Thomas F. 207
Ó Riain, Pádraig 140, 263, 639, 986
Orlandi, Giovanni 524
O'Sullivan, Thomas D. 526
Ovazza, Maud 264
Owen, Beth 2444
Owen, Dafydd 170, 598, 651, 1013, 1630, 1652, 1679, 1758, 1935, 2169, 2170, 2181, 2276, 2324, 2344, 2360, 2419, 2537, 2615, 2631, 2738, 2821
Owen, David Alwyn 1744
Owen, Dyddgu 2272, 2700
Owen, Elen 2899
Owen, Emrys Bennett 2650
Owen, Geraint Dyfnallt 2003
Owen, Gerallt Lloyd 2777
Owen, Goronwy P. 1587, 1672, 1759
Owen, Goronwy Wyn 1507-1510, 1516
Owen, Ifor 2239, 2272
Owen, James Degwel 2054, 2125
Owen, Morfydd E. 31, 347, 366, 436, 510, 511, 561, 637, 641, 642, 904, 934, 935, 950, 951, 957, 958, 1006, 1008
Owen, Richard 1788
Owen, Trefor M. 1066, 2651-2653
Owen-Rees, Lynn 2444
Owens, B. G. 2240, 2278, 2758, 2759, 2892, 2893

Padel, O. J. 479, 549, 739, 788, 886

Page, Alun 1807
Palfrey, Eiry 2310
Parry, Charles 1880
Parry, Emrys 2116
Parry, Griffith 2551
Parry, Gruffudd 2919
Parry, Robert Palmer 2608, 2609
Parry, T. Emrys 113, 2810
Parry, Thomas 32, 125, 139, 150, 159, 1013, 1062, 1087, 1129, 1130, 1201, 1221, 1240-1242, 1613, 1628, 1631, 1663, 1808, 1881, 1882, 2072, 2109, 2212, 2241, 2395, 2405, 2413, 2561, 2605, 2614, 2638, 2639, 2654, 2656, 2720, 2767, 2774, 2781
Parry-Jones, Lilian 2728
Parry-Williams, T. H. 558, 2787
Patterson, Nerys W. 959
Payne, Ffransis G. 1087
Pearce, Susan 825
Peate, Iorwerth C. 285, 1883, 2192, 2242, 2387, 2389, 2505, 2569, 2616, 2734
Peden, Alison 33
Peregrine, T. J. 1997
Perkins, Ronald 1699
Petherbridge, William 2805
Pfaff, Richard W. 539
Pickford, Cedric E. 757, 758
Piggott, Stuart 190, 208
Pilch, Herbert 1197, 1243
Pitman, Susan Jane 265
Polin, Claire 1432
Powell, J. G. F. 2171, 2775
Powell, Nia 4
Powell, Robat 2172
Powell, T. G. E. 208
Powell, W. Eifion 142, 1664, 1824, 2313, 2320, 2321, 2878
Price, D. T. W. 1830
Price, Emyr 1886-1889, 2208, 2243
Price, Glanville 168
Prichard, Caradog 1620
Prichard, Elfyn 2272, 2451
Pritchard, Elizabeth 1691
Pritchard, Islwyn 2565
Pritchard, Marged 2173

Rowland, Jenny 95, 344, 389, 392, 396, 411-414, 480, 503, 504, 586, 888
Rowlands, Bryn 2388
Rowlands, Dafydd 2445, 2446
Rowlands, Eryl 1897
Rowlands, Eurys I. 963, 1015, 1068-1071, 1111, 1119, 1196, 1246-1248, 1327, 1345, 1369. *Gw. hefyd* Rolant, Eurys
Rowlands, John 87, 394, 1197, 1249, 2041, 2146, 2181-2184, 2285, 2328, 2332, 2337, 2389, 2402, 2403, 2461, 2462, 2466, 2531, 2539, 2577, 2581, 2606, 2642, 2700, 2717, 2758, 2760, 2763, 2806, 2875
Rowlands, R. J. 2921
Ruddock, Gilbert E. 1072, 1198, 1250, 1266-1268, 1316, 1324, 1333, 1360, 2279, 2332, 2421
Rutherford, Anthony 367, 552
Ryan, John 1436, 1694

Rhys, Beti 1966
Rhŷs, John 287, 508
Rhys, Robert 1771, 2185, 2712, 2761-2763

Saer, D. Roy 2098
San-Marte, Albert Schulz 470
Saunders, Tim 2841
Sayers, William 742
Schaffner, Paul 524
Schmidt, Karl Horst 211, 539
Schneider, Dagmar B. 951
Schwartz, S. M. 796
Scowcroft, R. 714
Senior, Michael 675, 826
Sergent, Bernard 964
Sharpe, Richard 328, 518, 524
Sheringham, J. G. T. 965
Siân Megan 1695, 1696, 2334
Siân Teifi 2491
Simons, John 1438
Sims-Williams, Patrick 212, 306, 328-330, 390, 524, 527, 587, 644, 719, 743, 1251
Siôn Aled 2186
Sjoestedt, Marie-Louise 271

Smith, J. Beverley 588, 589, 2408
Smith, Llinos Beverley 590, 1073
Smith, Malcolm 925
Spaan, David Bruce 272
Stacey, Robin 935, 966
Stanford, S. C. 415
Stephens, Elan Closs 2822, 2823
Stephens, Meic 144, 145, 2183, 2184
Stephens, Roy 146, 1378-1382, 1384, 2361
Stephenson, David 591, 967
Sterckx, Claude 273-275, 879
Stevens, Catrin 1319, 2658. *Gw. hefyd* Davies, Catrin T. Beynon
Surridge, Marie E. 592, 704, 905
Sutherland, A. C. 524
Swanton, Michael J. 771
Szabó, Miklós 198, 211

Taylor, Clare 1811
Thomas, Annette Joan 2427
Thomas, B. P. 2330
Thomas, Ben Bowen 1833, 2067
Thomas, Bendi 2083
Thomas, Beryl 1585
Thomas, Ceinwen H. 1410, 1808
Thomas, Charles 213, 331
Thomas, Dafydd Elis 2187
Thomas, Dafydd Whiteside 2557
Thomas, David 2560
Thomas, Dewi Wyn 1812
Thomas, Elinor 2249
Thomas, Graham 56, 423, 504, 827, 1550, 1605
Thomas, Gwilym, 2923
Thomas, Gwyn 108, 147-151, 385-387, 397, 569, 645, 661-663, 693, 750, 1104, 1187, 1197, 1200, 1202, 1252-1255, 1383, 1479, 1501, 1771, 1808, 2109, 2188, 2189, 2279, 2367, 2513, 2540, 2541, 2700
Thomas, Isaac 973, 1404, 1411, 1415-1418, 1422, 1423, 1429-1431
Thomas, J. Arwel 2109
Thomas, J. Gareth 61
Thomas, J. W, 1637
Thomas, Joan M. 1898

268

MYNEGAI II

Testunol

271

Davies, Morris (1796-1876) 2014

Davies, Pennar 2101, 2136, 2138, 2146, 2148, 2176, 2177, 2277, 2331-2334, 2806

Davies, Richard (?1501-1581) 1413

Davies, Richard (1635-1708) 1519

Davies, Richard (1833-1877, Mynyddog) 1756

Davies, Robert (Bardd Nantglyn) 1927, 1938

Davies, T. Eurig 2169

Davies, T. Glynne 2101, 2138, 2145-2147, 2173, 2177, 2279, 2335-2337, 2790

Davies, Thomas (Dewi Wyn o Esyllt) 1816

Davies, W. Bryn (1865-1921) 1665

Davies, Walter (Gwallter Mechain) 1939

De natura rerum (Beda) 21

Deio ab Ieuan Du 1015, 1147, 1166, 1269

Deio Ysgolhaig *gw.* Llwyd, *Syr* Dafydd

Derfel, R. J. 1940-1944

derwyddon 101, 236, 240, 252, 253, 260, 269

Dewi, *Sant* 3, 993-1003

Dewi Aeron *gw.* Griffith, David

Dewi Dywyll *gw.* Jones, Dafydd (1803-1868)

Dewi Emlyn *gw.* Davies, David (1817-1888)

Dewi Emrys *gw.* James, David Emrys

Dewi Fardd *gw.* Jones, Dafydd (1703-1785)

Dewi Havhesp *gw.* Roberts, David (1831-1884)

Dewi Ogwen *gw.* Roberts, David (1818-1897)

Dewi Wyn o Eifion *gw.* Owen, David (1784-1841)

Dewi Wyn o Esyllt *gw.* Davies, Thomas

diarhebion 114

Dic Tryfan *gw.* Williams, Richard Hughes

Dictionarium Duplex 1523

Dilyniad Christ 1433

Dives et Pauper 1433

Dofwy *gw.* Jones, Richard (1863-1956)

Dosparth Byrr 1433

drama 43, 2132, 2811-2840

Drych Cristianogawl, Y (1585) 1433

dychan 122

Dyfed *gw.* Rees, Evan

Dysgeidiaeth Cristnoges o ferch 1459

Eames, Marion 2173, 2338, 2339, 2791, 2806

Eben Fardd *gw.* Thomas, Ebenezer

'Echrys Ynys' (BT) 335, 424

'echtrai' 665

'Edmyg Dinbych' (BT) 309, 335, 422, 424

Edward Brynllys 1023

Edward Maelor 1270

Edward Urien 1023, 1166

Edwards, Charles 1470, 1497-1500, 1566

Edwards, Emrys 2101

Edwards, Fanny (1876-1959) 2272, 2784

Edwards, Gwilym Arthur 2124

Edwards, Huw Lloyd 2146, 2173, 2817, 2824, 2829

Edwards, J. M., 2101, 2112, 2138, 2147, 2177, 2265, 2340-2345

Edwards, Jane 2138, 2146, 2173, 2346, 2791, 2797, 2806

Edwards, John (o'r Plasnewydd) 1433

Edwards, O. M. 3, 5, 2116, 2132, 2255, 2265, 2272, 2347-2349, 2804

Edwards, Roger (o'r Wyddgrug) 2015, 2016

Edwards, Thomas (1738-1810, Twm o'r Nant) 5, 6, 1569, 1633-1635, 1637

Edwards, Thomas (1779-1858, Caerfallwch), 2070

Edwards, William Thomas (Gwilym Deudraeth) 2278, 2350

Edwart ap Raff 1023, 1152, 1161, 1166

Eglvrhad Helaeth-lawn (1618) 1433

englyn, yr 1112, 1114, 1115, 1117-1120, 2767-2777

Ehedydd Iâl *gw.* Jones, William (1815-1899)

Eifion Wyn *gw.* Williams, Eliseus

Eifionydd *gw.* Thomas, John (1848-1922)

Einion ap Gwalchmai 4, 576, 579, 596, 597, 611

Gruffydd, W. J. (1881-1954) 2101, 2131, 2135, 2138, 2143, 2146, 2151, 2153, 2155, 2169, 2179, 2255, 2372-2390, 2804, 2816

Gruffydd, W. J. (1916-, Elerydd) 2101

Gruffydd Bodwrda 1287

Guest, Charlotte 632, 653, 654

Guto'r Glyn 1013, 1015, 1022, 1029, 1032, 1037, 1038, 1041, 1043, 1062, 1067, 1071, 1075, 1091, 1099, 1100, 1145, 1149, 1161, 1163, 1165, 1166, 1288-1293

Gutun Owain 1013, 1015, 1029, 1075, 1145, 1165, 1176, 1294, 1295

Gwalchmai ap Meilyr 4, 576, 579, 581, 584, 593, 596-598, 620

Gwallter Mechain *gw.* Davies, Walter

Gwassanaeth Meir 973

Gweirydd ap Rhys *gw.* Pryse, Robert John

Gwenallt *gw.* Jones, D. Gwenallt

Gwenith Gwyn *gw.* Jones, William Rhys

Gwenllian ferch Rhirid Flaidd (*fl.* 1180-1200) 91

Gwerful Mechain (*c.* 1462-1500) 91

Gwilym ab Ieuan Hen 1145, 1166, 1296

Gwilym ap Sefnyn 1028

Gwilym Cowlyd *gw.* Roberts, William John

Gwilym Cyfeiliog *gw.* Williams, William (1801-1876)

Gwilym Deudraeth *gw.* Edwards, William Thomas

Gwilym Eilian *gw.* Cosslett, William

Gwilym Hiraethog *gw.* Rees, William

Gwilym Lleyn *gw.* Rowlands, William

Gwilym Peris *gw.* Williams, William (1769-1847)

Gwilym Ryfel 621

Gwilym Tew 1147, 1297

Gwilym Was Da 31

Gwssanaeth y Gwŷr Newydd 1433

Gwydderig *gw.* Williams, Richard (1842-1917)

Gwyddoniadur Cymreig Y 1841, 1925

Gwyn, Robert 1433

Gwynfardd Brycheiniog 576, 600, 1145

Gwynn, Harri 2101, 2173, 2188, 2391

Gwyrosydd *gw.* James, Daniel (1847-1920)

Hanes Taliesin 499, 906-920. *Gw. hefyd* Chwedl Taliesin

Harris, Howel(l) 3, 8, 1566

Harris, John P. (Ieuan Ddu) 2017

Harris, Joseph (Gomer) 1665, 1879, 1919

Hedd Wyn *gw.* Evans, Ellis

Hendregadredd *gw.* Llawysgrif Hendregadredd

Historia Gruffud vab Kenan 930

Historia Regum Britanniae gw. Brut y Brenhinedd, Sieffre

Hityn Crydd 1042

Holland, Robert 1455

Hooson, I. D. 2138, 2169, 2270, 2392-2394

Hopcyn, Wil 1620

Hopkin, Lewis (1708-1771) 1619

Hopkins, B. T. 2276

Hughes, Annie Harriet *gw.* Vaughan, Gwyneth

Hughes, Arthur 2395

Hughes, Beti 2396

Hughes, H. J. 2270

Hughes, Hugh Brython (1848-1913) 2272

Hughes, John Ceiriog 6, 1947-1950

Hughes, John Gruffydd (Moelwyn) 2397

Hughes, John Henry (Ieuan o Lŷn) 1664, 1951

Hughes, Mathonwy 2101

Hughes, Stephen 5, 158, 1487

Hughes, T. Rowland 2138, 2146, 2278, 2398-2404, 2791

Hughes, W. Roger (Rhosier) 2405

Humphrey, Robert 1621

Humphreys, E. Morgan 2255, 2272

Humphreys, Emyr 2138, 2798, 2806

Humphreys, Hugh (1817-1896) 1903

Huw, Rolant 1622

Huw ap Dafydd ap Llywelyn ap Madog 1298

Huw Arwystli 1166, 1299

Huw Cae Llwyd 1013, 1037, 1071, 1145, 1166
Huw Ceiriog 1300
Huw Cornwy 1161, 1169
Huw Machno 1023, 1052, 1084, 1152, 1155, 1159, 1161, 1166, 1169
Huw Pennant 1301
Huws, Pari 1758
Huws, Rhys Jones (1862-1917) 1837
Hwfa Môn *gw.* Williams, Rowland
Hystoria Adrian ac Ipotis 973
Hystoria Ludicar 973
Hywel ab Owain Gwynedd 576, 582, 593, 597, 598, 622
Hywel ap Dafydd ab Ieuan ap Rhys (Hywel Dafi) 1015,1024, 1069, 1163, 1302
Hywel Cilan 1023, 1037, 1161, 1166, 1303
Hywel Dda 3
Hywel Foel ap Griffri ap Pwyll Wyddel 623
Hywel Rheinallt 1038, 1160, 1161, 1166
Hywel Swrdwal 1037, 1166, 1304
Hywel Ystorym 575

Iaco ab Dewi 1557
Iarlles y Ffynnon, gw. Owain
Ieuan ap Gruffudd Leiaf 1016
Ieuan ap Hywel Swrdwal 1037
Ieuan ap Rhydderch ab Ieuan Llwyd 1014, 1067
Ieuan ap Tudur Penllyn 1041, 1149, 1160, 1161, 1166
Ieuan Brydydd Hir *gw.* Evans, Evan (1731-1788)
Ieuan Brydydd Hir Hynaf 1013, 1016
Ieuan Deulwyn 1016, 1037, 1062, 1069, 1145, 1166, 1305
Ieuan Du'r Bilwg 1306, 1307
Ieuan Dyfi 1013
Ieuan Ddu *gw.* Harris, John P.
Ieuan Fardd *gw.* Evans, Evan (1731-1788)
Ieuan Glan Geirionydd *gw.* Evans, Evan (1795-1855)
Ieuan Gyfannedd 1062
Ieuan Llafar 1308

Ieuan o Lŷn *gw.* Hughes, John Henry
Ieuan Tew Ieuanc 1023
Ieuan Waed Da 1014
Ifor ap Llywelyn (Ifor Hael) 1139, 1167·
Illtud, *Sant* 3
immrama 665
Immram Brain 671-673
Iolo Goch 1013, 1014, 1015, 1016, 1024, 1025, 1031, 1055, 1057-1059, 1061, 1067, 1075, 1092, 1103, 1145, 1161, 1309-1317
Iolo Morganwg *gw.* Williams, Edward
Iorwerth ab y Cyriog 1014
Iorwerth Fynglwyd 1013, 1015, 1071, 1145, 1147
Isfoel *gw.* Jones, Dafydd (1881-1968)
Islwyn *gw.* Thomas, William

Jac Alun *gw.* Jones, John Alun
Jackson, Kenneth H. 2884, 2885
James, Angharad (1677-1749) 91
James, Daniel (1847-1920, Gwyrosydd) 1665
James, David Emrys (Dewi Emrys) 2278, 2406, 2407
James, Edward (1569?-1610?) 1521
Jarman, Geraint 2274
Jenkin, John (Ioan Siencyn) 1623
Jenkins, Dafydd 2886
Jenkins, Ifan (Ffair-rhos) 2924
Jenkins, John (Cerngoch) 1952, 1953
Jenkins, John Gwili 1837, 2140, 2408
Jenkins, Joseph (1886-1962) 2272
Jenkins, R. T. 2153, 2409-2413
Jôb, J. T. 1753, 1754, 1837
John Eilian *gw.* Jones, John Tudor
Jones, A. E. (Cynan) 2101, 2124, 2135, 2138, 2169, 2177, 2179, 2415-2421, 2813, 2816
Jones, Abel (1830-1891, Y Bardd Crwst) 2096
Jones, Alun Idris (Y Brawd Dewi) 2422
Jones, Alun Jeremiah (Alun Cilie) 2101, 2146, 2423, 2424
Jones, Bobi 2101, 2110-2112, 2136, 2138, 2143, 2146, 2155, 2188, 2279, 2425-2429, 2791, 2806

Jones, D. Gwenallt 2101, 2109, 2110, 2111, 2135, 2136, 2138, 2139, 2146, 2171, 2176, 2192, 2268, 2269, 2276, 2277, 2279, 2430-2446, 2791, 2803

Jones, Dafydd (1703-1785, o Drefriw) 1594-1597

Jones, Dafydd (1711-1777, o Gaeo) 1569, 1652

Jones, Dafydd (1743-1831, Dafydd Siôn Siâms) 1954

Jones, Dafydd (1803-1868, o Lanybydder) 2096, 2099

Jones, Dafydd (1881-1968, Isfoel) 2101, 2270, 2447

Jones, Dafydd (1907-, Ffair Rhos) 2101, 2109, 2448

Jones, Dafydd Glanaman (1867-1951) 1837

Jones, Daniel (o Berthengron) 1664

Jones, David (o Amlwch) 72

Jones, David George 1699

Jones, Dic 2101, 2109, 2139, 2279, 2449

Jones, Edward (1752-1824, Bardd y Brenin) 1571, 1598

Jones, Edward (1761-1836, Maes-y-plwm) 1651

Jones, Einir 2279

Jones, Elizabeth Mary (Moelona) 2272, 2450

Jones, Elizabeth Watkin 2272, 2451

Jones, Geraint Vaughan 2452

Jones, Goronwy Prys 2270

Jones, Griffith 3, 5, 8, 9, 1566, 1586-1592

Jones, Gwilym R. 2101, 2109, 2135, 2136, 2138, 2144, 2177, 2453-2455

Jones, Harri Pritchard 2173

Jones, Hugh (Maesglasau) 1668, 1761, 1762

Jones, Huw (o Langwm) 1613

Jones, Idwal 2456, 2816

Jones, John (1766-1821, Jac Glan-y-gors) 1606

Jones, John (1773-1853, o Borthwnog) 1840

Jones, John (1786-1865, o Lanrwst) 1873

Jones, John (1810-1869, Talhaiarn) 1816

Jones, John Alun (Y Capten Jac Alun) 2458

Jones, John Gwilym (1904-1988), 2138, 2146, 2177, 2459-2463, 2785, 2789, 2790, 2792, 2798, 2803, 2808, 2817

Jones, John Gwyndud (1831-1926) 1664

Jones, John Robert (Alltud Glyn Maelor) 1664

Jones, John Tudor (John Eilian) 2222, 2457

Jones, John Tydu 2464

Jones, Moses Glyn 2147, 2267, 2465

Jones, Nesta Wyn 2144, 2279, 2466

Jones, Owen (Owain Myfyr) 5

Jones, Owen Wynne (Glasynys) 1817, 2018, 2019

Jones, Peter (Pedr Fardd) 1, 1663, 1700-1704, 1955-1960

Jones, R. Ambrose (Emrys ap Iwan) 3, 5, 2020-2030, 2116

Jones, R. Gerallt 2101, 2138, 2173, 2467, 2806

Jones, R. M. (Meigant) 1667

Jones, R. Tudur 2887

Jones, Richard (1603?-1673, o Ddinbych) 1517

Jones, Richard (1772-1833, o'r Wern) 1663

Jones, Richard (1863-1956, Dofwy) 2468

Jones, Robert (Rhoslan) 1, 1566

Jones, Robert Eifion 2469

Jones, Robert Isaac (Alltud Eifion) 1833, 1844

Jones, Robert Lloyd (1876-1959) 2272

Jones, Roger (1903-1982) 2470

Jones, Rhiannon Davies 2791, 2806

Jones, Rhys Gwesyn 1822

Jones, T. Gwynn, 2109, 2132, 2135, 2138, 2146, 2147, 2149, 2161, 2171, 2179, 2186, 2192, 2255-2257, 2269, 2276, 2279, 2471-2488, 2784, 2791

Jones, T. Hughes 2278

Jones, T. Llew 2101, 2267, 2489-2491

Jones, Thomas (1648-1713, o'r Amwythig) 1478, 1479

Jones, Thomas (1756-1820, o Ddinbych) 1566, 1651, 1705, 1763-1765

Jones, Thomas (1823-1904, Canrhawd-
    fardd) 1664
Jones, Thomas (1860-1932, o Gerrigell-
    gwm) 2492
Jones, Thomas (1910-1972) 2888-2891
Jones, Tom Parri 2101
Jones, W. Emlyn (1841-1914) 1665
Jones, W. S. 2146, 2173, 2817, 2824, 2835
Jones, William (1726-1795, Dolhywel)
    1624
Jones, William (1815-1899, Ehedydd Iâl)
    1706, 1707
Jones, William (1863-1946, Gwilym
    Myrddin) 1837
Jones, William (1896-1961) 2278
Jones, William Rhys (Gwenith Gwyn)
    2493
Josiah Brynmair 1748
Juvencus, englynion 306, 328, 335, 426,
    427

Kalender of Shepherdes, The 1458

Levi, Thomas 1665, 2272
Lewis, Alun T. 2790
Lewis, George (1803-1853, Eiddil Llwyn
    Celyn) 1837
Lewis, H. Elvet (Elfed) 1652, 1757, 1759,
    2255, 2277, 2494-2496
Lewis, Henry 2125
Lewis, J. D. (Gwasg Gomer) 5, 74
Lewis, L. Haydn 2101
Lewis, Owen 1433
Lewis, Richard (1817-1865) 1833
Lewis, Saunders 3, 101, 108, 2101, 2110,
    2136, 2138, 2143, 2146, 2147, 2153,
    2165, 2171, 2268, 2269, 2276, 2277,
    2281, 2497-2533, 2791, 2792, 2803,
    2806, 2816-2818
Lewis, Timothy 2534
Lewis Menai 1170
Lewys Aled 1318
Lewys Daron 1160, 1161, 1319
Lewys Glyn Cothi 1013, 1015, 1022,
    1023, 1029, 1032, 1037, 1043, 1062,
    1067, 1091, 1145, 1146, 1147, 1161,
    1163, 1166, 1320-1324

Lewys Môn 4, 1013, 1015, 1016, 1029,
    1038, 1043, 1062, 1145, 1160, 1161,
    1166, 1170, 1325-1328
Lewys Morgannwg *gw.* Llywelyn ap
    Rhisiart
Lhuyd, Edward 3, 5, 8, 9, 158, 1524-1545,
    1571, 1593
Liber Landavensis 540-544 *Gw.* hefyd
    Braint Teilo
Lloyd, D. Myrddin 2892-2894
Lloyd, Henry (Ap Hefin) 2266
Lloyd, J. Selwyn 2535
Lloyd, Meredith 1546, 1547
Lloyd, O. M. 2536
Lloyd, Thomas (1673?-1734) 1434
Lloyd-Jones, J. 2537

Llawdden 1071
Llawysgrif Hendregadredd 558, 561,
    571
llawysgrifau 10-35, 158, 1084-1085
llen Arthur 827
Llewelyn, Morgan (1880-1944, Meurig
    Wyn) 1837
Lludd a Llefelys gw. Cyfranc Lludd a
    Llefelys
Llwyd, Angharad 2073-2076
Llwyd, *Syr* Dafydd (Deio Ysgolhaig)
    1329
Llwyd, Humphrey 1282
Llwyd, Huw (o Gynfal) 1013, 1330
Llwyd, Morgan, 3, 8, 108, 1470, 1472,
    1487, 1501-1515, 1664
Llyfr Ancr Llanddewibrefi 973
Llyfr Aneirin 27. *Gw. hefyd* Y
    Gododdin
Llyfr Coch Hergest 14, 15, 29, 34
Llyfr Du Caerfyrddin 392, 461
Llyfr Gweddi Gyffredin 1403, 1780
Llyfr Gwyn Rhydderch 14
Llyfr Llandaf 540-544. *Gw. hefyd* Braint
    Teilo
Llyfr St. Chad 16. *Gw. hefyd* Surexit
    Memorandum
Llyfr yr Homiliau 1521
'Llyfrau ab Owen' 2224
llyfrgelloedd 48-57

Parry-Williams, T. H. 5, 108, 2101, 2135, 2138, 2139, 2146, 2149, 2179, 2192, 2195, 2257, 2277, 2279, 2616-2646, 2782, 2783, 2810, 2905, 2906

Patrobas *gw.* Gruffydd, Robert

Pearse, Padraig 2854

Peate, Iorwerth C. 2101, 2138, 2265, 2276, 2647-2658

Pedair Cainc y Mabinogi 101, 648-663, 680-725

Pedr Fardd *gw.* Jones, Peter

Peredur 687, 836-848, 860-870

Pierce, John (1890-1955) 2272

Powel, David 1399

Powel, Lewys 1283

Powel, Thomas 2131

Powel, Watcyn 1337, 1338

'Preiddeu Annwfn' (BT) 328, 893, 894

Price, Thomas (Carnhuanawc) 5, 101, 2077, 2078

Prichard, Caradog 2101, 2109, 2138, 2146, 2177, 2659-2661, 2797, 2798, 2806

Prichard, Rhys 1472, 1494

Proffwydoliaeth Sibli Ddoeth 974

Prophetiae Merlini 444-447, 465, 469, 472

Prydydd Bychan, Y 586, 630, 1145

Prydydd y Moch *gw.* Llywarch ap Llywelyn

Prys, Edmwnd 1161, 1339, 1340, 1445-1450

Prys, *Syr* John (1502-1555), 1282, 1399

Prys, Tomos (o Blas Iolyn) 6

Pryse, Robert John (Gweirydd ap Rhys) 3, 4, 2079, 2080

Pugh, Phylip 1709, 1710

Pwyll Pendefig Dyfed 707-715

Py delw y dyly dyn credv y Dyw 973

Phillips, Edgar (Trefin) 2275

Phylip, Rhisiart 1023

Phylip, Siôn 1013, 1104, 1341, 1342

Phylip Brydydd 1145

Raff ap Robert 1145, 1161

Rees, Evan (1850-1923, Dyfed) 1966, 2275

Rees, George 2662

Rees, J. Seymour 2784

Rees, John Roderick 2101, 2138

Rees, Sarah Jane (Cranogwen) 1822, 1967, 1968

Rees, Thomas (1815-1885) 1665

Rees, William (Gwilym Hiraethog) 3, 1863, 1969, 1970, 2804

Reese, W. H. 2138, 2145, 2147

Richard, Edward 1569, 1571, 1795-1798

Richards, Brinley 2663

Richards, David (1751-1827, Dafydd Ionawr) 1927

Richards, G. Melville 2907-2910

Richards, W. J. (1901-1951) 1750

Richards, W. Leslie 2101, 2664, 2791

Richards, William (1875-1931, Alfa) 1837

Richards, William John 2665

Robert, Gruffydd 5, 8, 158, 1433

Robert ab Gwilym Ddu *gw.* Williams, Robert (1766-1850)

Roberts, David (1818-1897, Dewi Ogwen) 1664

Roberts, David (1831-1884, Dewi Havhesp) 1971, 1972

Roberts, Edward (Iorwerth Glan Aled) 1816

Roberts, Eigra Lewis 2146, 2173

Roberts, Ellis (Elis Wyn o Wyrfai) 2081, 2082

Roberts, Emrys 2101, 2267

Roberts, G. J. 2101

Roberts, Gomer M. 2911

Roberts, Gruffudd John 2124

Roberts, J. T. 2180, 2250

Roberts, John (Minimus) 1711

Roberts, John Henry (Monallt) 2101, 2666, 2667

Roberts, Kate 3, 2138, 2146, 2668-2701, 2784, 2785, 2789, 2790, 2798, 2803, 2808

Roberts, R. Meirion 2124, 2702

Roberts, Robert (o Rhiwabon) 1664

Roberts, Samuel 2064, 2065

Roberts, Selyf 2791

Roberts, Trebor E. 2703

Thomas, Dafydd (Dewi ab Didymus) 1717

Thomas, David (1759-1822, Dafydd Ddu Eryri) 1627, 1628, 1927

Thomas, David (1842-1914, Pabellwyson) 1665

Thomas, Ebenezer (Eben Fardd) 1, 1974-1979

Thomas, Gwyn 2101, 2108, 2136-2138, 2146, 2147, 2155, 2173, 2712-2719

Thomas, Henry Elwyn (1856-1919) 1837

Thomas, Jennie (1898-1979) 2272

Thomas, John (1730-1804?, Rhaeadr Gwy) 1566, 1568, 1718-1720

Thomas, John (1813-1866, Ifor Cwm Gwŷs) 1837

Thomas, John (1848-1922, Eifionydd) 2202

Thomas, Oliver 1470, 1472, 1516

Thomas, Owen 2066

Thomas, Peter (1787-1856) 1902

Thomas, R. J. 2912-2914

Thomas, Robert (Ap Fychan) 1980

Thomas, Simon 1557

Thomas, William (Islwyn) 3, 1721, 1825, 1982-1988, 2255

Thomas ab Ieuan ap Deicws 1458

Tilsley, Gwilym R. (Tilsli) 2101, 2109, 2270

Tomos ap Llywelyn ap Dafydd ap Hywel 1365

Trahaearn Brydydd Mawr 1145

Treasury of Health, The 1460

Trebor Mai *gw.* Williams, Robert (1830-1877)

Trefin *gw.* Phillips, Edgar

Tri Thlws ar Ddeg Ynys Prydain 827

Trioedd Ynys Prydein 454, 921-925

Troelus a Chresyd 1454, 1456, 1461-1463, 1468

Trystan ac Esyllt 880-890

Tudor, Stephen Owen 2124

Tudur a Gronw 1455

Tudur Aled 1013, 1015, 1022, 1023, 1029, 1038, 1043, 1062, 1075, 1145, 1160, 1161, 1166, 1366-1370

Tudur Penllyn 1015, 1037, 1160, 1161, 1166

Twm o'r Nant *gw.* Edwards, Thomas (1738-1810)

Vaughan, Gwyneth 2720
Vaughan, Richard 1433
Vaughan, Robert 5, 1549
Vaughan, William (Corygedol) 1602
Vers Libre 2109, 2138, 2142, 2145, 2147
Vita Merlini 438

Waldo *gw.* Williams, Waldo
Watcyn Clywedog 1169, 1371
Watcyn Wyn *gw.* Williams, Watkin Hezekiah
Welsh Americana 37
Wil Ifan *gw.* Evans, William
Wiliam, Lewis 1629
Wiliam, Urien 2840
Wiliam Cynwal 1023, 1043, 1052, 1084, 1145, 1149, 1152, 1155, 1159, 1160, 1161, 1166, 1170, 1283, 1372, 1373
Wiliam Llŷn 1013, 1022, 1023, 1043, 1052, 1062, 1075, 1145, 1155, 1160, 1161, 1166, 1176, 1283, 1374-1385
Wiliems, Thomas (o Drefriw) 1433, 1434, 1441, 1442
William, Dafydd (Llandeilo-fach) 1566, 1569, 1651, 1722-1724
William, Thomas (1761-1844, Bethesda'r Fro) 1651, 1725
William Bodwrda 1522
Williams, Arfon 2138
Williams, D. J. (1885-1970) 2138, 2146, 2151, 2165, 2721-2728, 2784, 2789, 2790
Williams, D. J. (1886-1950, o Lanbedr) 2239, 2272
Williams, Daniel (1878-1968) 2272
Williams, Edward (Iolo Morganwg) 3, 101, 1569, 1571, 1799-1812
Williams, Eliseus (Eifion Wyn) 2135, 2138, 2255, 2278, 2729-2732
Williams, Glanmor 2915
Williams, Griffith John 158, 2131 2733, 2734

Williams, Gwynne 2101, 2103, 2138, 2144, 2735
Williams, Harri 2736
Williams, Ifor 2124, 2257, 2916
Williams, Islwyn 2278, 2737, 2789, 2790
Williams, J. E. Caerwyn 2917
Williams, J. J. 1665, 2125, 2140, 2738, 2784, 2790
Williams, John Edwal 2145
Williams, John Ellis 2272, 2791, 2816
Williams, John Gruffydd 2739
Williams, Morris (Nicander) 1663, 1989
Williams, Moses 9, 158, 1557
Williams, R. Bryn 2101, 2124, 2144, 2277, 2740
Williams, R. Dewi 2784, 2785, 2789, 2790
Williams, Richard (c.1790-1862, Dic Dywyll) 2096
Williams, Richard (1842-1917, Gwydderig) 1837
Williams, Richard Hughes (Dic Tryfan) 2784, 2789, 2790
Williams, Robert (1766-1850, Robert ab Gwilym Ddu) 1, 1652, 1653, 1990-1993
Williams, Robert (1830-1877, Trebor Mai), 1994
Williams, Robert Edward, 2012
Williams, Rowland (Hwfa Môn) 1995
Williams, Rhydwen 2101, 2109, 2136, 2138, 2144, 2146, 2148, 2173, 2267, 2741, 2742, 2806
Williams, Samuel 1557
Williams, Stephen J. 2125
Williams, Thomas (Eos Gwynfa) 1726
Williams, Thomas Marchant 2256
Williams, W. Crwys 2101, 2125, 2140, 2169, 2276, 2278, 2743
Williams, W. D. 2173, 2744
Williams, W. Llywelyn 2791, 2798, 2804
Williams, W. T. (1894-1956), 2272
Williams, Waldo 2101, 2108, 2109, 2111, 2112, 2135, 2136, 2138, 2139, 2146, 2155, 2192, 2195, 2268, 2277, 2279, 2281, 2745-2766, 2927

Williams, Watkin Hezekiah (Watcyn Wyn) 1837, 1996, 1997
Williams, William (1717-1791, Pantycelyn) 3, 5, 8, 86, 87, 101, 108, 1566, 1569, 1651, 1652, 1727-1747
Williams, William (1769-1847, Gwilym Peris) 1927
Williams, William (1801-1869, Caledfryn) 1816, 1998, 1999
Williams, William (1801-1876, Gwilym Cyfeiliog) 1668
Williams, William Gwiliamus 2145
Williams, William Llywelyn (1867-1922) 2272
Williams, William Nantlais (1874-1959) 1837, 2018, 2546
Williams ab Ithel, John 101, 158, 1817, 2086
Williamson, Robert M. (Bardd Du Môn) 2000
Wladfa, Y 2001-2008
Wynn, William 1610
Wynne, Ellis, 5, 108, 1569, 1767-1772

Ymborth yr Enaid 975
Ymddiddan Arthur a Glewlwyd Gafaelfawr 497, 502, 505
Ymddiddan Gwallawg ap Lleynnawg 502
Ymddiddan Gwyddneu Garanhir a Gwyn ap Nudd 502
Ymddiddan Taliesin ac Ugnach ap Mydno 502
Ysgol Sul 1839
Ysgolan 456
ysgrif, yr 2809, 2810
Ystori Alexander a Lodwig 1464
Ystori Alystotlys yn cyngori Alecsander Mawr 1466
Ystori y Gŵr Moel o Sythia 1467
Ystorya Adaf 973
Ystorya Bown o Hamtwn 905
Ywain Meirion *gw.* Griffith, Owen